KB195215

명화로 보는

아이네이스

〈베르길리우스의 초상〉
베르길리우스가 《아이네이스》 원고를 들고 있고 왼쪽에 역사의 뮤즈
클리오와 오른쪽에 비극의 뮤즈 멜포메네스가 서 있다.

Aeneis Vergilius

명화로 보는
아이네이스

베르길리우스 지음 | 강경수 엮음

《아이네이스》는 고대 로마 시인 베르길리우스가 로마의 시조로 추앙받는 아이네이아스의 일대기를 소재로 쓴 서사시다. 베르길리우스는 작물 재배부터 양봉까지 농경을 주제로 한 총 4권의 농경시를 저술한 후, 자신을 후원하던 귀족 마이케나스와 아우구스투스의 격려를 받고 평소 꿈꾸던 서사시를 쓰기로 결심했다.

베르길리우스는 이후 11년간 《아이네이스》에 매달리다가 답사를 위해 그리스, 터키로 여행을 떠났으나 열병에 걸려 로마로 돌아오게 되었고 곧 눈을 감고 만다.

베르길리우스는 이 미완성 작품을 불태우라는 유언을 남겼으나, 아우구스투스의 만류로 거의 초안 그대로 남게 되었다. 베르길리우스는 이 서사시를 통해 로마의 역사와 그 지배자를 찬양하고 기릴 목적이었다. 그런데 실제 인물인 아우구스투스를 주인공으로 하자니 피비린내 나는 정쟁의 한복판에도 세워야 하고 은밀한 비밀을 독백하게끔 구성하기도 해야 했다. 또한 서사시 구성상 아우구스투스 상대편은 사악해야 하는데, 판도가 어떻게 바뀔지 모르는 상황에서 당대의 인물을 악하게 그려버리면 자신에게 해가 될지도 모른다고 판단했다. 이에 베르길리우스는 다른 소재를 고르다 아이네이아스 이야기를 쓰기로 결심했다. 아이네이아스를 주인공으로 삼자 또다른 문제가 생겼는데, 트로이아 멸망 후 로마의 건립까지 수백 년의 공백기가 있었기 때문이다. 베르길리우스는 이 문제를 아이네이아스의 라비니움 건설 – 아들 아스카니오스의 알바 롱가 건설 – 300년간의 통치 – 마지막 왕 누미토르의 딸 레아 실비아가 로물루스와 레무스를 낳는 것을 서술함으로써 갑작스럽게 시대를 뛰어넘는 문제점을 해결했다.

《아이네이스》에서 이 구성을 설명하는 세부적인 내용들은 베르길리우스가 당시 설화를 채집해 나온 것이기 때문에 후세의 역사가들에게도 도움이 되었다. 반면, 아이네이아스를 주인공으로 삼으면서 그는 호메로스의《오디세우스》를 전범으로 삼아 많은 부분을 참고할 수 있었다. 이를 통해 위대한 그리스 전통과 로마 기원을 연결하였으며,《오디세우스》에는 거의 생략된 트로이아 함락 이야기를 세밀하게 그려 내 작품의 질과 신뢰감을 높였다. 또한 아이네이아스가 방랑하며 카르타고에 닿았다가 오디세우스와 같은 고난을 겪는 내용을 넣으면서 세계관을 크게 확장시킬 수 있었다.

《아이네이스》는 라틴어로 쓰인 서사시 중에서 가장 완성도가 높으며, 후대에 강한 영향력을 끼치게 되었다. 그 뛰어난 완성도에 힘입어 베르길리우스 사후 얼마 지나지 않아 교과서로 사용된 것은 물론, 로마의 국교가 기독교로 바뀐 이후에도 신의 소명에 전적으로 충실한 아이네이아스가 갖은 고난과 역경에 부딪혀 괴로워하면서도 꿋꿋이 이겨내는 것이 기독교적 관점으로 여겨짐으로 변함없이 애송되고 필사되었다.

차 례

머리글 _4

테티스 여신의 결혼 _10

트로이아 전쟁 _27

여신의 아들들, 트로이아 전쟁에 참전하다 _38

헥토르와 아킬레우스의 죽음 _49

트로이아 함락 _54

그리스의 빛나는 별들 _67

트로이아의 여인들 _83

트로이아 탈출 _105

유민의 시대 _115

아이네이아스와 아프로디테 _144

아이네이아스와 디도 _157

디도의 자결 _179

추모 경기를 열다 _197

팔리누루스의 죽음 _210

저승을 내려가다 _230

엘리시움 _250

라티움에 도착하다 _261

동맹을 맺다 _285

아프로디테의 스캔들 _297

헤파이스토스의 무구 _326

니수스와 에우알루스 _342

팔라스의 죽음 _376

전사자들의 장례 _405

여전사 카밀라 _418

마지막 결전 _433

로물루스 신화 _460

아이네이아스를 노래하다 _489

그리스 신과 로마 신 이름 비교

그리스어 이름	라틴어 이름	영어 이름
제우스 (Zeus)	유피테르(Jupiter)	주피터(Jupiter)
헤라(Hera)	유노(Juno)	주노(Juno)
포세이돈(Poseidon)	넵투누스(Neptunus)	넵튠(Neptune)
하데스(Hades)	플루톤(Pluton)	플루토(Pluto)
아폴론(Apollon)	아폴로(Apollo)	어팔로(Apollo)
아테나(Athena)	미네르바(Minerva)	어시너(Athena)
아프로디테(Aphrodite)	베누스(Venus)	비너스(Venus)
데메테르(Demeter)	케레스(Ceres)	시어리스(Ceres)
헤르메스(Hermes)	메르쿠리우스(Mercurius)	머큐리(Mercury)
헤파이스토스(Hephaistos)	불카누스(Vulcanus)	벌컨(Vulcan)
아르테미스(Artemis)	디아나(Diana)	다이애나(Diana)
아레스(Ares)	마르스(Mars)	에어리스(Ares)
디오니소스(Dionysos)	바쿠스(Bacchus)	바커스(Bacchus)
에로스(Eros)	쿠피도(Cupido)	큐피드(Cupid)

*《아이네이스》는 라틴어 작품이지만 이 책에서는 신들 이름을 그리스어로 표기하였다.
단, 파우누스처럼 로마와 관련이 있는 경우에는 로마 이름을 따랐다.

Aeneis Vergilius

로마 건국 신화

아이네이스

테티스 여신의 결혼

| 여신, 인간과 결혼하다 |

트로이아 전쟁은 그리스와 트로이아가 서로 밀고 밀리는 치열한 공방전을 벌인 대혈전이었다. 그토록 오랜 세월 동안 대지와 하늘을 뒤덮으며 한 치도 양보하지 않는 접전을 벌였음에도 전쟁은 쉽사리 종식되지 않았고 수많은 영웅과 병사들만 창과 화살에 희생돼 전장의 이슬로 사라졌다.

트로이아 전쟁의 원인은 어이없게도 신들의 이기심에 의해 벌어졌다.

당시 바다의 여신 테티스는 신들에게까지 널리 알려질 정도로 미모가 빼어났다. 테티스의 미모에 반한 올림포스의 주신 제우스와 바다를 관장하는 포세이돈이 그녀에게 구애하려고 했지만 "테티스가 낳은 자식은 무조건 아버지보다 위대한 존재가 된다."라는 프로테우스의 예언으로 인해 그들은 더 이상 그녀에게 다가가지 못했다. 혹시라도 그녀와 관계하여 자식이라도 낳게 되면 장차 자신들의 입지가 자식으로부터 위협을 받을 수도 있기 때문이다. 또한 다른 신이 그녀와 관계를 맺어 자식이 태어난다면 그 자식은

그리스 도자기에 그려진 테티스 여신
테티스는 바다의 여신으로, 인간인 펠레우스와 결혼하여 아킬레우스를 낳는다.

테티스와 펠레우스의 결혼_ 헨드릭 드 클레르크의 작품
여신 테티스와 인간인 펠레우스의 결혼식장에 올림포스 신들이 모여 축하하는 장면이다.

분명 뛰어난 능력을 발휘하여 신들의 세계에 일대 혼란을 일으킬 수도 있다. 이러한 사정 때문에 전전긍긍하던 제우스는 몇 날 며칠을 고민한 끝에 테티스를 인간인 펠레우스와 짝지어 주기로 한다. 인간의 자식이 아무리 위대해도 결코 신을 뛰어넘을 수는 없지 않겠는가.

　펠레우스는 제우스의 아들인 아이아코스의 아들이라 제우스에게는 손자인 셈이다. 아이아코스는 독수리로 변신한 제우스가 하신(강의 신) 아소포스의 딸 아이기나를 납치하여 오이노네섬으로 데려가 관계를 가진 후 태어난 아들이었다. 펠레우스는 그런 탄생의 비밀을 안고 태어난 아이아코스의 아들인 만큼 그에게는 반신반인의 피가 흐르고 있었다. 그리스 신화 세계에서는 신과 인간의 격차가 엄격하게 구분되어 있다.

테티스 여신과 펠레우스의 만남_ 바르톨레메오 디 지오반니의 작품
테티스 여신이 인간인 펠레우스와 결혼하기 위해 바다로부터 육지를 향해 행렬하는 모습이다.

　테티스와 펠레우스의 결혼식은 펠리온산에서 성대하게 거행되었다. 결혼식 파티에는 신들의 음식인 넥타르와 암브로시아가 넘쳐났고, 인간 세계에서는 보기 힘든 진귀한 음식들이 차려져 이들의 결혼 파티를 더욱 풍성하게 했다.

　세기의 선남선녀 결혼식을 축하하기 위해 올림포스 열두 신을 비롯하여 님프들과 영웅들, 인간들이 모두 모여 흥겨운 파티를 열었다. 특히 제우스와 헤라의 딸인 청춘의 여신 헤베가 내려와 신들에게 넥타르를 직접 따라주었다. 또한 신들은 테티스와 펠레우스에게 많은 선물을 했다. 포세이돈은 펠레우스에게 멋진 말을 선물하였고, 대장간의 신 헤파이스토스는 황금 갑옷을 건네주었다.

　그런데 운명의 장난이었는지 모든 신과 인간, 님프, 심지어 반인반마

불화의 여신 에리스 조각상 ▶

의 켄타우로스까지 참석했는데, 유독 화근의 당사자인 불화의
여신 에리스만이 초대받지 못했다. 이유는 그녀가 등장하는
곳에는 항상 예기치 못한 다툼을 불러오는 일이 생기기 때
문이었다. 자신이 초대받지 못했다는 것에 화가 난 에리
스는 '가장 아름다운 여신에게'라고 쓰인 황금 사과를 결
혼 연회장에 던졌다. 그러자 화려했던 연회장은 한순간
에 아수라장이 되고 말았다. 황금 사과를 놓고 여신
들이 서로 자기가 주인이라고 우겼기 때문이었다.

먼저 제우스의 누이이자 아내인 헤라 여신이 자신
이 제일 아름답다며 황금 사과의 주인을 자처하였다.
그러자 지혜와 전쟁의 여신인 아테나도 이에 질세

황금 사과를 던지는 에리스 여신_ 루벤스의 작품
결혼식장에 초대받지 못한 불화의 여신 에리스가 황금 사과를 식장에 던져 불화를 일으킨다.

라 헤라 여신을 막아섰다. 헤라 여신과 아테나 여신의 각축으로 다른 여
신들이 감히 나설 엄두도 못 내던 차에 미의 여신인 아프로디테가 두 여
신 사이에 끼어들었다. 말 그대로 미의 여신인 아프로디테는 지상의 모
든 신들과 인간들과는 비교도 할 수 없을 만큼 눈부시게 아름다웠다. 그
리고 자신의 미모에 대해선 자존심마저 대단해, 이 자존심에 조금이라도
손상을 입을라치면 엄청난 질투를 하여 여신이고 인간이고 가리지 않고
저주를 퍼붓거나 시련을 안겨주기 일쑤였다.

미와 사랑의 여신인 아프로디테가 끼어들자 헤라와 아테나 여신은 그
녀에게 지지 않으려고 고개를 더욱 뻣뻣이 치켜세웠다.

"나는 결혼과 가정의 여신이며 인간들에게 모신(母神, 어머니 신)으로 숭
배받고 있으니, 황금 사과의 주인은 당연히 나다."

헤라가 자신이 최고의 여신임을 내세우자 이에 질세라 아테나 여신도 입을 열었다.

"나는 지혜의 여신이자 전쟁의 여신이니 충분히 저 황금 사과의 주인이 될 수 있어."

두 여신의 당당한 주장에 아프로디테는 슬며시 미소를 띠며 말했다.

"이 사과는 아름다움을 상징하는 나의 미모에 딱 어울린답니다."

에리스가 던져준 황금 사과를 놓고 세 여신들은 서로 자기가 사과의 주인이라며 한 발도 물러서지 않았다.

사태가 점점 심각해지자, 하객들은 테티스와 펠레우스의 결혼식은 안중에도 없고 세 여신의 다툼에만 흥미를 보였다. 이윽고 이를 보다 못한 제우스가 세 여신의 분쟁을 멈추게 하고는 중재에 나섰다.

제우스는 세 여신을 향해 말했다.

"그대들의 미모는 우열을 가리기 힘드니, 이다산에서 양을 돌보고 있는 파리스에게 가서 판정을 받도록 하시오."

파리스는 트로이아의 왕 프리아모스와 왕비 헤카베 사이에서 태어났다. 헤카베가 파리스를 낳았을 때, 그녀는 횃불이 트로이아를 불태우는 꿈을 꾸었다. 그녀는 꿈이 너무 불길해 신전에 가서 신탁을 청했고, 신탁에서 파리스가 트로이아를 망하게 할 운명이라는 말을 듣고 남편 몰래 아기를 산에 갖다 버리게 했다. 하지만 파리스는 기적적으로 양치기에게 구출되어서 이다산에서 양을 치고 있었다. 그는 산의 님프 오이노네와 결혼하여 아들 코리토스를 낳고 살고 있었다.

파리스의 조각상 ▶
파리스는 헤라 여신으로부터 자신이 트로이아의 왕자라는 사실을 알게 된다.

제우스는 자신이 결정하면 어느 쪽을 선택하더라도 후환이 생길 걸 예상했기 때문에, 인간 중에 공정한 선택을 할 심판관으로 파리스를 지명했던 것이다. 파리스는 이 사실을 알고 놀라서 도망쳤지만, 얼마 못 가 전령의 신 헤르메스에게 붙잡혀 세 여신 앞에 서게 되었다.

세 여신은 애송이 같은 파리스를 보고는 적이 실망했으나, 파리스에게 잘 보여 황금 사과를 얻어야 했기에 그에게 자리를 내주고는 주변에 둘러섰다.

먼저 헤라 여신이 부드러운 목소리로 말했다.

"나를 황금 사과의 주인으로 선택한다면, 그 보상으로 인간 세상의 모든 패권을 그대에게 선사할 것이오."

파리스는 헤라의 제안에 어찌할 바를 몰라 했다. 그가 당황하며 선뜻 대답을 하지 않자 헤라 여신은 다시 말했다.

"그대는 양이나 돌보는 목동이 아니라오. 그대는 트로이아의 왕자로, 신탁에 의해 이곳에 버려지게 되었소. 그러니 그동안 누리지 못한 영화를 이루려면 내가 주는 패권이 필요하다오."

파리스는 생각지도 못한 자신의 신분이 밝혀지자 더욱 놀랐다. 그의 얼굴이 홍당무가 된 채 당황하자 아테나 여신이 말을 걸었다.

"트로이아의 왕자 파리스여, 패권을 손에 쥐어 권력을 누린다 해도 지혜와 용맹함이 없으면 곧 그 패권은 다른 이에게 빼앗기게 된답니다. 만약 그대가 나를 선택한다면, 세상에서 제일가는 지혜와 누구도 따를 수 없는 무용을 선사하겠어요."

◀ **이다산의 파리스와 오이노네_ 니콜라 푸셰의 작품**
파리스가 자신의 신분을 알기 전 이다산의 님프 오이노네와 결혼하여 행복한 나날을 보내는 장면을 묘사하였다.

파리스의 심판_ 보이테흐 히나이스의 작품
세 여신 헤라, 아테나, 아프로디테가 황금 사과를 얻기 위해 파리스에게 잘 보이려는 장면이다.

　파리스도 명석한 두뇌의 소유자라, 헤라 여신의 제안보다는 아테나 여신의 제안이 귀에 들어왔다. 헤라와 아테나 여신의 솔깃한 제안에 점점 마음이 쏠린 그는 마지막 여신인 아프로디테의 제안이 궁금하였다. 더군다나 파리스가 평소 흠모하던 아프로디테 여신이었기에 더욱 그랬다.

　아프로디테는 그런 파리스의 마음을 꿰뚫어 본 듯 입가에 알 듯 모를 듯한 미소를 머금고는 관능적 자태를 드러내며 파리스에게 다가섰다.

　"미소년의 용모와 뜨거운 정열로 가득 찬 파리스여, 내 그대에게 인간 세상에서 가장 아름다운 여인을 신부로 맺어줄 것이오. 그녀는 나의 미모와 견주어도 손색없을 정도의 미인이오. 그러니 나의 제안을 받아들이겠소?"

　파리스는 아프로디테 여신의 제안에 놀라면서도 갈등하였다. 이미 산의 님프 오이노네와 결혼하여 살고 있었기 때문이었다. 그러나 흠모하고 고대하던 아프로디테의 말을 듣는 순간 온몸이 달아올랐다.

파리스는 이내 정신을 차리고 냉정히 생각했다. 여신 중 지위가 가장 높은 헤라 여신을 따르는 것이 일신상의 안위에 도움이 될 것이다. 하지만 누구를 선택하더라도 나머지 두 여신으로부터 저주를 받게 될 것도 자명하였다. 사실 속 좁기로 치면 그리스 신화 속 신들이 다른 신화 속 신들과 견주어도 밀리지 않는 판이니, 애당초 누구를 선택하든 다른 두 여신에게 저주받을 것은 확정적이었다.

여기에까지 생각이 미친 파리스는 어차피 두 여신의 저주의 굴레를 벗

파리스의 심판_ 르느아르의 작품
파리스의 심판을 나타낸 그림으로, 인상주의 화법이 돋보이는 작품이다.

파리스의 심판_ 루벤스의 작품

파리스가 미의 여신 아프로디테의 제안을 받아들여 그녀에게 황금 사과를 주는 장면이다. 황금 사과
를 받는 아프로디테의 모습은 얼굴에 환한 화색이 도는 가운데 옆에 서 있는 헤라 여신은 분노한 표
정으로 파리스를 노려보고 있다.

어날 수 없다고 판단하여 쾌락을 선택한다. 즉 아프로디테의 제안을 받

아들인 것이다. 파리스의 쾌락을 위한 선택은 결국 사랑하는 오이노네를

버리는 가슴 아픈 결과를 낳고 만다. 후에 오이노네는 파리스의 마음을

돌이킬 심산으로, 장성한 아들 코리토스를 트로이아로 보냈다. 하지만

코리토스는 아프로디테가 파리스에게 약속해 준 여인 헬레네를 보고 연

정을 품게 되었고, 분노한 파리스는 그가 자신의 아들이라는 것도 모른

채 죽이고 만다. 이것이 바로 헤라와 아테나 여신의 저주였는데, 그 후로

도 여신들의 저주는 계속되었다.

어느 하나 뿌리치기 힘들 만큼 모두 솔깃한 제안이었음에도 불구하고 파리스는 결국 아프로디테의 손을 들어주었으며, 세상에서 가장 아름다운 여인인 헬레네를 만나기 위해 이다산을 하산하였다. 아프로디테가 파리스에게 약속한 여인은 스파르타의 공주인 헬레네였다. 그녀는 제우스와 스파르타 왕 틴다레오스의 아내인 레다 사이에서 태어났다.

그리스 신화의 절대 권력자이자 누구도 따를 수 없는 바람둥이인 제우스가 어느 날 레다의 아름다움에 반했다. 그는 미인을 보면 수단 방법을 가리지 않고 유혹하곤 했는데, 레다를 본 순간 그녀의 여린 마음을 사로잡기 위해 독수리에게 쫓기는 백조로 변신하여 레다의 품속으로 파고들었다. 레다는 안타까운 마음에 가여운 백조를 품에 안았고 이는 곧 돌이킬 수 없는 상황이 돼 제우스와 관계를 맺고 말았다. 레다는 같은 날 밤 남편인 틴다레오스와도 잠자리를 가졌다.

그렇게 해서 두 명의 아이와 두 개의 알을 낳았다. 이때 알 속에서도 두 여자 아이가 태어났는데, 바로 헬레네와 클리타임네스트라였다고 한다.

헬레네가 성장하자, 그녀의 미모는 미의 여신인 아프로디테와 견주어도 손색이 없었고, 지상에서 가장 어여쁜 여인으로 주변에 소문이 자자했다.

아프로디테는 인간 여인이 신인 자신의 미모에 비견되면 결코 용서치 않고 반드시 응징을 하였다.

레다와 백조 ▶
백조로 변신한 제우스가 레다의 품에 파고드는 조각상이다.

에로스와 프시케_ 루이 다비드의 작품
아프로디테와 미모를 견주는 프시케가 에로스에게 희롱당하는 장면이다.

그 대표적인 경우가 바로 아들 에로스의 연인 프시케였다. 프시케도 헬레네처럼 사람들로부터 미모가 아프로디테를 능가한다고 추앙받았고, 이에 화가 난 아프로디테는 그녀에게 견딜 수 없는 고통을 주었다.

그러나 아프로디테는 헬레네에게 아무런 응징도 하지 않았다. 파리스에게 헬레네를 해치지 않겠다고 한 약속을 지켜야 했기 때문이다.

파리스는 자신의 신분이 트로이아의 왕자로 밝혀지자 이다산을 떠났다. 산의 님프이자 아내인 오이노네를 외면하고 돌아섰지만, 그녀는 돌아서는 파리스에게 자신의 심정을 담아 이렇게 말했다.

"훗날 큰 부상을 당하면 내게 돌아와요. 오직 나만이 당신의 상처를 치료할 수 있으니까요."

트로이아의 프리아모스왕은 죽었다고 믿고 있던 아들, 즉 파리스를 기리기 위해 해마다 추모 대회를 열었다. 그는 상으로 줄 소를 고르기 위해 사람을 아겔라오스에게 보냈다. 아겔라오스는 이름난 목동으로, 파리스와도 교분이 깊었다.

트로이아 사신은 아겔라오스로부터 우람진 황소를 얻어 돌아갔다. 그런데 그 황소는 평소 파리스가 아끼던 터라 파리스는 황소를 되찾기 위

파리스를 외면하는 오이노네_ 장 밥티스트 토머스의 작품
오이노네는 파리스가 자신을 배반하고 떠났을 때 훗날 위급한 상처를 당할 때 자신이 돕겠다고 했으나 트로이아 전쟁 때 필록테테스의 화살에 맞은 파리스가 치명적인 상처를 입고 오이노네에게 도움을 청했지만 외면하고 만다.

해서 아겔라오스의 만류에도 불구하고 트로이아로 향했다. 파리스와 친분이 두터웠던 아겔라오스는 파리스가 트로이아에 가기로 하자 할 수 없이 파리스를 따라나섰다.

트로이아에서 열린 추모 대회에 참석한 파리스는 복싱과 달리기에서 우승하였다. 그러자 트로이아 사람들은 새롭게 등장한 이 청년에게 열광적인 환호를 보냈다. 그러나 프리아모스의 왕자들은 질투심에 불탄 나머지 낯선 청년인 파리스를 죽이기로 했다. 형제들이 출구를 모두 봉쇄하고 헥토르와 데이포보스가 칼을 휘두르자 파리스는 제우스의 제단으로 달아났다. 그때 아겔라오스가 소리쳤다.

"대왕이시여, 이 젊은이가 바로 오래전에 죽었다고 생각하시던 아들입니다!"

아겔라오스의 다급한 외침에 왕비인 헤카베가 달려와 파리스를 살피며 자신의 아들임을 확인하였다. 그러자 헥토르를 비롯하여 그의 형제들도 성급한 행동을 멈추고 파리스를 반겨주었다. 추모대회가 갑자기 환영대회로 바뀌며 트로이아는 때 아닌 잔치로 들썩였다. 이 예기치 않은 잔치가 마음에 들지 않았던지 아폴론의 사제들은 파리스를 죽이지 않으면 트로이아가 멸망한다고 경고했다. 이에 프리아모스왕이 말했다.

"내 늠름한 아들을 죽이느니 차라리 트로이아가 망하는 꼴을 보겠소."

◀ **승리의 머리띠를 맨 청년_** 경기의 승자로 디아두메노스라고 부른다. 헬레니즘 시대의 조각상을 로마 시대에 그대로 본떠 만든 조각상이다.

이즈음에 스파르타 왕 메넬라오스가 트로이아를 찾아왔다. 메넬라오스가 트로이아를 찾은 이유는 스파르타에 닥친 기근을 해소하고자 트로이아에 있는 프로메테우스의 두 아들 리코스와 키마이레우스의 무덤에 제사를 지내기 위해서였다.

파리스는 트로이아를 찾은 메넬라오스를 환대하며, 경기 도중 자신이 실수로 안테노르의 아들 안테우스를 죽인 죄를 스파르타에서 정화하게 해달라고 간청했다. 이렇게 해서 파리스는 아이네이아스와 함께 스파르타를 방문하게 되었다.

카산드라와 헬레노스는 파리스의 항해가 불러올 재앙을 경고했으나, 프리아모스왕은 자식들의 충고조차 무시했다.

파리스와 헬레네_ 루이 다비드의 작품
파리스는 황금 사과를 아프로디테에게 주는 조건으로 최고의 미인 헬레네를 얻게 된다. 그림은 파리스가 스파르타의 헬레네를 유혹하는 장면이다.

파리스 일행이 탄 배는 아프로디테가 보내준 순풍을 받으며 순조롭게 스파르타에 도착했다. 메넬라오스가 9일간의 연회를 열어 트로이아 사람들을 환대했다. 파리스는 드디어 헬레네를 만났다. 그는 아름다운 그녀를 본 순간, 자신의 선택이 옳았다는 것을 새삼 실감할 수 있었다. 파리스는 헬레네의 술잔에 사랑을 고백하는 글을 써놓았다. 헬레네도 트로이아의 청년 파리스가 싫지는 않았다. 그러나 메넬라오스가 눈치챌까봐 안절부절못했다.

트로이아 전쟁

| 트로이아 전쟁의 발발과 전개 |

여신들의 미모 경쟁으로 빚어진 파리스와 헬레네의 운명적 사랑을 전혀 알지 못하는 스파르타의 왕 메넬라오스는 마침 외할아버지 카트레우스의 장례식에 참석하기 위해 크레타로 떠나야 했다. 떠나는 자리에서 그는 아내 헬레네에게 손님 접대와 스파르타 통치를 맡겼다. 메넬라오스가 자리를 비우자 파리스는 아프로디테의 도움을 받아 헬레네를 유혹했다.

유부녀임에도 불구하고 헬레네는 여신의 장난 때문인지 파리스의 사랑을 받아들였다. 그리고 그들은 사랑의 도피를 하였다. 일설로는 파리스가 메넬라오스로 변신하여 헬레네를 납치하였으며, 헬레네가 반강제적으로 납치되어 파리스를 따랐다고 한다.

트로이아 청년 파리스가 헬레네를 납치한 사건은 곧 트로이아 전쟁의 도화선이 되었다. 일찍이 헬레네를 두고 여러 구혼자들이 경쟁을 벌였는데,

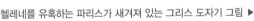

헬레네를 유혹하는 파리스가 새겨져 있는 그리스 도자기 그림 ▶

파리스의 유혹에 넘어가 트로이아로 가는 헬레네_ 귀도 레니의 작품

오디세우스의 중재로 누가 헬레네와 결혼을 하든 나머지 사람들은 헬레네와 결혼하는 사람을 돕기로 맹세했었다. 그때 헬레네와 결혼한 것이 바로 메넬라오스다. 이후 파리스가 헬레네를 데리고 트로이아로 가는 일이 벌어지자 구혼자들이 당시 약속을 지키기 위해 나섰다.

그리스에서 명성을 떨쳤던 영웅들은 2년에 걸쳐 전쟁을 준비했고, 1천여 척의 전함에 3만 명이 넘는 병사들을 보이오티아항에 집결시킨 후 아가멤논을 총사령관으로 삼고 출전 채비를 마쳤다.

그리스군에는 유명한 장군들이 별처럼 빛났다. 그리스군의 총사령관인 아가멤논은 미케네의 왕이자 헬레네의 남편 메넬라오스의 형이었다. 또한 본 사건의 당사자인 스파르타의 왕이자 헬레네의 남편인 메넬라오스, 프티아의 왕자로 그리스 제일의 무장인 아킬레우스, 살라미스의 왕자로 용맹스러운 거인인 아이아스, 아르고스의 왕인 디오메데스, 필로스의 왕이자 그리스군에서 나이가 가장 많은 고문으로 존경받았던 장수 네스토르가 있었다. 그 외에 고통에 빠진 헤라클레스를 도와준 대가로 헤라클레스로부터 활과 화살을 물려받은 필록테테스 등이 전장에 나섰다. 또한 아킬레우스와 둘도 없는 친구인 파트로클로스도 당당히 그리스군에 합류해 있었다.

　한편 그리스군이 쳐들어온다는 소식을 들은 트로이아에서는 용장 헥토르가 트로이아 주변의 여러 작은 나라들과 동맹을 맺고 동맹군의 총사령관이 되어 그리스군의 공격에 대비하고 있었다.

▼트로이아 전쟁의 주요 인물

메넬라오스　　파리스　　디오메데스　　오디세우스　　네스토르　　아킬레우스　　아가멤논

헥토르는 트로이아의 왕자로서 헬레네를 납치한 파리스의 형이자 트로이아 최고의 용장이었다. 트로이아에도 그리스 못지않게 훌륭한 장수들이 많았다.

아이네이아스는 미의 여신 아프로디테와 트로이아의 왕족 안키세스 사이에서 태어난 영웅으로, 트로이아의 제2인자였다. 글라우코스는 트로이아와 동맹을 맺은 리키아의 장수였고, 사르페돈은 제우스와 라오다메이아의 아들로 그 역시 리키아의 장수였다.

재미있는 것은 트로이아 전쟁이 인간들만이 벌인 전쟁이 아니라는 점이다. 신들도 그리스 편과 트로이아 편으로 나뉘어 마치 인간들의 대리전을 치르는 듯한 양상을 보였다. 트로이아 전쟁에 영향을 끼친 신들의

아킬레우스의 분노_ 샤를 앙투안 쿠아펠의 작품
그리스군의 영웅 아킬레우스는 절친한 친구 파트로클로스가 트로이아군에 죽임을 당하자 분노하여 트로이아 전쟁에 뛰어든다. 아테나 여신과 포세이돈이 아킬레우스를 돕고 이에 맞서 강의 신 스카만드로스가 트로이아를 돕는 모습을 묘사한 그림이다.

면면은 다음과 같다.

| 그리스 진영 |

헤라: 파리스가 자신을 선택하지 않아서 그리스 편으로 돌아섰다.

아테나: 헤라와 같은 이유로 그리스 편이 되었다.

포세이돈: 과거에 바다 괴물을 보내 나라를 혼란에 빠뜨린 적이 있을 만큼 트로이아를 미워했으므로 자연스럽게 그리스 편을 들게 되었다. 뒤에 나오는 성벽 건설과 관련하여 트로이아의 선왕 라오메돈에게 원한을 품고 있었기 때문이다.

테티스: 그리스 장수 아킬레우스의 어머니이다.

| 트로이아 진영 |

아프로디테: 파리스와 헬레네를 이어줘 트로이아 전쟁이 일어나게 한 장본인이자 트로이아의 장수 아이네이아스의 어머니이기도 하다. 이 때문에 아프로디테는 트로이아 전쟁에 직접 관여한 적이 많았고, 다치기도 했다.

아레스: 연인인 아프로디테가 트로이아 진영에 있었기 때문에 아레스도 트로이아를 지원했으며 자신의 아들을 그리스에서 강제로 참전시켰다가 죽게 했다. 그리고 아레스의 도시들은 대부분 트로이아 아래에 있었기 때문에 영지 문제도 있었다.

아레스 조각상 ▶
전쟁과 파괴를 주관하는 신으로 트로이아군을 돕다가 그리스 무장 디오메데스에게 상처을 입는 치욕을 당하기도 한다.

아테나와 아레스_ 조제프 브누아 쉬베의 작품
아테나 여신이 트로이아군을 돕는 아레스에게 일격을 가하려고 하자 연인인 아프로디테가 아레스
를 보호하는 장면이다.

아폴론: 헥토르를 아끼는 데다, 그리스 장군인 아가멤논이 자신의 사제를 모욕한 일로 트로이아 편을 들었다. 또한 자신의 옛 애인이었던 카산드라가 트로이아의 공주인 것도 그를 트로이아 편에 서게 했다. 사실 포세이돈과 마찬가지로 성벽 보상 문제 때문에 선왕 라오메돈에게 원한이 있어서 한 번 트로이아를 박살 낸 적이 있는데 그럼에도 트로이아 편을 든 것을 보면 헥토르와 카산드라의 영향이 컸던 것으로 보인다.

아르테미스: 아폴론과 쌍둥이 남매인 그녀는 그리스군이 출정 전에 그녀에게 바쳐진 사슴을 죽인 것 때문에 트로이아 편을 들었다.

레토: 아폴론과 아르테미스의 어머니로서 트로이아 편에 섰다.

스카만드로스: 강의 신이다. 아킬레우스가 죽인 시체로 강둑이 막혀 버리자 화가 나서 참전하였다. 아킬레우스를 거의 죽일 수 있었으나 여러 신의 제지로 그만두고 그 후 중립을 지켰다.

에오스: 새벽의 여신이다. 그 아들인 멤논이 에티오피아 왕으로서 트로이아 편이었다.

| 중립 |

디오니소스: 트로이아 전쟁 관련해서는 한 번도 언급되지 않았다. 애초에 전쟁에 관여할 입장도 아니었다.

헤르메스: 계속 양쪽으로 왔다 갔다 하는 모습을 보이는데 이유는 알 수 없다. 하지만 제우스가 전쟁에서는 신들끼리 싸움하는 것을 허용한 이후로는 그리스 편에 선다.

에리스: 황금 사과를 던져놓고 서로 죽고 죽이는 모습을 지켜본다.

하데스: 사람이 죽어나가면 죽어나갈수록 이득을 보는 하데스만은 유일하게 중립을 지켰다.

헤파이스토스: 대장간에서 무기를 만드는 것 말고는 한 게 없다. 그리스 편이라지만 사실상 중립. 다만, 스카만드로가 아킬레우스를 죽이려고 했을 때, 헤라의 명을 받고 막은 적은 있다.

제우스: 트로이아 장수 사르페돈의 아버지라서 트로이아 편을 들 명분이 있었지만, 제우스는 신들의 우두머리인 데다가 다른 신을 모두 합친 것보다 더 강하기 때문에 중립을 지켜야 했다. 한 예로 사르페돈이 죽을 위기에 처했을 때 그를 구해주려고 했으나 헤라가 반대하여 그만두었다. 이는 헤라의 입김이 강했던 탓도 있지만 제우스가 트로이아 전쟁을 바라보는 관점을 설명하는 예이기도 하다. 하지만 아킬레우스의 기도를 들은 테티스가 부탁을 하자 잠깐 그리스 세력을 약화시키기도 하는 등 전쟁의 방향을 조율하려는 모습을 보이기도 한다.

트로이아에는 세계 어디에 내놔도 아깝지 않은 자랑거리가 있었는데, 그것은 바로 바다의 신 포세이돈이 지은 트로이아성이다. 난공불락의 요새인 트로이아성은 축성 과정에서 신비로운 신화를 낳기도 했다. 어느 날 미소년 가니메데스는 독수리로 변신한 제우스에게 납치되어 올림포스 신들의 연회에서 술을 따르는 시동이 된다.

◀ **제우스 청동상**_ 그리스 신화의 최고신으로 '주신', '신들과 인간들의 아버지' 등으로 불린다. 티탄 신족의 우두머리 크로노스와 레아의 막내아들로 태어나 아버지를 왕좌에서 밀어내고 신들과 인간들의 지배자가 되었다. 누이인 헤라와 결혼했으나 수많은 여성들과 애정행각을 벌이며 자식들을 낳아 헤라를 질투에 사로잡히게 하였다. 주로 벼락을 손에 든 모습으로 독수리와 함께 표현되며, 로마 신화의 유피테르와 동일시된다.

가니메데스는 트로이아 트로스왕의 아들로, 라오메돈의 아버지 일로스와는 형제지간이다. 제우스는 자신 때문에 가니메데스를 잃고 슬픔에 잠긴 트로스 왕을 위로하려고 그에게 신마(神馬) 두 마리를 보상으로 주었다. 그러자 트로스왕은 라오메돈에게 신마를 기르게 한다. 이것이 라오메돈이 신마를 소유하게 된 연유다. 라오메돈은 이 말들을 조카 안키세스에게 맡겨 기르게 했는데, 안키세스는 이 신마들을 몰래 자신의 암말들과 교접시켜 씨를 훔쳐냈다고 한다.

라오메돈이 트로이아의 왕위에 올랐을 때 아폴론과 포세이돈이 제우스에게 반항한 죄로 1년간 인간에게 봉사하기 위해 라오메돈을 찾아왔다. 라오메돈은 두 신에게 트로이아 성벽의 건설을 지시하였고, 성이 완성되면 두둑한 보상을 해주겠다고 약속했다.

판다로스에 따르면 트로이아 성벽의 건설에는 아이기나의 왕 아이아코스도 참여했다고 한다. 이윽고 성벽이 완성되자 커다란 뱀 세 마리가 성벽을 공격했는데, 신들이 쌓은 부분을 공격하던 뱀 두 마리는 성공하지 못하고 죽었고, 한 마리만 아이아코스가 쌓은 곳을 돌파했다고 한다. 이를 본 아폴론은 나중에 아이아코스의 자손이 트로이아를 멸망시킬 것이라고 예언했다.

◀ **가니메데스 조각상_** 트로이아 왕자였던 가니메데스는 아름다운 미소년으로 유명하다. 가니메데스에게 반한 제우스가 독수리로 변신하여 납치한다.

라오메돈에게 조언하는 아폴론과 포세이돈_ 도메니키노의 작품
아폴론과 포세이돈이 트로이아성 성벽을 쌓으려는 라오메돈에게 조언하는 장면이다.

그런데 성벽이 완공되고 나자, 라오메돈은 약속을 지키지 않았다. 화가 난 신들은 트로이아에 재앙을 내렸다. 아폴론은 도시에 역병을 내렸고, 포세이돈은 거대한 바다 괴물을 보내 사람들을 괴롭혔다. 견디다 못한 라오메돈이 신탁에 문의하자 그의 딸 헤시오네를 제물로 바쳐야만 재앙을 끝낼 수 있다는 대답이 나왔다. 라오메돈은 하는 수 없이 딸 헤시오네를 바닷가 바위에 사슬로 묶어 제물로 바쳤다.

라오메돈의 딸 헤시오네가 사슬에 묶인 채 괴물에게 잡아먹히려는 순간 때마침 트로이아 해안에 도착한 헤라클레스가 이 광경을 목격하고는 괴물을 죽이고 헤시오네를 구출한다. 라오메돈은 감사의 뜻으로 헤라클레스에게 자신의 신마를 주기로 약속했다. 하지만 라오메돈은 포세이돈

헤시오네와 헤라클레스_ 베르나르 피카르의 판화 작품
바다 괴물의 제물이 된 헤시오네를 헤라클레스가 구출하는 장면이다.

과 아폴론에게 그랬던 것처럼 이번에도 약속을 지키지 않았다. 이에 분
노한 헤라클레스는 에우리스테우스왕이 부과한 12과업을 모두 끝낸 뒤
군대를 몰고 트로이아로 쳐들어와 라오메돈의 딸 헤시오네와 막내아들
포다르케스만 남기고 그의 자식들을 모두 죽였다.

헤라클레스는 트로이아로 직접 쳐들어가기 전에 텔라몬과 이피클로스
를 사절로 보내 약속의 이행을 요구한 적이 있었는데, 라오메돈은 이들
을 감옥에 가두고 죽이려 했다. 이때 텔라몬과 이피클로스를 탈출시켜
준 사람이 바로 라오메돈의 막내아들 포다르케스였다. 헤라클레스는 라
오메돈과 그 자식들을 몰살한 뒤 포다르케스를 트로이아의 새 왕으로 옹
립하고, 헤시오네는 텔라몬에게 아내로 주었다. 그 뒤 포르다케스는 이
름을 프리아모스로 바꿨다. 프리아모스는 '나는 산다'는 뜻이다.

이렇듯 트로이아 성은 인간이었다가 신이 된 헤라클레스만이 허물 수
있는 성이었기에 철옹성과 같았다.

여신의 아들들, 트로이아 전쟁에 참전하다

| 그리스군의 아킬레우스, 트로이아군의 멤논과 아이네이스 |

트로이아 전쟁에 참가한 영웅 중에는 여신의 아들들이 있었다. 그리스 진영에는 바다의 여신 테티스와 프티아 왕 펠레우스의 아들인 아킬레우스가 있었다.

테티스 여신은 펠레우스와 결혼하여 아킬레우스를 낳았다. 테티스는 인간인 펠레우스가 언젠가는 죽을 운명이었기에 아들인 아킬레우스만은 영원히 죽지 않는 불사의 몸으로 만들고 싶었다. 그래서 제우스를 찾아가 자신의 아들을 불사의 몸으로 만들어달라고 애원했다.

"세상을 관장하는 제우스 주신이여! 한때 저를 사랑했다면 저의 간절한 마음을 들어주세요. 저는 아들에게 불사의 생명을 주고 싶습니다."

그러나 제우스는 그건 불가능한 일이라며 고개를 내저었다. 그러자 테티스는 옛날의 깐깐한 성격이 되살아난 듯 제우스의 면전에서 따지기 시작했다.

"당신 때문에 인간인 펠레우스와 결혼하여 아들을 낳았는데, 아들에 대한 이 어미의 소망을 이처럼 무참히 꺾어버려도 되는 건가요?"

제우스는 테티스의 생떼 같은 말싸움에 걸려들고 싶지 않았다. 그는 과거 종종 테티스의 말싸움에 혼이 나곤 했던 터라 자못 엄숙하게 말했다.

제우스와 테티스_ 장 오귀스트 도미니크 앵그르의 작품
제우스 앞에서 아들 아킬레우스를 불사의 몸으로 만들어달라고 애원하는 바다의 여신 테티스.

헤라 여신의 젖을 몰래 아기 헤라클레스에게 먹이는 제우스_ 틴토레토의 작품

제우스가 알크메네를 사랑하여 그녀가 헤라클레스라는 아들을 낳았다. 제우스는 헤라클레스에게 불사의 몸을 주기 위해 헤라 여신의 젖을 먹이고자 했다. 그러나 남편인 제우스의 바람기에 질색하며 그의 여인들에게 호된 고통을 주었던 헤라에게 헤라클레스를 보일 수는 없었다. 제우스는 헤라가 깊이 잠든 것을 확인한 뒤 어린 헤라클레스를 헤라의 가슴으로 데려가 젖을 물렸는데, 아기의 젖 빠는 힘이 너무 세서 그만 헤라가 잠에서 깨고 말았다. 깜짝 놀란 헤라가 아기를 떼어내자 가슴에서 하얀 젖이 하늘로 뿜어져나와 은하수가 되었으며, 헤라클레스는 불사의 몸을 얻었다고 한다.

"인간이 불사의 몸이 될 수 없다는 것을 누구보다도 그대가 잘 알고 있지 않소!"

제우스의 엄숙한 말이 오히려 테티스의 화를 더욱 돋우웠다.

"그렇다면 인간의 몸인데도 불사의 생명을 준 헤라클레스는 어떻게 설명하려 하시죠?"

테티스의 반박에 제우스는 할 말을 잃었다. 그는 테티스에게 조용히 말했다.

"헤라클레스는 불사의 운명을 타고났기에 가능했소. 그래도 그대가 그토록 간절히 원하니 아킬레우스에게 불멸의 몸을 주도록 하지. 불멸의 몸은 어떤 활과 창으로도 상처를 입히지 못하는 금강석과 같은 몸이지."

테티스는 제우스의 제안에 만족하였다. 그녀는 애당초 자신의 아들에게 불사의 몸을 주는 것이 불가능함을 알고 있었기 때문이다. 그러나 테티스는 "아킬레우스가 불멸의 몸을 얻을지라도 전쟁 중에 죽음을 맞을 운명이다."라는 신탁을 받고 태어났다는 것을 잘 알고 있었기 때문에 늘 노심초사하였다.

스틱스강에 아킬레우스를 담그는 테티스_ 앙투안 보렐의 작품
테티스가 아킬레우스의 몸을 강철과도 같은 몸으로 만들기 위해 스틱스강에 담그는 장면이다. 그러나 테티스가 잡았던 아킬레우스의 발목에 강물이 젖지 않았기 때문에 치명적 약점이 되었다.

테티스는 제우스의 제안대로 아기 아킬레우스를 이승과 저승 사이에 흐르는 스틱스강 물에 담갔다. 그러나 그녀가 잡고 있었던 발목 부분엔 강물이 닿지 않았기 때문에, 발목 뒤 힘줄은 아킬레우스가 상처를 입을 수 있는 유일한 부분으로 남았다. 이 전설에서 치명적인 약점을 뜻하는 '아킬레스건'(아킬레스는 아킬레우스의 라틴어 발음임)이라는 단어가 유래했다.

아킬레우스는 신탁대로 아버지 펠레우스보다 훨씬 훌륭하게 성장했다. 그러나 전쟁의 기운이 감돌자 테티스는 아들을 구하기 위해 아킬레우스를 스키로스섬의 리코메데스왕의 궁전으로 피신시켰다. 여신이기 전에 한 아이의 어미이기도 했던 테티스는 아들이 위험한 전쟁터에서 공을 세워 영웅이 되기보다는 보잘것없어도 오래 살기를 원했던 것이다.

리코메데스왕은 아킬레우스에게 여장을 시켜 자기 딸들과 함께 지내도록 했다. 아킬레우스는 이곳에서 9년을 머물렀는데, 금적색 머리 색깔 때문에 피라(붉은 머리 아가씨)라고 불렸다.

◀ **여장을 한 아킬레우스 조각상_** 테티스 여신은 트로이아 전쟁에 참전하면 아들 아킬레우스가 목숨을 잃을 것이라는 신탁을 받은 적이 있다. 죽음이 확실하게 보장된 전장으로 자식을 보낼 어머니는 세상에 없을 것이다. 테티스는 리코메데스왕의 궁전에다 아들을 숨겼다. 아킬레우스는 어머니의 당부에 따라 리코메데스왕의 딸들 사이에 숨어 여장하고 살았다. 아킬레우스는 리코메데스의 궁전에서 자라며 리코메데스의 딸 데이다메이아와 사랑을 나누고 그들 사이에서 아들 필로스가 태어난다. 머리 색깔이 붉어서 필로스라는 이름이 붙여진 아킬레우스의 아들은 훗날 네오프톨레모스라고 불렸다.

리코메데스 딸들 사이에서 아킬레우스를 발견한 오디세우스_ 루이 고피에의 작품
흰 옷을 휘날리며 투구를 쓰고 칼을 빼 든 이가 바로 아킬레우스다. 테티스는 아킬레우스가 전쟁에서
죽지 않도록 그를 리코메데스의 궁전에 숨겨 리코메데스의 딸들과 지내게 했으나 오디세우스의 계
략에 의해 정체가 드러나는 장면이다.

그때 유명한 예언자 칼카스는 "이 전쟁에 아킬레우스가 참전하지 않는
다면 그리스군이 절대 승리를 할 수 없다."고 예언하였다. 이에 그리스
군의 총사령관 아가멤논은 백방으로 아킬레우스를 찾으려 했지만 그의
행방은 오리무중이었다.

오디세우스는 아킬레우스를 찾아낼 궁리를 하다가 문득 좋은 생각을
떠올렸다. 그리고 팔라메데스와 같이 방물장수로 변장하고 리코메데스
왕의 궁정을 찾아갔다. 그들은 궁정 출입에 제지를 당하자 궁정 앞을 왔
다 갔다 하면서 "아름다운 반지와 예쁜 목걸이가 있다!"고 소리쳤다. 이
소리를 들었는지 궁정의 성벽 위에서 공주들이 내려다보며 물건을 청하

자 궁정의 경비병들은 그들에게 성문을 열어주었다.

오디세우스와 팔라메데스는 궁정 홀의 탁자 위에 예쁜 액세서리와 명품들을 쏟아놓고 자랑하였다. 공주들이 몰려와 귀고리며 화장품이며 머리 장식을 구경하면서 만져보기도 했다.

그런데 뒤늦게 한 공주가 다가오더니, 귀금속 등의 액세서리에는 전혀 관심을 두지 않고 물건들 중에서 멋진 칼을 집어 들었다. 그러자 오디세우스는 그가 자신이 찾는 아킬레우스임을 직감하고 자리에서 벌떡 일어나며 외쳤다.

"칼을 든 공주님, 그대는 아킬레우스가 맞지요?"

결국 아킬레우스는 자신의 정체를 숨기지 못하고 그렇다고 대답하고 만다. 이렇게 해서 아킬레우스는 트로이아 전쟁에 참가하게 되었다.

트로이아 진영에는 새벽의 여신 에오스의 아들인 멤논과 미의 여신 아프로디테의 아들 아이네이아스가 전쟁에 참여하였다.

에오스는 티토노스와의 사이에서 두 아들 에마티온과 멤논을 낳았다.

에마티온은 에티오피아의 왕이었는데, 헤라클레스가 11번째 과업을 할 때 황금 사과를 따지 못하게 막아서다가 그의 몽둥이에 맞아 죽었다.

에마티온이 죽자 멤논이 에티오피아의 왕위를 이어 받았다. 멤논은 에오스가 가장 아꼈던 아들이다. 멤논이 왕위에 있을 때에 트로이아 전쟁이 일어났다. 그는 트로이아를 지원하려고 손수 군대를 이끌고 트로이아로 왔다. 멤논의 군대는 헤파이스토스의 무구로 무장하였다.

멤논은 전장에 나아가, 그리스의 노장 네스토르의 아들 안틸로코스를 죽였다. 그리고 아킬레우스와 맞붙게 되었다.

아킬레우스의 어머니 테티스와 멤논의 어머니 에오스는 제우스를 찾아가, 이들의 운명을 물었다. 제우스는 신성한 저울에 두 영웅의 운명을

에오스와 티토노스_ 프란체스코 데 무라의 작품

티토노스는 트로이아의 왕 라오메돈과 님프 스트리모 사이에서 태어난 아들로 프리아모스와 형제지
간이다. 새벽의 여신 에오스는 미남 왕자 티토노스를 보자 한눈에 반하여 그를 동쪽 끝 에티오피아의
오케아노스강 변에 있는 자신의 궁전으로 데려가 남편으로 삼았다. 에오스와 티토노스는 두 아들 멤
논과 에마티온도 낳으며 행복하게 잘 살았다. 하지만 에오스는 인간인 남편이 언젠가는 죽음을 맞으
리라는 것을 걱정하여 제우스에게 티토노스를 불사의 몸으로 만들어달라고 간청했다. 제우스는 에오
스의 청을 들어주었다. 하지만 얼마 후 에오스는 남편의 모습이 눈에 띄게 달라지는 것을 알아차렸다.
머리가 하얗게 세고 피부가 늘어지고 주름투성이가 되어 가고 있었다. 남편을 불사의 몸으로 만들어
달라고 할 때 영원히 늙지 않는 불로의 몸도 함께 청했어야 했던 것이다. 그러나 때는 이미 늦고 말았
다. 티토노스는 완전히 쭈글쭈글한 늙은이가 되어 버린 것이다. 티토노스의 꼴을 더 이상 보고 싶지
않았던 여신은 그를 궁전의 구석방에 가두고 청동 문을 잠가 버렸다. 티토노스는 점점 더 쪼그라들더
니 어린아이처럼 작아져서 다시 요람에 눕는 신세가 되었다. 에오스는 방 안에서 계속 울음소리가 들
려서 문을 열어 보니 티토노스는 간 곳이 없고 매미가 한 마리 벽에 붙어 "에오스! 에오스!" 하며 울
고 있었다. 제우스가 불쌍히 여겨 그를 매미로 바꾸어 놓았던 것이다. 또 다른 설에 따르면 여신이 껍
질만 남은 티토노스를 더 이상 두고 볼 수가 없어 매미로 만들어 버렸다고도 한다. 트로이아 최고의
미남이었던 티토노스 왕자는 영원한 젊음을 누리는 여신 에오스 곁에서 하염없이 늙어갔다. 물론 에
오스가 티토노스에게 영원히 늙지 않는 몸도 함께 달라고 청했다면 상황은 달라졌을 수도 있겠지만,
이 역시 뒤집을 수 없는 그들의 숙명일 터이다. 싱싱한 젊음 곁에서 말라비틀어진 껍질만 남은 채 늙
어 가는 티토노스의 신화는 후대의 미술가들이 즐겨 다루는 소재가 되었다.

달아보았다. 저울은 멤논 쪽으로 기울어졌다. 저울이 기울어지는 것은 하계를 향하고 있다는 뜻으로, 곧 죽음을 의미한다. 어떤 운명처럼 멤논은 아킬레우스와의 싸움에서 목숨을 잃었다. 에오스는 아들의 시신을 에티오피아로 옮겨 갔고, 이후 사람들은 새벽마다 들판을 뒤덮는 이슬이 에오스의 눈물이라고 믿었다.

아이네이아스는 미의 여신 아프로디테와 안키세스 사이에서 태어난 아들이었다. 아프로디테는 이다산에서 양을 돌보고 있던 다르다니아의 왕자 안키세스의 사랑을 얻기 위해 그에게 거짓말을 했다. 아프로디테는 자신이 프리기아의 왕 오트레우스의 딸인데, 헤르메스에게 납치되어 이다산으로 오게 되었다고 안키세스에게 천연덕스럽게 거짓말을 꾸며댔다.

아프로디테는 자신이 원하는 대로 안키세스와 사랑을 나누어 임신을 하게 되자, 그에게 자신의 정체를 밝히면서 이렇게 말했다.

"내게 아들이 생길 것이다. 그 아들은 트로이아인들을 다스릴 것이며 대대손손 자손이 끊이지 않을 것이다."

◀ **멤논의 죽음을 슬퍼하는 에오스_** 아들 멤논의 죽음을 슬퍼하는 에오스의 비통한 눈물은 제우스의 마음을 움직여 멤논에게 불멸의 영예를 부여하였다. 제우스는 멤논을 화장하고 난 재에서 한 떼의 새들이 생겨나게 하였다. 이 새들은 화장터의 장작더미 위로 날아오르더니 두 편으로 갈라져 맹렬하게 싸우다가 다시 재 속으로 떨어져 장례식의 제물이 되었다. 멤논의 이름을 따서 멤노니데스(멤논의 새)라고 불린 이 새들은 매년 같은 때가 되면 멤논의 무덤가로 날아와 애처로이 소리지르며 서로 싸우다 죽었다고 한다.

아프로디테와 안키세스_ 벤자민 로버트 하이든의 작품
아프로디테가 트로이아의 왕자 안키세스와 이다산에서 만나는 장면이다.

아프로디테와 안키세스
아프로디테가 아이네이아스를 낳아 안키세스
에게 건네는 부조석이다.

아프로디테는 자신과의 일을 아무에게
도 발설하지 말라고 당부하였다.

얼마 뒤 아프로디테는 아들 아이네이아
스를 낳았다. 그녀는 아이네이아스를 이
다산의 님프들에게 맡겨서 기르다가 5살
이 되었을 때 아버지 안키세스에게 데려
다주었다. 안키세스는 아들을 맏딸 히포
다메이아의 남편인 알카토오스에게 맡겨
교육시켰다.

트로이아 전쟁이 터지자 아이네이아스
는 다르다니아의 병사들을 이끌고 트로이
아군에 합류하였다. 아이네이아스는 트로
이아군에서 헥토르 다음으로 용맹한 장수로, 전투에서 혁혁한 공을 세
웠지만 번번이 위험에 처하기도 했다. 그는 그리스군의 용장 디오메데
스와 겨루다 부상을 당하는데, 이를 본 아프로디테가 아들을 구하려다
그녀 자신도 상처를 입고 만다. 그러자 아폴론이 나서서 아이네이아스
를 구름으로 감싸 전장 밖으로 피신시켰다. 무적의 아킬레우스와 맞섰
을 때는 다시 포세이돈이 구름으로 감싸서 목숨을 구해주었다. 이처럼
호메로스의 신화에서 아이네이아스는 신들의 각별한 보호를 받는 인물
이었다. 포세이돈은 아이네이아스가 트로이아인들의 왕이 될 것이라고
예언하였다.

헥토르와 아킬레우스의 죽음

| 전쟁의 판도를 바꾼 영웅의 죽음 |

그리스군과 트로이아군의 길고 긴 전쟁의 서막은 트로이아 땅을 처음으로 밟은 그리스군의 프로테실라오스의 희생으로부터 시작되었다. 장렬한 서막의 인상적인 전투와 달리 그리스와 트로이아의 전쟁은 격렬한 큰 전투 없이 작은 전투만이 이어진 채 지루하게 10년이라는 시간이 흘러갔다.

그 오랜 시간 동안 그리스 진영은 프리아모스왕이 지배하는 트로이아성 안으로 단 한 발자국도 들어서지 못했다. 그러나 트로이아의 영웅 헥토르는 아킬레우스에게 죽임을 당했다. 헥토르는 프리아모스왕의 맏아들이자 트로이아군 총사령관으로 지략과 용기를 겸비한 고귀한 성품의 장군이다. 트로이아의 연로한 프리아모스왕보다 트로이아의 백성들과 주변 우방들이 실제로 믿고

프로테실라오스 ▶

테살리아의 용사로 트로이아 원정에 참가했다가 첫 번째로 전사한 인물이다. 트로이아 땅에 첫 발을 내딛는 자는 반드시 죽음을 맞이할 것이라는 신탁이 있었기에 트로이아에 도착한 그리스군의 배에서 아무도 먼저 내리려고 하지 않았다. 그러자 프로테실라오스가 스스로 먼저 뛰어내렸다가 죽었다. 그의 희생으로 아킬레우스는 적들을 제압할 수 있었다.

의지하는 훌륭한 인물인 헥토르는 적군인 그리스인들도 인정하는 탁월한 명장이어서, 아가멤논은 헥토르가 있는 한 트로이아를 무너뜨릴 수 없다고 단정하며 그를 먼저 제거할 방도를 모색했다.

헥토르는 전장에서 용맹하고 지략이 뛰어나며, 전세가 기울 때도 절대로 흐트러지지 않는 강인한 장수였으며, 가족에게는 다정다감하고 애정이 깊은 남편이자 아버지였다. 이런 성품을 타고난 탓인지 같은 편이기는 해도 헬레네를 납치한 파리스에게 분노했고, 트로이아의 장로들에게도 헬레네를 남편 메넬라오스에게 돌려줄 것을 제안하였다. 하지만 일단 전쟁이 시작되자 가장 선두에서 용감하게 싸웠다.

이 무렵 제우스는 올림포스산에서 헥토르와 아킬레우스의 운명을 저울에 달아보았다. 헥토르의 저울추가 곧 하데스의 나라 쪽으로 기울어졌다. 그러자 수호신 아폴론도 헥토르를 포기했고, 아킬레우스는 헥토르에게 최후의 일격을 가했다. 헥토르는 죽어가면서 자신의 시체를 가족들에게 돌려주기를 청했지만 아킬레우스는 거절하였다. 그러자 헥토르는 아

아킬레우스의 승리_ 프란츠 폰 마치의 작품
아킬레우스는 승리에 취해 헥토르의 시신을 마차에 매달아 끌어 유린하며 트로이아 성 둘레를 세 번이나 돌았다.

킬레우스의 죽음도 머지않았다고 예언하며 숨을 거두었다.

폴릭세네는 트로이아의 왕 프리아모스의 딸이었다. 그녀는 오빠인 헥토르와 트로일로스가 아킬레우스에게 죽자 복수를 다짐하고 있었다.

헥토르가 전사하여 두 나라 사이에 잠시 휴전이 이루어진 어느 날, 폴릭세네는 헥토르의 무덤에 주저앉아 하염없이 울고 있었다. 이때 염탐을 나온 아킬레우스는 폴릭세네의 아름다운 모습을 보고 그녀에게 반하게 되었다. 아킬레우스는 첫눈에 반한 폴릭세네에게 다가가, 자기와 결혼하면 전쟁을 끝내겠다고 약속했다. 폴릭세네는 팀블레의 아폴론 신전에서 결혼식을 올리자고 했다. 그녀는 그리스군의 고위급 장수로부터 아킬레우스의 약점이 발뒤꿈치라는 사실을 알아내어 파리스에게 귀띔해 주었고, 폴릭세네의 계략을 받은 파리스는 아폴론 신상 뒤에 숨어 있었다.

한편, 아킬레우스는 오디세우스로부터 파리스의 계략이니 가지 말라는 충고를 받았지만 "결혼하면 처남 매부 사이가 될 것인데 무엇을 걱정하겠소?"라며 대수롭지 않게 여기고 신전으로 갔다. 잠시 뒤 폴릭세네가 천상의 여인과 흡사한 아름다운 자태로 치장을 하고 나오자 아킬레우스는 기쁨을 감추지 못하고 결혼 서약을 하려고 했다.

아킬레우스가 폴릭세네를 껴안으려는 순간, 파리스가 독 묻은 화살을 날려 아킬레우스의 발뒤꿈치를 맞혀 쓰러트렸다.

아킬레우스의 어머니 테티스는 그가 갓난아기였을 때 그를 황천에 있는 스틱스강의 물에 담가, 그녀가 잡고 있던 발뒤꿈치를 제외한 그의 신체의 모든 부분을 상하게 할 수 없게 하였다. 파리스가 나타나자 아킬레우스는 폴릭세네에게 "파리스와 짜고 나를 속였구나!"라며 소리치고 죽었다.

폴릭세네의 계략으로 죽음을 맞이한 아킬레우스의 시신은 아이아스

아킬레우스를 공격하는 파리스_ 루벤스의 작품

헥토르가 전사한 지 일 년이 지난 날 프리아모스가 헥토르의 무덤을 가족들과 찾는다. 이때 아킬레우스가 오빠의 무덤 옆에서 울고 있는 폴릭세네를 보고 그녀에게 사랑을 느낀다. 그 후 폴릭세네를 잊을 수 없었던 아킬레우스는 사신을 헤카베에게 보내 폴릭세네를 그의 아내로 달라고 청한다. 그렇게 해준다면 그가 그의 군대들을 이끌고 고향으로 돌아가겠다고 한다. 그러나 프리아모스는 그리스 전군의 철수를 요구한다. 아킬레우스는 프리아모스의 뜻을 관철시키려고 했으나 모든 것은 수포로 돌아가고 마음이 상한 아킬레우스는 전투에 참여하지 않는다. 그리스군이 위기에 빠졌을 때 그는 다시 전투에 참여하여 프리아모스의 아들 트로일로스를 죽이는데, 그때 헤카베는 자신의 아들들을 죽인 아킬레우스에게 복수할 방법을 생각해 낸다. 그는 폴릭세네를 미끼로 아킬레우스를 신전으로 유인하고, 들뜬 마음으로 신전에 들어선 아킬레우스를 신전에 숨어 있던 파리스와 트로이아군인들이 살해한다.

와 오디세우스가 찾아왔다. 아킬레우스의 어머니 테티스는 아들의 죽음에 매우 슬퍼했다.

테티스는 아킬레우스의 갑옷을 생존자 중에서 가장 갑옷을 받을 만하다고 인정된 영웅에게 주라고 그리스 군에게 엄명을 내렸다. 큰 아이아스(텔라몬의 아들, 이름이 같은 오일레우스의 아들은 작은 아이아스로 부른다.)와 오디세우스 두 사람만이 후보자로 나섰다. 대장들 중에서 심사위원이 선정되었다.

심사 결과, 갑옷은 오디세우스에게 수여되었는데, 이유는 심사위원들이 아이아스의 용기보다 오디세우스의 지혜를 더 높이 평가하였기 때문이었다. 선택을 받지 못한 아이아스는 스스로 목숨을 끊었고, 그의 피가 땅속으로 스며들어 간 곳에 히아킨토스 꽃 한 송이가 피어났다. 그 잎에는 아이아스의 이름의 처음 두 글자 '아이(AI)'가 새겨져 있었다.

이 '아이'라는 말은 '비애'를 뜻하는 그리스어이다.

아킬레스건 ▶
아킬레스란 보통 발뒤꿈치에 있는 장딴지 근육과 발꿈치를 연결하는 강한 힘줄인 아킬레스건을 말한다. 아킬레스건의 유래는 테티스가 아들을 불사신으로 만들기 위해 저승에 흐르는 스틱스강 물에 그를 담갔는데, 이때 잡고 있던 발목부위는 물에 잠기지 않아서 약점이 되었다. 그 후 트로이아 전쟁 때 아킬레우스가 적군인 트로이아 공주와 결혼식을 올리게 되는데, 이때 파리스가 아킬레우스의 발뒤꿈치를 화살로 쏘아 죽였다고 한다. 이때부터 '몸에서 유일하게 상처를 입을 수 있는 곳'이라는 점에서 결정적인 '약점'을 이야기할 때 자주 인용된다.

트로이아 함락

| 트로이아 목마와 철옹성의 함락 |

트로이아에는 팔라디온이라는 아테네의 유명한 신상이 있었다. 팔라디온은 아테나 여신을 상징하는 것으로 하늘에서 떨어졌다고 전해지며, 이 신상이 트로이아성 안에 있는 한 트로이아는 함락되지 않는다는 신앙과도 같은 믿음이 트로이아 사람들에겐 확고하게 자리 잡고 있었다.

어느 날, 오디세우스와 디오메데스가 변장을 하고 성안으로 들어가 팔라디온을 탈취하여 그리스군 진영으로 가지고 왔다. 그래도 트로이아는 함락되지 않았다. 그래서 그리스군은 무력으로 트로이아를 정복할 수 없다는 사실을 깨닫고, 오디세우스의 충고대로 책략을 쓰기로 했다.

오디세우스
트로이아 전쟁에서 오디세우스는 그리스군 최고의 지략가이자 달변가로서, 또 용맹한 무장으로서 많은 중요한 역할을 하였다. 그는 아가멤논과 아킬레우스가 불화를 빚을 때 둘 사이를 화해시키는 역할을 하고, 트로이아의 왕자이자 예언자인 헬레노스를 설득하여 그리스군이 전쟁에서 이기기 위한 조건들을 알아내고, 거지로 변장하여 트로이아 성에 들어가 적진의 동태를 살피고, 목마를 만드는 아이디어를 내서 그리스군이 전쟁에 승리하는 데 결정적으로 기여하였다.

트로이아 목마를 만드는 그리스 사람들_ 티에폴로의 작품

그리스군은 트로이아군이 보도록, 트로이아 성 공격을 포기하는 것처럼 꾸몄다. 그러곤 함선의 일부를 퇴각시켜 인접한 섬 뒤에 숨겼다. 그런 다음 거대한 목마를 제작하였다. 그들은 목마를 아테나에게 바치기 위한 선물이라고 선전하였으나, 사실 그 안에는 무장한 군사들이 숨어 있었다. 나머지 그리스군들은 함선으로 돌아가, 마치 철수하는 것처럼 바삐 움직였다. 트로이아군은 그리스군이 철수하고 함대가 떠나는 것을 보고서 적이 공격을 포기한 것으로 여겼다.

그날로 굳게 닫혔던 성문들이 모두 열리고, 성안의 백성들은 얼마 전까지만 해도 그리스 군이 진 치고 있던 곳을 자유롭게 다닐 수 있게 된 것을 기뻐하며 밖으로 몰려나왔다. 그들의 눈에 처음 들어온 장면은 그리스군이 남겨둔 거대한 목마였다.

트로이아 사람들은 거대한 목마가 무엇에 쓰는 물건인지 궁금해 호기

트로이아 목마 안에 숨는 그리스 병사들_ 루브르 박물관 소장

심이 동했다. 어떤 사람들은 그것을 전리품으로 여겨 성안으로 옮기는 것이 좋겠다고 하였고, 어떤 사람들은 분명 무슨 음모가 있을 거라고 하며 두려움에 떨었다. 그들이 이렇듯 우왕좌왕하고 있을 때, 포세이돈의 사제인 라오콘이 외쳤다 .

"여러분, 이게 도대체 무슨 미친 짓입니까? 그리스군은 간계에 능하므로 늘 경계해야 함을 여러분도 잘 알고 있지 않습니까? 나라면 그들이 어떤 선물을 바친다 해도 경계를 절대 풀지 않을 겁니다."

이렇게 말하면서 그는 거대한 목마의 옆구리에 창을 던졌다. 창에 맞은 목마에선 속이 빈 것 같은 울림이 신음 소리와 섞여 들려왔다. 그러자 트로이아군들은 라오콘의 충고를 받아들여, 목마와 그 속에 있는 것을 모두 파괴하려고 했다.

그러나 바로 그 순간에 한 무리의 사람들이 그리스인으로 보이는 한 죄수를 끌고 나타났다. 그는 두려움에 정신을 잃어 허둥대며 대장들 앞으로 끌려 나왔는데 거의 실신할 정도로 떨고 있었다. 대장들은 묻는 말에 대답만 하면 목숨은 살려 주겠노라고 약속하면서, 그를 진정시켰다.

그러자 그는 겨우 정신을 차리고 진정하며 자기는 시논이라는 그리스인인데, 오디세우스가 자기를 맘에 들어 하지 않았기 때문에 그리스군이 퇴각할 때 자기만 남겨졌다며 억울한 심정을 호소했다.

대장들의 거듭되는 목마에 관한 물음에는 "그것은 아테나 여신의 비위를 맞추기 위한 헌납품일 뿐이며, 그렇게 크게 만든 이유는 성안으로 운반하지 못하게 하기 위해서다."라고 대답했다. 그러면서 그는 "목마가 트로이아군 수중에 들어가게 되면 트로이아군이 틀림없이 승리한다."는

트로이아군의 포로가 된 시논
그리스군의 목마가 파괴될 찰나에 포로였던 시논이라는 자가 속임수를 쓰는 장면의 그림이다.

라오콘 군상_ 바티칸 미술관 소장

라오콘 군상은 트로이아 신관 라오콘과 그의 두 아들이 포세이돈의 저주를 받는 장면을 묘사한 고대 그리스 조각상이다. 이 작품은 1506년에 로마에서 발굴되어 바티칸에서 대중에 공개된 이후 유명한 그리스 조각 중 하나가 되었다. 트로이아의 신관 라오콘과 그의 두 아들이 바다에서 나온 뱀으로부터 공격을 당하는 모습을 묘사하고 있는데, 인물들의 크기는 실제 인간의 크기와 비슷하며, 높이는 2미터가 약간 넘는다. 이 군상의 표현 기법은 기독교 예술에서 묘사하는 고통, 즉 예수의 수난이나 순교가 나타내는 것과 달리 인간이 겪게 되는 고통을 상징하는 서양 미술 기법의 원형으로 어떤 속죄나 보상을 나타내지는 않는다. 고통은 일그러진 얼굴 표현으로 나타나며, 분투하는 몸체, 특히 모든 부분이 뒤틀리는 라오콘의 몸체와 조화된다. 발굴된 조각상은 거의 온전한 상태를 유지하고 있긴 하지만, 몇 부분이 소실된 상태이다. 현대의 분석가들은 이 작품이 고대 여러 시기에 재조형되었고, 발굴된 이후에도 여러 번의 복원을 거쳤을 것으로 보고 있다.

예언자 칼카스의 예언을 흘리는 것을 빠뜨리지 않았다.

이 말을 들은 트로이아군은 심경의 변화를 일으켜, 거대한 목마와 승리의 예언을 확보할 방책을 강구하기 시작했다. 그때 갑자기 큰 뱀 두 마리가 바다에서 떠올라 육지로 향해 다가오는 괴이한 일이 벌어졌다. 사람들은 사방으로 도망쳤다. 뱀은 라오콘이 두 아이를 데리고 서 있는 곳으로 왔다. 뱀은 먼저 아이들을 공격하여 아이들의 몸을 친친 감고 얼굴에 독기를 내뿜었다. 라오콘이 아이들을 구출하려고 하였으나, 뱀이 그의 몸도 감고 말았다. 그는 뱀을 뿌리치려고 온 힘을 다해 발버둥쳤지만, 뱀은 그럴수록 그와 그의 아이들의 목을 점점 더 조여왔다.

사람들은 라오콘이 목마에 대해 무례한 말을 했기 때문에 신들이 노한 징조라고 여겼다. 이로써 칼카스의 예언은 의심할 여지가 없게 되었다. 그래서 그들은 더 이상 주저하지 않고 목마를 성스러운 물건으로 생각했으며, 적당한 의식을 갖추어 성안으로 끌고 갈 준비를 했다.

의식은 노래와 승리의 환호 속에서 치러졌고, 온종일 잔치가 계속되었다. 밤이 되자 목마 속에 들어 있던 군사들이 세작(간첩) 시논의 도움으로 목마에서 빠져나와, 어둠을 타고 귀환한 그리스군에 성문을 열어주었다. 성은 불탔고, 잔치로 인한 피곤함에 지쳐 잠이 든 백성들은 참살되었다. 이로써 마침내 트로이아 전쟁이 끝났다.

한편, 트로이아 왕궁과는 다소 먼 거리에 위치하고 있던 아이네이아스의 집은 아직 그리스군의 손길이 닿지 않았다. 그날따라 이상하게 통잠을 이룰 수 없는 불안한 심경으로 밤을 꼬박 새우다시피 하다가 설핏잠이 든 아이네이아스에게 꿈속에서 하데스의 말을 몰고 오는 헥토르가 나타났다.

"아이네이아스여, 잠에서 깨어나게. 트로이아가 멸망하고 있으니 어서 가족들을 데리고 도망쳐야 하네. 내가 우리 트로이아의 성물을 갖다 놓았으니 그것을 가지고 떠나길 바라네. 자네는 여신의 아들이기에 또 다른 트로이아를 건설하여야만 하네. 그러니 지금 벌어진 비극적 참상에 괴로워 말고 어서 이곳을 떠나게."

아이네이아스는 생생한 꿈속 외침에 눈을 번쩍 떴다. 그러자 그의 시야에 빛나는 트로이아의 성물이 들어왔다. 그는 자리에서 급히 일어나 트로이아 왕궁을 바라보았다. 이미 그곳은 화염에 휩싸여 불길이 일고 있었다.

아이네이아스는 본능적으로 무장을 하고 날랜 걸음으로 왕궁을 향했다. 그의 마음은 온통 꿈속 헥토르의 전언보다 프리아모스왕의 안위가 걱정이었다. 어떻게 달렸는지 모를 정도로 눈 깜짝할 정도로 찰나의 순간에 그는 왕궁에 다가섰다. 그때 아이네이아스의 앞에 무장한 병사들이 나타났다. 아이네이아스는 칼을 뽑아 들었다.

그때 낯익은 목소리가 들려왔다.

"멈추시오. 아이네이아스!"

목소리의 주인공은 코로이보스였다. 코로이보스는 카산드라를 연모하여 프리아모스왕을 돕고자 트로이아 전쟁에 참여하고 있었다. 카산드라가 코로이부스에게 트로이아는 멸망할 테니 돌아가라고 했으나 그는 따르지 않고 트로이아를 돕다가 비극적 참상의 순간을 목격하게 되었다.

"오, 코로이보스여, 지금 시급한 것은 프리아모스왕을 보호하는 것이오. 그러니 함께 움직입시다."

코로이보스가 짝사랑했던 카산드라는 트로이아의 마지막 왕 프리아모스와 왕비 헤카베의 딸이다. 그녀는 트로이아의 영웅 헥토르의 동생이자 라오콘, 헬레노스와 더불어 트로이아의 3대 예언자이다. 헬레노스와 카산드라는 쌍둥이 남매이다.

　카산드라는 빼어난 미모 때문에 아폴론의 눈에 띄고 그의 사랑을 받는다. 인간이 신의 사랑을 받는 것은 영광스러운 일이지만 권력으로 살 수 없는 사랑도 있는 법이다. 아폴론이 아무리 올림포스의 미남 신이라고 해도 유독 사랑에는 운이 없었다. 사랑에 서툰 남자 아폴론은 예언 능력을 주어 카산드라의 마음을 얻으려고 했다. 미래를 내다보는 능력은 신의 영역이다. 그렇기 때문에 신의 계시를 읽어서 전달하는 예언자가 되는 것은 인간의 욕망이기도 하다. 그러나 카산드라는 예언의 능력만 받고 아폴론 신의 사랑은 거부하였다.

쓰디쓴 짝사랑의 맛을 본 아폴론은 남자답게 실연의 아픔을 날려버리지 못했다. 신들도 인간처럼 치졸한 존재이기 때문이다. 그는 카산드라에게 자신이 겪은 실연의 아픔과는 비교도 할 수 없는 끔찍한 고통을 선물하였다. 카산드라는 그토록 원한 예지력은 가졌지만 자신의 예언과 경고를 믿는 사람들은 아무도 없었다. 아폴론은 카산드라의 입을 막는 대신 사람들의 귀를 막아버린 것이다.

카산드라_ 에블린 드 모건의 작품
트로이아의 마지막 왕 프리아모스왕과 헤카베의 딸로 트로이아의 영웅 헥토르와 남매이다. 아폴론에게 예언 능력을 받았지만 그의 사랑을 거절한 대가로 설득력을 빼앗긴 불행한 예언자이다.

트로이아 목마_ 티에폴로의 작품
그리스는 트로이아를 둘러싸고 10여 년간 공성전을 벌였으나 성을 함락시키지 못하자 커다란 목마를
만들어 30여 명의 군인을 그 안에 매복시켰다. 그리스가 이 목마를 버리고 거짓으로 퇴각한 척하자
트로이아 사람들은 목마를 승리의 상징으로 여기고 기뻐하며 성안으로 들여놓았다. 그날 밤 목마 속
의 군인들은 성문을 열어 그리스군대가 성안으로 들어올 수 있게 하였고, 긴 전쟁은 그리스의 승리로
막을 내릴 수 있었다. 그림은 트로이아 목마를 성안으로 들여놓는 모습이다.

이것이 아폴론이 카산드라에게 내린 저주이자 복수였다.

거대한 목마가 트로이아성 안으로 들어설 때에 그녀는 미련한 트로이
아 사람들에게 목마가 트로이아를 멸망시킬 것이라고 목이 터지도록 외
쳐댔다. 그럼에도 사람들은 그녀의 경고를 무시하였다.

그녀의 경고대로 트로이아는 화염에 휩싸여 풍전등화의 위기에 빠졌
다. 아이네이아스와 코로이보스의 일행은 프리아모스왕이 거처하고 있
는 왕궁을 향해 바삐 걸음을 옮겼다. 그런데 그들 앞에 한 무리의 그리
스 병사들이 횃불을 들고 가로막아 섰다. 아이네이아스와 코로이보스 일
행은 재빨리 어두운 건물의 그림자 속으로 몸을 감추며 그리스 병사들
을 맞았다.

그리스 병사들은 무혈입성이나 다름없이 성안으로 들어왔기 때문에 트로이아 병사들과 마주치지 않았다. 그래서 어두운 곳에 있는 아이네이아스의 일행들을 그리스군으로 착각하였다.

"왜 이리 늦게 도착했는가. 곧 전투가 끝나가니 어서 전리품을 챙기게."

그들이 말을 마치기도 전에 아이네이아스와 코로이보스의 일행은 재빠르게 공격하여 그들의 입을 막았다. 작은 승리에 들뜬 코로이보스는 그리스군의 투구를 집어 들고는 나지막한 소리로 웃으며 말했다.

"동지들이여! 긴박한 상황에서 그것이 간계든 술수든 간에 우리는 어떤 수단 방법을 가리지 않고 승리를 해야 하오. 그러니 저 쓰러져 있는 그리스 병사들의 투구와 방패, 무기들로 무장하기로 합시다."

아이네이아스는 코로이보스의 전략이 그다지 명예로운 방법이 아니란 것을 알고 있었지만, 지금은 그런 것을 따질 때가 아니었다. 모두들 자신의 몸에 맞는 갑옷 등을 찾아 무장을 하고 나자 보다 손쉽게 왕궁에 도착할 수 있었다.

그들이 왕궁에 도착하자 왕궁과 신전을 지키기 위해 최후의 일전을 벌이고 있는 전투 장면이 목도되었다. 열악한 수의 트로이아 병사들이 막대한 수의 그리스 병사들에 맞서 고군분투를 하고 있었다. 절체절명의 위기의 순간에도 트로이아 병사들은 죽기를 각오하고 용맹하게 분투하고 있었다. 이때를 놓치지 않고 아이네이아스와 코로이보스 일행은 그리스 병사들 틈에 슬그머니 끼어들었다. 수많은 그리스 병사들은 영문도 모른 채 칼에 베어져 쓰러져 갔다.

이때였다. 코로이보스의 귀에 사랑하던 카산드라의 비명소리가 들려왔다. 코로이보스는 그녀의 비명소리가 난 아테나 신전으로 급하게 뛰어들어 갔다. 신전 안에는 아테나 여신상에 매달려 있는 카산드라의 머리채를 잡아 끌어 내리는 그리스의 장수 아이아스의 모습이 코로이보스 눈앞에 생생하게 펼쳐졌다. 코로이보스는 충혈된 눈으로 고함을 질렀다.

"그 못된 손을 멈추어라!"

코로이보스는 카산드라를 어깨에 들쳐 맨 작은 아이아스에게 달려들었으나 그를 막아선 그리스 병사들에게 포위를 당했다. 코로이보스는 피를 흘리면서도 길을 뚫으려 치열한 접전을 펼쳤으나 카산드라는 작은 아이아스에게 겁탈을 당하고 말았다.

카산드라를 겁탈하는 아이아스_ 조셉 솔로몬의 작품
아테나의 신전에서 그리스의 무장 작은 아이아스에게 겁탈당하는 카산드라를 묘사한 그림이다.

혈투 끝에 드디어 코로이보스가 알몸의 카산드라 앞으로 다가갈 수 있었다.

"오, 아테나 여신이여, 제가 카산드라를 구할 수 있게 해주시다니!"

코로이보스는 자신의 망토를 그녀에게 덮어주며 안아 올렸다.

"어서 이곳을 빠져나갑시다. 내가 당신을 안전한 곳으로 데려다 주리다!"

카산드라는 슬픈 표정으로 코로이보스의 넓은 품속으로 안겨들었다. 그녀는 이제 곧 무슨 일이 벌어질지 이미 오래전부터 잘 알고 있었기 때문이다. 카산드라는 아주 잠깐 동안 그의 입술에 자신의 입술을 포갰다. 그것은 영원한 이별을 의미했다.

그녀는 눈물이 고인 두 눈으로 그를 바라보며 낮은 목소리로 말했다.

"뒤를 돌아보세요. 우리는 이곳을 벗어날 수 없어요!"

코로이보스가 고개를 돌려 뒤를 보자 어느새 그곳에는 수를 헤아릴 수

아테나 신전의 카산드라_ 제롬 마르탱 랑글루아의 작품
트로이아 함락으로 카산드라는 아이아스에게 아테나 신전에서 겁탈당하고 그리스군의 총사령관 아가멤논의 전리품으로 전락된다.

카산드라를 구하기 위해 혈전을 벌이는 코로이보스_ 앙투안 리발츠의 작품
코로이보스는 자신이 사랑하던 카산드라를 구하기 위해 용감히 뛰어들었으나 칼에 찔려 죽고 만다.

없을 정도의 그리스 병사들이 그들을 겹겹이 포위하고 있었다. 그리고 그들 가운데 다소 의외의 표정을 지으며 작은 아이아스가 말했다.

"트로이아의 신녀에게 애인이 있다니, 믿어지지가 않는군."

그가 말을 마치자마자 모든 것이 한순간에 끝나버리고 말았다. 코로이보스는 수많은 병사들의 칼에 찔려 그 자리에서 쓰러졌다. 그리고 카산드라는 다시 끌려갔다.

그리스의 빛나는 별들

| 두 명의 아이아스 |

트로이아 전쟁에 참여한 그리스 진영에는 큰 아이아스와 작은 아이아스라는 동명이인(同名異人)의 빼어난 용장들이 있었다.

큰 아이아스는 트로이아 전쟁에 참가한 그리스군에서 가장 강력한 장수로, 그를 능가하는 사람은 아킬레우스밖에 없다. 호메로스의 《일리아스》에 묘사된 아이아스는 다른 남자들보다 훨씬 키가 큰 거한으로, 그리스군의 방벽과도 같은 존재다. 명예욕과 탐욕에 사로잡혀 있는 트로이아 전쟁 속 여러 영웅들과 달리 아이아스는 과묵하고 너그러운 심성의 소유자였다.

아이아스는 아킬레우스가 전투에서 물러나 있는 동안 트로이아군의 가장 강력한 전사인 헥토르를 상대로 일대일 대결을 벌일 그리스군 전사로 나선다. 하루 종일 계속된 싸움에서 아이아스는 헥토르에게 약간의 부상을 입히긴 하지만 결국 승패를 가리지 못한다. 두 영웅은 서로에 대한 깊은 존경심을 품은 채 각자의 진영으로 돌아간다.

아이아스는 아킬레우스가 파리스의 화살에 맞아 불의의 죽음을 맞았을 때 시신을 탈취하려고 사납게 달려드는 트로이아군을 맞아 오디세우스와 함께 격렬한 전투를 벌인 끝에 아킬레우스의 시신을 그리스군 진영으로 운반해 온 장본인이다. 그 후 아킬레우스의 장례식 때 시신을 지

아이아스와 오디세우스_ 아고스티노 마수치의 작품
아킬레스의 갑옷을 놓고 아이아스와 오디세우스 사이의 논쟁을 벌이는 장면이다.

켜낸 공로가 가장 큰 사람에게 망자의 유물을 요구할 권리를 주는 관례에 따라 아킬레우스의 갑옷을 놓고 오디세우스와 말다툼이 벌어진다. 하지만 결국 아킬레우스의 갑옷은 언변과 지략에 능한 오디세우스의 차지가 된다.

아이아스는 당장에는 아무 말도 하지 않았지만 분을 삭이지 못해 한밤중에 그리스 군 장수들을 모두 죽이려고 한다. 하지만 이를 눈치챈 아테나 여신이 아이아스에게 광기를 불어넣는 바람에 아이아스는 양 떼를 오디세우스와 아가멤논 등으로 착각하고 도륙한다. 아침에 깨어나 제정신이 든 아이아스는 자신의 행동을 부끄럽게 여겨 헥토르에게서 받은 칼로 자결한다.

카산드라의 비극을 표현한 폼페이 유적의 벽화
트로이아 전쟁의 멸망으로 카산드라 및 트로이아 여인들이 그리스군의 포로가 되는 장면이다.

작은 아이아스는 트로이아 전쟁에 참가한 그리스 군에서 아킬레우스 다음으로 걸음이 날랜 장수이며 창던지기의 명수다. 작은 아이아스는 큰 아이아스와 달리 체구가 작았고, 성격도 완전히 딴판이어서 오만불손하고 잔인하며 호전적이었다.

트로이아를 함락한 뒤에 아이아스는 자신과 그리스군 전체에 커다란 재앙을 가져올 소행을 저지른다. 약탈자들을 피해 아테나 여신의 신전에 피신해 있던 프리아모스왕의 딸 카산드라를 끌어내어 강제로 욕을 보인 것이다. 이때 카산드라는 아테나 여신의 신상을 붙잡은 채 격렬하게 저항하였는데 그 바람에 신상이 쓰러지고 말았다. 인간이 신전에서 사랑을 나누면 신성모독죄에 걸린다. 여기에 폭력적인 행위가 더해진다면 신에게는 더욱 모욕적인 행위가 되고 만다. 다른 그리스인들은 신성모독죄를 범한 아이아스를 돌로 쳐 죽이려 했지만 이번에는 아이아스가 아테나 여신의 신전으로 피신해 신상을 부여잡고 겨우 목숨을 구한다.

이에 아테나 여신은 아이아스와 그리스인 모두에게 벌을 내리기로 작정하고 제우스 신에게 부탁하여 그들이 돌아가는 길에 폭풍우를 일으키게 하였다.

이 폭풍우로 아이아스의 배를 포함한 그리스인들의 많은 배들이 난파되었지만, 아이아스는 간신히 목숨을 구한다. 천성이 교만한 아이아스는 이 모든 재앙이 자신으로 인해 비롯되었음에도 불구하고 반성은 커녕 바위섬에 기어오르자마자 자신이 아테나 여신의 노여움을 이겨내고 무사히 살았노라고 기고만장해 한다. 이러한 아이아스의 자만에 더욱 화가 난 아테나는 다시 포세이돈에게 아이아스를 죽여달라고 부탁했고, 포세이돈은 삼지창으로 아이아스가 있던 바위를 내리쳐 그를 물속에 빠뜨렸다. 결국 아이아스는 이번에는 신들의 노여움에서 벗어나지 못하고 물에서 살아서 나오지 못했다.

아테나 여신은 아이아스가 죽고 나서도 분이 풀리지 않았던지 그리스 함대가 그리스로 항해할 때 그리스 함대에 무서운 저주를 퍼붓는다. 아테나 여신의 분노로 바다에서 거대한 폭풍우를 만난 그리스 함대는 아가멤논의 배를 제외하고 모두 난파당한다. 아테나 여신은 그리스군의 귀향길을 지옥으로 만들어버린다. 이로 인해 오디세우스는 10여 년 동안 인고의 세월을 보내게 된다.

여기에 그치지 않고 아테나 여신은 아이아스의 동족인 로크리스인들에게도 벌을 내린다. 트로이아 전쟁에 참가했던 전사들이 귀향한 다음 로크리스에는 전염병과 흉년이 반복된 것이다. 이에 로크리스인들은 델포이 신탁에 따라 해마다 처녀 두 명을 트로이아의 아테나 신전에 보내어 봉사하게 하였다. 이때부터 로크리스의 처녀들은 트로이아인들의 눈에 띄었다가는 죽음을 면치 못했기 때문에 남몰래 트로이아로 숨어들어 가 아테나 신전에서 늙어 죽을 때까지 처녀인 채로 살았다. 이 관습은 그 후로도 천 년 이상 지속되었다고 한다.

한편 코로이보스가 숨을 거둘 때, 신전 밖에서는 아이네이아스와 일행들이 그리스군으로 변장한 모습이 발각되어 적들과 치열한 결전을 벌이고 있었다. 하지만 그리스군의 맹렬한 기세 앞에 아이네이아스의 병력은 점점 줄어들었다. 아이네이아스는 손가락으로 꼽을 수 있을 정도의 군사들만을 인솔하고 어둠으로 숨어들었다. 그러자 그리스군은 혈안이 되어 아이네이아스를 뒤쫓았다.

아이네이아스는 성벽 모퉁이를 돌아 프리아모스왕이 칩거하는 왕궁의 비밀 통로를 찾았다. 비밀 통로는 트로이아 왕족과 아이네이아스만이 아는 장소로 지하로 연결된 비상구였다. 아이네이아스와 일행들은 석문을 열어 지하로 들어갔다. 좁은 통로로 연결된 돌 천장 위에서는 그들을 찾는 그리스군의 발소리가 요란하게 들렸다. 그렇게 길고 좁은 지하통로를 지난 아이네이아스는 아킬레우스에게 죽임을 당한 트로이아의 영웅 헥토르가 거처하던 방에 잠입하였다.

한때 헥토르의 시신이 안치돼 있던 침상과 그의 무구가 있던 영웅의 빈자리를 꺼져가는 등불이 비추고 있었다. 눈물이 마를 길 없는 헥토르의 아내 안드로마케는 보이지 않았다. 그녀는 테베의 왕 에티온의 딸로 신과 같은 영웅의 아내라는 빛나는 칭송을 듣던 여인이었지만 지금은 전쟁의 와중에 가장 소중한 사람들을 모두 잃은 한 서린 비련의 여인이 되었다. 그녀는 그리스군의 침입으로 프리아모스왕과 헤카베 왕비를 보호하려고 왕의 궁실에 간 것이 틀림없었다.

아이네이아스는 안타까운 마음이 일었다. 그는 어둠이 덮여 있는 회랑으로 걸음을 옮겼다. 회랑 중간에 있는 프리아모스왕의 궁실을 향해 내달릴 때 거대한 목마가 눈에 들어왔다. 그 목마는 트로이아의 재앙을 불러온 목마로, 마치 죽음의 사신 타나토스가 몰고 온 괴물과 같았다.

아이네이아스가 한숨을 쉬고 있을 때 프리아모스왕의 궁실 쪽에서 화살이 쏟아져 날아왔다. 그는 민첩한 몸놀림으로 피했지만 뒤를 따르던 일행들은 모두 화살에 맞아 곳곳에서 찢어지는 비명소리가 난무했다. 빗발치듯 쏟아지던 화살은 프리아모스왕을 호위하는 트로이아 용사들이 쏜 화살로 아이네이아스 일행이 그리스 복장을 하고 있었기에 쏘아 댄 것이다.

그때였다. 어디에선가 나타났는지 황금갑옷을 입은 아킬레우스의 아들인 네오프톨레모스가 이끄는 그리스군이 트로이아 왕실 호위대를 향

불타는 트로이아_ 더크 베르하르트의 작품

해 활과 창을 쏟아부으며 돌진해 왔다. 아이네이아스가 본능적으로 몸을 일으켰지만 이미 호위대는 전멸 직전에 있었다. 트로이아의 마지막 결전이 허무하게 끝나는 순간이었다.

한편 왕실 안에는 프리아모스왕이 무장을 하고 늙은 몸을 이끌고 그리스군에 대항하려고 하였으나 늙은 왕후 헤카베의 간절한 설복에 단념하고 말았다.

"왕이시여, 딸들과 함께 제우스 신전으로 가 탄원하는 것이 더 좋을 듯하오니 무기를 거두소서."

프리아모스왕이 왕후의 말대로 딸들과 함께 제우스 신전으로 옮기려 할 때 마지막 살아남은 어린 아들인 폴리테스가 황금갑옷을 입은 아킬레우스의 아들 네오프톨레모스에게 붙잡혀 프리아모스왕 앞에 내던져졌다. 그리고 폴리테스는 사랑하는 아버지와 어머니, 누나들 앞에 쓰러져 절명하였다.

왕실은 한순간 울음소리로 넘쳤다. 왕후 헤카베는 피가 넘쳐나는 아들을 부둥켜안고 오열하였다. 이어 네오프톨레모스가 악귀처럼 프리아모스왕의 앞에 섰다. 그의 용모는 아킬레우스를 닮았지만 인정사정이 없는 냉혹한 인물이었다.

폴리테스를 내던지려는 네오프톨레모스 조각상 ▶
아킬레우스의 아들 네오프톨레모스가 프리아모스왕의 어린 아들 폴리테스를 내던져 죽이려는 장면을 묘사하였다.

프리아모스왕은 아내와 딸, 며느리를 보호라도 하듯이 앞장서 네오프톨레모스의 앞에 섰다. 그의 눈은 분노로 이글거리다가 마침내 말문을 열었다.

"그대가 정녕 아킬레우스의 아들이란 말인가. 그대의 아버지는 적장이었지만 이 몸에게 예를 갖추고 헥토르의 시신을 돌려주었소. 우리가 정성껏 아들의 장례를 치를 수 있게 말이오. 게다가 적군의 왕인 나 역시 후하게 대접을 한 후에 무사한 귀로를 보장하였소. 그런데 당신은 내가 보는 바로 앞에서 내 아들을 죽였소."

프리아모스왕은 손에 들고 있는 창을 힘겹게 네오프톨레모스에게 던졌다. 그러나 창은 그의 황금 방패에 흠집조차 내지 못하고 빗나가 버렸다. 네오프톨레모스는 얼굴 표정 하나 변하지 않은 채 서서히 프리아모스왕을 향해 걸음을 옮기며 입을 열었다.

"아킬레우스께서 그대를 존경하였는지 모르지만, 아버님은 선의를 베풀어 저기 서 있는 당신의 딸 폴릭세네와 결혼하려고 했소. 그런데 간악한 저 여자와 당신의 아들 파리스가 공모하여 아버님을 살해하고 말았소. 그러니 용서를 구하려거든 하계에 계신 아킬레우스를 만나 구하도록 하시오."

그는 말을 마치자 칼을 들어 프리아모스왕을 찔렀다.

프리아모스왕의 죽음으로 왕실 안에는 여인들만 남아 포로가 되었다.

아이네이아스는 프리아모스왕의 죽음을 왕실 망루에서 목격하였다. 그는 왕을 구출하려고 애를 썼지만 역부족이었다. 그리고 포로가 되어 끌려 나가는 트로이아의 왕녀들을 두 눈으로 바라볼 수밖에 없었다. 그녀들은 자신의 처제로, 아이네이아스는 문득 집에서 애타게 기다리고 있을 사랑하는 아내 크레우사를 떠올렸다. 그는 아내에게 언니와 동생 들

프리아모스왕의 최후_ 쥘 르페브르의 작품
네오프톨레모스가 어린 폴리테스를 죽이고 이어 프리아모스왕을 죽이는 장면이다.

이 그리스군의 포로가 되어 노예로 전락한다는 사실을 어떻게 설명해야
할지 난감하였다.

　여기에까지 생각이 미치자 그는 점령군인 그리스군이 자신의 집을 강
탈하여 아내를 포로로 납치하지 않았나 하는 걱정이 앞섰다. 그는 자신
도 모르게 발길이 집으로 향하고 있었다. 수많은 그리스 병사들을 피해
내딛는 발걸음은 마음과 달리 굼벵이처럼 느렸다. 그가 어두운 통로를
몸을 숙이고 지날 때 한 무리의 그리스 순찰대가 다가왔다. 그는 몸을 감
추려 더욱 어두운 어느 문을 열고 들어가 안에서 문을 잠갔다. 그곳은 불
의 여신인 헤스티아(베스타) 여신의 신전이었다.

헤스티아 여신은 올림포스 12신 중 한 신으로 불과 화로의 여신이다. 데메테르, 헤라, 하데스, 포세이돈, 제우스 중 맏이가 헤스티아이다. 따라서 헤스티아는 올림포스의 최고의 신인 제우스의 누이이다. 고대 그리스에서 화로는 가정의 중심이었다. 따라서 화로의 상징인 헤스티아는 가정의 수호신이다.

신전 안으로 몸을 피한 아이네이아스는 안전을 기대하며 안정을 취했다. 그러나 적들은 아테나 신전을 아무렇지도 않게 더럽힐 수 있는 자들이라 언제까지 그곳에 머무를 수는 없었다. 그가 신전을 둘러보자 신전 안에는 꺼지지 않는 불이 타오르고 있어 피아(彼我) 식별이 가능했다. 그러나 트로이아 함락을 예견이라도 하듯 불길의 밝기는 희미하게 흔들리며 사물의 명암을 흐리게 하고 있었다.

그때 아이네이아스는 화로 뒤편의 어둠속에서 작은 움직임을 포착하고는 이맛살을 찌푸렸다.

지금 트로이아 전체가 멸망의 기로에 서 있는데, 도대체 누가 이 신성한 신전에 있는 것일까? 그는 적의 첩자가 신전에 잠입하여 신을 노하게 하고자 했다면 용서하지 않을 작정이었다.

헤스티아 여신상 목판화
그리스 신화에 등장하는 불과 화로의 여신으로 올림포스 12신 중의 한 신이다. 크로노스와 레아의 장녀이자 제우스의 누이이며, 영원히 순결을 지킨 여신이다. 로마 신화의 베스타 여신과 동일시된다.

아이네이아스는 칼을 뽑아 한 손에 들고 마치 야생의 고양이가 된 것처럼 화로 뒤를 향해 나아갔다. 그가 다가갈수록 여인의 향기가 진하게 코에 묻어왔다. 그리고 그의 동공에는 이글거리며 흔들리는 불빛에 빛나는 금발의 긴 머리를 한 여인의 뒷모습이 눈에 들어왔다. 금발의 여인은 아이네이아스가 다가오자 더 이상 숨을 수 없다는 듯 얼굴을 돌려 그를 응시했다. 그녀는 스파르타에서 온 헬레네였다.

헬레네_ 단테 가브리엘 로세티의 작품
그리스 최고의 미인 헬레네는 제우스와 레다의 딸로 트로이아 전쟁의 원인을 제공한다.

헬레네를 죽이려는 아이네이아스를 저지하는 아프로디테_ 루카 페라리의 작품

아이네이아스는 의외의 장소에서 헬레네와 마주치자 분노가 일었다. 무릇 천하의 미인이라 칭송받으며 온 세상 사람들이 찬양하는 그녀가 지금 이 장소에서는 트로이아를 망친 요녀와 같았다.

"당신 하나로 인해 트로이아는 멸망하였소. 만약 당신이 파리스의 유혹을 거부만 하였어도 지금 트로이아의 여인들은 지아비와 아이들과 함께 행복한 삶을 누릴 수 있었을 것이오. 하지만 이제 그대의 죄업으로 그들은 노예가 되어 비참한 삶을 살아가게 되었소. 그러니 이 신성한 헤스티아의 신전에 그대가 속죄의 제물이 된다 한들 전혀 이상할 것이 없을 것이오."

아이네이아스의 손에 쥐어진 칼이 부르르 떨렸다. 그는 망설일 것 없이 손을 들어 그녀를 내리쳤다. 그런데 그의 칼은 무언가의 알 수 없는 힘에 부딪혀 튕겨져 나갔다.

아이네이아스를 저지하는 아프로디테_ 장 오노레 프라고나르의 작품
아이네이아스가 헬레네를 죽이려는 순간 아프로디테가 나타나 말리는 장면이다.

아이네이아스는 본능적으로 두어 걸음 뒤로 몸을 뺐다. 자연히 아이네이아스와 헬레네 사이에 벌어진 공간으로 헬레네와 비견해도 전혀 손색이 없는 미모의 여인이 나타났다. 그녀는 아이네이아스의 어머니인 미의 여신 아프로디테였다.

아이네이아스는 아프로디테의 아들이었지만 아버지 아래 자랐다. 이때 그는 아프로디테를 처음 보았다. 그럼에도 그는 앞에 선 여신이 자신의 어머니임을 직감적으로 알아보았다. 그런 그의 마음을 꿰뚫어 본 듯이 아프로디테는 아이네이아스에게 조용히 말을 건넸다.

"얘야, 너는 지금 뭘 하려는 것이냐? 네가 가진 슬픔과 분노가 얼마나 크기에 이다지도 난폭해졌단 말이냐? 이 모든 것은 신들의 뜻에 따라 일어난 일이다. 프리아모스왕은 이미 죽었고, 트로이아는 이제 곧 멸망할 것이다. 저 무너진 성벽을 보거라. 철옹성의 성벽은 인간이 무너뜨릴 수 없는 성벽이다. 오직 저 성벽을 올린 신만이 무너뜨릴 수 있다. 그렇다면 저 성벽을 무너뜨린 자가 누구겠느냐? 바로 바다의 신 포세이돈이다. 그는 지난날 저 성벽을 올렸지만 지금은 성벽을 무너뜨리고 온 도시를 초토화시키고 있는 것이다. 나는 너와 트로이아를 도와 신들에게 대항

◀ 아이네이아스와 아프로디테 조각상

아이네이아스와 아프로디테_ 세바스티앙 부르동의 작품
아프로디테가 아들 아이네이아스에게 무기를 주는 장면을 묘사한 그림이다.

하였으나, 막강한 헤라 여신과 아테나 여신은 나의 황금 사과를 탐내어 협공하였기에 역부족이었다. 애초에 너는 신으로부터 새로운 트로이아를 건국할 인물로 점지되었다. 그러니 이곳에서 지체하지 말고 어서 떠나거라. 헬레네는 내가 파리스에게 약속한 인물로 그녀를 죽인다면 내가 헤라와 아테나 여신에게 항복을 한 것이나 마찬가지이다. 그러니 그녀를 용서하고 어서 길을 떠나거라."

아이네이아스는 깜짝 놀라 몸을 움츠렸다.

"아, 어머니."

그는 외마디 탄성과도 같은 말을 쏟아내고는 말문을 닫았다. 그는 돌이 된 것처럼 좀처럼 걸음이 떨어지지 않았다. 그는 지난 밤 헥토르가 꿈속에 나타나 그에게 해준 것과 똑같은 말을 어머니가 해주는 것을 들었다.

아프로디테는 굳어 있는 아이네이아스에게 또다시 말했다.

"아들아, 이 투구와 갑옷은 대장간의 신 헤파이스토스가 직접 만든 무구이다. 잘 챙겨서 훗날 새로운 나라를 건국할 때에 그 빛이 발할 수 있도록 하라."

아프로디테는 그 말만을 남기고 아이네이아스에게서 사라져 버렸다. 그리고 아이네이아스 앞에는 훌륭한 무구가 놓여 있었다. 그는 더 이상 지체하지 않고 신전을 나와 자신의 집으로 내달렸다.

트로이아의 여인들

| 패전국 여인들의 운명 |

    헤스티아 신전에 남아 있던 헬레네는 아이네이아스가 물러가자 몸을 추스르고 일어났다.

    그녀의 인생은 기구하였다. 비록 미모로는 그리스 최고를 자랑했지만 그 아름다움 때문에 숱한 고난을 당했다. 그녀는 이미 열두 살 때 그녀의 미모에 반한 영웅 테세우스에 의해 납치된 적이 있으며, 테세우스가 저승에 머무는 사이 남동생인 디오스쿠로이에 의해 겨우 구출되었다. 이때 테세우스의 어머니 아이트라도 함께 스파르타로 끌려갔다.

    결혼 적령기가 되었을 때는 그리스 전역에서 구혼자들이 구름처럼 몰려들어 그녀의 아버지 틴다레오스왕은 폭동을 걱정해야 했다.

    헬레네는 오디세우스의 묘책으로 메넬라오스를 남편으로 맞이했지만 여신들의 분쟁의 제물이 되어 트로이아의 왕자 파리스의 유혹에 빠져 트로이아로 도주하였던 것이다. 젊은 미남자 파리스와 벌인

헬레네와 파리스 조각상 ▶

헬레네를 납치한 테세우스와 페이리토오스_ 오도리코 폴리티의 작품

테세우스는 스파르타의 헬레네를 신붓감으로 꼽았고, 그의 절친 페이리토오스는 페르세포네를 신붓
감으로 꼽았다. 두 사람은 헬레네를 유괴하여 아테네로 데려왔다. 하지만 헬레네가 아직 결혼을 하기
에 너무 어렸기 때문에 테세우스는 그녀를 아테네의 성에 데려다 놓고 어머니 아이트라에게 돌보게
하였다. 그림은 테세우스와 페이리토오스가 저승의 여왕인 페르세포네를 납치하기 위해 방패 점괘를
보는 장면으로 중앙의 여인이 헬레네이다.

사랑의 도피 행각은 헤라클레스의 활을 가진 그리스의 영웅 필록테테스
에 의해 종결되었다. 필록테테스는 아킬레우스를 살해한 파리스를 헤라
클레스의 활로 처단하였다.

　헬레네가 헤스티아의 신전에 몸을 숨긴 사연은 다음과 같다.

　파리스를 잃은 헬레네는 헥토르가 아끼던 동생 데이포보스의 아내로
결정되었다. 그녀는 자신의 뜻과는 상관없이 결정된 결혼 배우자로 인해
마음이 편치 못했다. 그러나 그녀는 뜻대로 할 수 있는 처지가 아니었기
때문에 자신의 의사를 마음대로 피력할 수가 없었다.

트로이아군은 라오콘과 카산드라의 경고에도 불구하고 결국 목마를 트로이아성 안으로 끌어들이고 종전을 축하하며 밤새 잔치를 벌였다. 이를 축하하는 기념행사로 헬레네와 데이포보스의 결혼식도 치러졌다.

결혼 첫날밤 데이포보스는 비록 형수였지만 천하의 미인인 헬레네를 자신의 여자로 품을 수 있다는 사실에 심장이 뛰었다. 그럼에도 그는 그리스군이 남긴 목마가 왠지 거슬렸다. 그는 헬레네를 데리고 목마로 갔다.

"이제 나의 아내가 된 헬레네여, 저 목마를 향해 그리스군인들의 이름을 불러 보시오. 그들의 아내가 된 것처럼 말이오."

헬레네는 용의주도한 데이포보스가 싫었다. 파리스는 미온적인 성격이었지만 정열에 불타는 매력이 있었다. 그러나 데이포보스는 전형적인 군인으로, 프리아모스왕의 아들 중 헥토르 다음 가는 무장이었다. 헬레네는 그의 말을 거부할 수 없었다. 그녀는 그리스군의 안티클로스가 생각이 나 그의 이름을 불렀다.

"안티클로스여, 대답하세요."

그녀의 목소리는 마치 사랑하는 연인이 배우자를 부르는 음성처럼 달콤하게 들렸다. 그때 목마 안에 매복하고 있던 안티클로스가 자신도 모르게 헬레네에게 대답하려고 하자 오디세우스가 재빨리 그의 입을 틀어막았다.

데이포보스는 아무 소리도 들리지 않자 목마 안에 아무도 없다고 확신하였다. 그러나 헬레네는 목마 안에 그리스군이 매복해 있다는 느낌을 확실히 받았다. 그것은 안티클로스가 오디세우스에게 제압당할 때 자신의 문장이 곁에 떨어졌기 때문이었다.

"자, 이제 안심해도 좋을 것 같으니 어서 신방으로 들어 뜨거운 밤을 보냅시다."

데이포보스는 재촉하듯 헬레네를 이끌고 신방으로 들었다.

트로이아군인들과 백성들은 종전을 축하하며 밤새 잔치를 벌이고 곯아떨어졌다. 헬레네와 데이포보스의 신방에서는 한바탕 사랑의 행위가 끝나고 데이포보스도 곯아떨어졌다.

데이포보스와 원치 않는 사랑을 나누고 난 헬레네는 침착하게 침상에서 일어나 옷매무새를 고치고 데이포보스 집 안의 무기들을 모두 치우고 데이포보스의 머리맡의 큰 칼도 치워버렸다. 그리고 신방을 빠져나와 목마로 가려고 했다. 이때 그녀는 아이네이아스를 보았다. 이미 그리스 병사들은 트로이아 성내에 들어와 트로이아군을 서서히 진압하던 차

트로이아 목마_ 앙리 폴 모트의 작품
그리스군이 목마 안에 숨어 있다 나와 트로이아를 공격하러 가는 모습을 묘사한 그림이다.

에 자신 쪽으로 다가오는 아이네이아스를 목격한 그녀는 헤스티아 신전으로 몸을 숨겼다.

"아이네이아스 장군이야말로 헥토르 못지않은 장수이다. 만약 그와 마주친다면 무사하지 못할 것이다."

공교롭게도 이 시간 아이네이아스는 그리스 병사들을 피해 신전 안으로 몸을 숨기다 헬레네를 발견한 것이다. 아이네이아스가 신전을 나가고 그녀는 전남편인 메넬라오스와 오디세우스를 만났다. 메넬라오스는 헬레네를 당장에 죽이려 했지만 헬레네의 미모에 마음이 흔들렸다.

"나라와 남편을 배신한 그대가 아직 살아 있다니 내 칼에 목을 내주시오."

헬레네는 자상한 메넬라오스가 끔찍한 말을 하자 눈물이 왈칵 쏟아졌다.

"제가 여기서 죽는다 해도 무슨 변명의 여지가 있겠습니까. 하지만 파리스가 죽고 저는 당신에게 가려고 사람들 몰래 밧줄을 타고 성벽을 내려오다 몇 번이나 발각되어 실패하고 말았습니다."

메넬라오스는 눈물이 가득한 헬레네의 눈과 마주치자 가슴이 쓰렸다. 그럼에도 그는 냉정하게 말했다.

"그 말이 사실이라면 무슨 이유로 프리아모스왕의 아들 데이포보스와 다시 결혼하였소?"

헬레네는 메넬라오스 앞에 쓰러져 말했다.

◀ 메넬라오스 조각상
스파르타의 왕으로 헬레네의 남편이자 아가멤논의 동생이다. 트로이아의 왕자 파리스가 헬레네를 유혹해 데리고 가자 아가멤논과 함께 트로이아 전쟁을 일으킨다.

메넬라오스를 만나는 헬레네_ 요한 하인리히 빌헬름 티슈바인의 작품

메넬라오스가 자신을 배반하고 파리스를 따라 트로이아로 간 헬레네를 만나는 장면으로, 헬레네는 트
로이아의 수호신상인 아테나 여신상으로 가 자신의 과오에 대해 용서를 구한다.

"어쩔 수 없는 선택이었어요. 저는 이곳에 붙잡힌 것과 같은 몸이랍니다. 제가 스스로 선택했다면 당신의 손에 죽어도 원망하지 않겠어요."

두 사람이 설전을 벌일 때 오디세우스가 끼어들었다.

"장군, 고정하시오. 헬레네가 데이포보스의 거처를 알고 있으니 먼저 그를 처단하는 것이 시급하오. 그리고 트로이아의 수호신상을 탈취하여야 하오."

메넬라오스는 오디세이아의 의견을 따르기로 했다. 헬레네를 앞장세운 그리스군은 데이포보스 거처를 급습하여 무방비 상태에서 곯아떨어져 있던 데이포보스의 전신을 난도질했다. 그의 모습은 참혹함 자체였다. 얼굴과 두 손은 찢기고 귀와 코도 잘려나갔다.

스파르타로 돌아가는 헬레네_ 장 브뤼노 가시의 작품
헬레네가 메넬라오스의 보살핌을 받으며 그와 함께 그리스로 돌아갈 배를 향해 가는 장면이다. 그 앞으로는 트로이아 여인들이 그리스군 노예가 되어 끌려가고 있다.

데이포보스가 죽자 메넬라오스는 헬레네를 그리스로 데려가서 죽이겠다고 사람들 앞에서 선언하였다. 그러나 자신의 말을 어기고 그녀를 용서하고 사랑하였다.

| 전리품이 된 여인들 |

트로이아 전쟁을 보면 신들이 만들어낸 헛된 명분에 이리저리 휘둘리고, 잔인하게 희생당하는 인간의 삶이 비루하게 느껴진다. 특히 가부장 사회에서 패전국의 여자들은 승전국의 남자들에게 바쳐질 물건에 불과했다. 남자들에게 여자는 제비뽑기로 나누어 가질 수 있는 전리품 이상의 존재가 아니다. 여자들에게 인권은 사치스러운 외침일 뿐이다. 전쟁터에서 여자는 사랑하는 가족을 모두 잃고도 모자라 승전국의 남자들 곁에서 목숨을 부지해야 하는 치명적인 약자들로 트로이아 왕녀들도 다를 바 없었다. 오히려 그녀들은 값이 많이 나가는 전리품으로 그리스군 수장들의 애첩이나 성노예로 전락하고 말았다.

트로이아의 마지막 왕후 헤카베는 트로이아 함락으로 남편과 아들들이 목숨을 잃고 딸들이 희생물이나 노예가 되는 것을 눈앞에서 그대로 지켜봐야 했다. 이 때문에 서양 문화권에서 헤카베는 비극적인 어머니상으로 자주 묘사된다.

헤카베 조각상 ▶
트로이아의 왕 프리아모스의 왕비이다. 트로이아 전쟁으로 남편과 자식들을 잃자 분노와 슬픔으로 개가 되었다는 전설이 전해진다.

트로이아 전쟁이 시작되기 전에 헤카베와 프리아모스는 막내아들인 폴리도로스를 많은 선물들과 함께 트라키아의 왕 폴리메스토르에게 보내어 안전하게 보호해 달라고 부탁했다. 그러나 트로이아가 함락되자 폴리메스토르는 폴리도로스를 죽여 버렸다. 아들의 안전을 부탁했던 프리아모스 왕은 죽임을 당했고 헤카베는 오디세우스의 노예로 끌려갔다. 헤카베는 항해 중에 트라키아섬을 지날 때 오디세우스의 배려로 풀려나 트라키아섬에서 내렸지만 막내아들 폴리도로스마저 살해당했다는 사실을 알게 된다.

복수를 다짐한 그녀는 폴리메스토르를 유인해 두 눈을 뽑아 장님으로 만들고 그의 아들들을 죽였다.

헤카베는 특히 개 전설과 밀접한 연관을 갖고 있다. 폴리메스토르에게 복수를 한 헤카베가 개로 변해 트리키아를 떠돌았다는 이야기와 노예가 된 헤카베가 오디세우스를 향해 분노와 저주의 말을 부르짖자 불쌍히 여긴 신들이 그녀를 개로 만들어 탈출을 도왔다는 이야기가 전해진다. 개로 변한 헤카베와 관련된 유적으로는 그녀가 묻혀 있다고 알려진 헬레스폰트 해협의 퀴노스세마(개의 무덤)가 있는데, 그곳은 뱃사람들이 항로를 찾을 때 유용하게 사용되었다고 한다.

카산드라는 프리아모스왕과 헤카베의 장녀로 헥토르의 동생이자 라오콘, 헬레노스와 더불어 트로이아의 3대 예언자이다. 헬레노스와 카산드라는 쌍둥이 남매이다.

◀ **카산드라 흉상**_ 막스 클링거의 작품
상징주의 기법으로 표현된 카산드라의 흉상으로 홍옥수를 새겨넣은 눈망울이 예언자적인 카산드라의 포스를 느끼게 한다.

겁탈당하는 카산드라_ 요한 하인리히 빌헬름 티슈바인의 작품
카산드라가 작은 아이아스에게 겁탈당하는 장면이다.

그녀는 트로이아 함락 때 아테나의 신전에서 작은 아이아스에 의해 겁탈을 당했고, 포로가 되었다.

포로가 된 트로이아 여인들은 자신들이 누구의 전리품이 될지 천막 속에서 초조하게 기다린다. 그때 카산드라는 횃불을 들고 천막을 뛰쳐나오며 자신과 아가멤논왕의 미래를 큰 소리로 예언한다. 그녀는 아가멤논왕이 자신과의 결혼으로 헬레네와 파리스의 결혼보다 더 큰 재앙을 맞게 될 것이라고 외친다. 그녀는 울고 있는 어머니 헤카베를 위로하며 아가멤논 가문이 몰락할 것이며, 자신은 비록 전쟁에는 패했으나 승리자로서 저승으로 가서 아버지와 자신의 형제들을 만나게 될 것이라고 말한다.

카산드라는 아내 클리타임네스트라에게 학살당할 아가멤논을 가여워한다. 그녀는 아가멤논을 "나의 주인"이고 자신은 그의 노예라고 말하면서 아가멤논에게 닥쳐올 불행을 안타까워했다. 그러나 그녀의 말은 아무도 믿지 않았다.

아가멤논은 트로이아 전쟁이 10년째 접어든 여름에 아르고스로 돌아간다. 그러나 그리스인들은 아가멤논 왕의 개선이 마냥 기뻐할 일만은 아니라는 것을 곧 알게 된다. 그들은 바로 "너희들의 잔치는 곧 끝나리니, 너희는 살아생전 고향 땅을 못보리라"는 카산드라의 예언대로 되었다.

클리타임네스트라 조각상
클리타임네스트라가 아가멤논에게 원한을 품게 된 이유는 맏딸 이피게네이아를 제물로 삼고 여신의 노여움을 풀어 트로이아로 출항한 일 때문이다.

아가멤논을 죽인 클리타임네스트라_ 존 콜리어의 작품
클리타임네스트라는 남편의 사촌이자 자신의 정부인 아이기스토스와 공모하여 왕의 귀환 잔치가 벌어지고 있는 와중에 남편 아가멤논과 카산드라를 제물로 바쳐진 소를 죽이듯 찔러 살해한다.

아테나 여신의 저주로 고국으로 돌아오는 그리스 함대가 폭풍에 난파되어 오직 아가멤논이 탄 배 한 척만 무사히 귀환한 것이다.

카산드라는 자신과 아가멤논에게 닥칠 앞날을 내다보며 두려움에 떨었다. 그녀는 아폴론이 도대체 자신을 어떤 집으로 인도한 것인지 전율하면서 그 집을 '신을 증오하는 집', '도살장', '땅에 피를 뿌리는 곳'이라고 저주하였다.

카산드라는 아가멤논 왕의 아내 클리타임네스트라를 '쌍두사', '스킬라(바다괴물)'라 부르며 일찌감치 그녀가 불러오게 될 무시무시한 재앙을 경고했다. 그녀는 클리타임네스트라가 잠자리를 같이한 남편을 욕실로 유혹해서 죽이려고 한다고 몸서리쳤다. 아가멤논이 아내와 궁전으로 들어가자, 카산드라는 궁전을 향해 걸으며 왕비가 왕을 죽이려 한다고 외쳤다. 그러면서 이제 자신의 죽음도 임박했다고 말했다. 이토록 간절하게 사람들에게 무서운 재앙이 몰고올 파국의 미래를 예언했지만 아폴론의 저주로 그녀의 예언은 아무도 믿지 않았다.

클리타임네스트라는 카산드라를 아가멤논의 '밤의 동반자'이자 '충실한 정부'라고 말하며 그녀와 아가멤논을 살해한다.

라오디케는 프리아모스의 여러 딸들 중에서도 용모가 가장 뛰어난 여성으로, 트로이아의 장로 안테노르의 아들 헬리카온이 그녀를 아내로 삼았다고 한다. 그런데 그녀는 그리스 아테네 군의 테세우스의 아들 아카마스와 사랑을 나누어 아들 무니토스를 낳았다. 그리스 연합군의 일원으로 아테네 병사들을 이끌고 트로이아 전쟁에 참전한 아카마스가 트로이아 왕의 딸인 라오디케와 사랑을 나누게 된 연유는 다음과 같다.

라오디케의 오라비인 파리스는 스파르타를 방문했다가 스파르타 왕

헬레네를 납치하는 장면의 파노라마_ 마르텐 반 헴스케르크의 작품

메넬라오스의 아내인 미녀 헬레네에게 반해서 메넬라오스가 외조부의
장례식에 참가하기 위해 집을 비운 사이 그녀를 유혹하여 트로이아로 도
망쳤다. 이에 메넬라오스는 연합군을 결성하기 전에 먼저 오디세우스,
아카마스 등과 함께 트로이아로 가서 헬레네를 돌려 달라고 요구하였다.

　트로이아에서는 헬레네를 돌려보내지 말고 메넬라오스와 사절들을 죽
여야 한다는 주장과 헬레네를 돌려보내 전쟁을 피해야 한다는 주장이 팽
팽히 맞섰다. 이때 화평을 주장하며 사절단을 자신의 집에서 보살펴 준
사람이 바로 헬리카온의 아버지 안테노르였다.

　사절단의 일원인 아카마스가 안테노르의 집에 머무는 동안 집안의 며
느리인 라오디케와 관계를 하고 만다. 그런데 일이 꼬이려고 그랬는지

두 나라의 협상은 실패로 돌아가고 아카마스는 다시 그리스로 떠났지만 라오디케는 그의 아이를 임신하여 얼마 뒤 아들 무니토스를 낳았다. 어린 무니토스를 양육한 것은 트로이아 성에 살고 있던 테세우스의 어머니, 즉 아카마스의 할머니 아이트라였다. 그녀는 운명적으로 증손자를 돌보게 되는 기이한 인연의 주인공이 되었다.

아이트라는 헬레네가 트로이아로 올 때 함께 왔는데, 테세우스에게 납치된 어린 헬레네를 구하기 위해 그녀의 오라비들인 디오스쿠로이 형제가 아테네로 쳐들어왔을 때 포로로 붙잡혀 헬레네의 노비로 살고 있었다. 그 후 트로이아 전쟁이 벌어지고 10년 동안의 전투 끝에 마침내 트로이아가 함락되었을 때 아이트라와 무니토스는 아카마스에 의해 구출

파리스와 헬레네 _ 샤를 메이니에의 작품
파리스는 스파르타를 방문했다가 스파르타 왕 메넬라오스의 아내인 헬레네에게 반해서 그녀를 유혹
하여 함께 트로이아로 도망친다. 그리고 이것이 트로이아 전쟁의 원인이 된다.

되어 함께 아테네로 돌아가게 된다. 하지만 아이트라는 아들 테세우스의 죽음 소식을 듣고 슬픔을 이기지 못해 스스로 목숨을 끊었고 무니토스는 아버지 아카마스와 사냥을 나갔다가 뱀에 물려 죽고 말았다.

라오디케는 트로이아가 멸망할 때 신들에게 기도를 올려 그리스군의 포로가 되지 않게 해달라고 빌었는데, 그러자 땅이 갈라지며 그녀를 삼켜버렸다고 한다.

프리아모스의 막내딸인 폴릭세네는 테티스 여신의 아들 아킬레우스에게 증오를 품고 있었다. 그녀의 오빠인 트로일로스가 샘터에서 말에게 물을 먹이다 아킬레우스에 의해 죽임을 당하자 폴릭세네가 복수를 결심하고는 자신에게 마음을 뺏긴 아킬레우스로부터 그의 치명적 약점이 발뒤꿈치에 있다는 것을 알아낸다. 폴릭세네는 결혼을 약속하면서 아킬레우스를 아폴론 신전으로 유인하고, 미리 신전 안에 숨어 있던 파리스가 아킬레우스의 발뒤꿈치를 독화살로 쏘아 죽인다.

그런데 폴릭세네에 관한 이야기는 아킬레우스와의 관계보다는 비극적인 운명을 맞이한 그녀가 죽음의 순간에 보여준 용기와 의연한 태도 때문에 더욱 유명하다.

폴릭세네의 강탈_ 피오 페디의 작품 ▶
그리스 장수 파로스가 폴릭세네를 제물로 바치기 위해 끌고 가자 헤카페가 울부짖으며 매달리고 있다. 피렌체 시뇨리아 광장에 설치되어 있다.

아킬레우스 무덤 앞의 폴릭세네_ 지암바티스타 피토니의 작품
폴릭세네는 네오프톨레모스에 의해 아킬레우스의 무덤 앞으로 끌려가 죽임을 당한다.

트로이아가 망하고 아킬레우스가 죽은 후에 그리스군인들이 트로이
아 여인들을 전리품으로 나누어 가질 때 아킬레우스의 망령이 나타나서
는 자신이 그리스의 승리에 가장 큰 공적을 세웠으니 폴릭세네를 자신
의 전리품으로 줄 것을 요구하면서 그녀를 자신의 무덤 앞에 제물로 바
치라고 말한다.

"나를 두고 그대들은 떠나는구나. 내 용기에 대해 감사하는 마음은 나
와 함께 묻어버리고. 이럴 수는 없는 일. 내 무덤은 적절한 명예를 누려
야 한다. 폴릭세네를 제물로 바쳐 이 아킬레우스의 혼을 달래고 떠나거
라!"

전리품이 된다는 것은 노예의 몸이 된다는 것을 의미하고, 전리품이
되어 제물이 된다는 것은 노예의 몸으로 죽는 것을 의미한다. 폴릭세네
는 이제 모든 것을 다 잃고 비참한 죽음을 당해야 했다. 그러나 그녀는

형장으로 끌려가는 폴릭세네_ 샤를 르 브린의 작품

이러한 상황에서도 의연한 태도를 잃지 않고 당당하게 아킬레우스의 아들 네오프톨레모스의 눈을 똑바로 쳐다보며 결연하게 말했다. 노예로서가 아니라 자유인으로서, 공주로서 죽게 해 달라고, 그리고 죽어서도 순결한 몸을 지키게 해 달라고 요청하였다.

이 장면을 지켜보던 그리스인들은 모두 눈물을 흘렸고, 네오프톨레모스조차도 폴릭세네를 차마 죽이지 못하고 망설였다. 그러나 그는 결국 그녀의 가슴을 칼로 찔렀다. 그녀는 쓰러져 죽어가면서도 공주로서, 또 자유인으로서 죽는다는 것을 알았기에 평온한 표정을 잃지 않았다. 이처럼 폴릭세네는 모든 것을 다 잃고 제물로 바쳐져야 하는 순간에도, 모멸감만이 남아있는 마지막 순간에도 품위와 명예를 지키고자 했다.

헥토르의 아내 안드로마케는 전리품으로 전락해 아킬레우스의 아들 네오프톨레모스에게 끌려간다. 그녀는 멀리 낯선 땅 그리스에서 네오프톨레모스의 오만을 견디며 그와의 관계에서 세 명의 아들 몰로소스, 피에로스, 페르가모스를 낳는다.

그러나 네오프톨레모스는 아름다운 헬레네의 딸 헤르미오네와 결혼한 후 안드로마케를 헥토르의

안드로마케 조각상 ▶
안드로마케는 트로이아의 왕자 헥토르의 아내가 되었는데, 남편 헥토르는 아킬레우스에게 패하여 죽고, 트로이아가 함락당한 후에는 아들 아스티아낙스마저 그리스군에 죽었다. 그녀 자신은 포로가 되어 아킬레우스의 아들 네오프톨레모스의 여자가 된다. 네오프톨레모스는 헤르미오네와 결혼한 후 안드로마케를 헥토르의 형제 헬레노스에게 넘기고 안드로마케는 헬레노스의 아내가 되었다고 한다.

헥토르의 죽음을 슬퍼하는 안드로마케_ 자크 루이 다비드의 작품

동생 헬레노스(카산드라의 쌍둥이 남매로 예언 능력을 가졌다)에게 넘겨준다. 안드로마케는 시동생인 헬레노스와 결혼하게 된 것이다.

　헬레노스는 안드로마케와 함께 네오프톨레모스의 노예가 되어 그리스의 에페이로스로 끌려가게 된다. 이때 헬레노스는 네오프톨레모스에게 아테나와 포세이돈의 진노를 피해 해로가 아닌 육로로 귀국할 것을 권하여, 네오프톨레모스만이 그리스 함대 대부분이 침몰한 카파레우스곶의 재앙을 피할 수 있게 해준다. 그 공으로 나중에 네오프톨레모스의 첩이 되었던 안드로마케와 결혼하여 아들 케스트리노스를 얻고 에페이로스 근처에 부트로톤이란 새 왕국을 건설하였다.

트로이아 탈출

| 여신의 아들 아이네이아스 탈출기 |

아이네이아스는 자신의 집으로 돌아왔다. 그곳은 한바탕 전화(戰禍)에 휩싸인 트로이아 왕실과는 다르게 아직 조용하고 평화로웠다. 아이네이 아스는 너무도 기쁘고 다행이라고 생각하며 조심스럽게 집 문을 열었다. 집에서는 초조하게 남편을 기다리던 사랑스러운 아내 크레우사가 뜨겁 게 그를 맞아주었다.

크레우사는 트로이아의 공주로 프리아모스왕과 헤카베 왕비 사이에 서 난 딸이다. 그녀는 믿음직한 남편 아이네이아스의 거친 숨결에 무언 가 불길한 조짐을 느꼈다. 이윽고 아이네이아스는 긴 포옹을 마치고 입 을 열었다.

"트로이아가 그리스군에 함락되었소. 그러니 어서 이곳을 벗어나야 하오. 먼저 값나가는 물건들을 하인들에게 모두 주시오. 귀중품들을 적 들의 전리품으로 놔둘 순 없소. 그리고 신상을 안전한 곳으로 옮겨야 하 오. 신상을 가지고 새로운 땅으로 가서 나라를 세우는 것이 내게 주어 진 운명이오."

아이네이아스는 아버지 안키세스에게 호소하여 집을 나서자고 하였 다. 그러나 안키세스는 크레우사와 온 집안 식구가 눈물로 호소해도 자 신을 두고 가족들과 빨리 떠나라고 말했다.

"안 된다, 아들아. 나는 절대로 트로이아를 떠나지 않을 것이다. 나는 나이도 많거니와, 제우스가 내린 번개에 다리를 다친 이후로는 걷는 것도 자유롭지 않다. 그리고 무엇보다 이곳 이다산은 네 어머니 아프로디테와 만났던 곳이다. 그러니 너희들은 나를 여기 두고 먼 곳으로 가서 새로운 나라를 건설하여라."

아이네이아스는 깜짝 놀라며 말했다.

"무슨 말씀이십니까? 제가 아버님을 여기 두고 떠날 수는 없습니다. 아버님을 업고라도 이 도시를 떠날 것입니다."

그러나 안키세스의 마음은 완고하였다. 아이네이아스는 어머니 아프로디테를 부르며 자신의 눈으로 크레우사와 자신의 가족이 서로의 피 속에 파묻혀 죽는 모습을 보아야 하는지 한탄하였다.

"아버님께서 떠나지 않겠다면 저는 적들과 싸워 죽는 것이 낫겠습니다."

격앙된 아이네이아스는 다시 무구를 차려 입고 적진으로 뛰어들려고 했다. 그때 문턱에 서 있던 크레우사가 아이네이아스를 붙잡고 어린 아들을 내밀며 호소하였다.

"당신이 죽으러 간다면 무슨 일이든 함께하게 해주세요. 이 집부터 지켜주세요. 어린 이올로스 (아스카니오스)와 늙은 아버지와 당신의 아내인 나는 누구를 의지해야 합니까?"

이때 갑자기 하늘에서 엄청난 천둥소리가 들렸다. 모두들 놀라 하늘을 쳐다보니

안키세스 조각상 ▶
가문의 수호신상을 들고 있는 안키세스 조각상이다.

트로이아를 탈출하려는 아이네이아스_ 요제프 베니트 수베의 작품

다시 전장으로 가려는 아이네이아스를 아내 크레우사와 어린 아들 이올로스가 말리고 있다. 아버지 안키세스는 집을 지키겠다며 신상을 챙긴다.

아이네이아스와 안키세스_ 벤저민 웨스트의 작품
안키세스가 트로이아에 남을 것을 주장하는 모습이다.

밝은 빛을 뿜어내는 별 하나가 찬란하게 빛나며 이다산의 숲속으로 떨어졌다. 그리고 주위는 온통 유황 냄새로 가득 채워졌다. 안키세스는 이 모든 일이 좋은 전조라고 생각하고 자신의 고집을 거두고 아들을 따라 트로이아를 떠나기로 결심하였다.

아이네이아스는 하인과 하녀 들에게 데메테르 신전의 삼나무 고목에서 만나자고 말하며 어서 떠나라고 재촉하였다. 사람들이 모두 떠나간 뒤 아이네이아스는 아버지 안키세스를 등에 업고 어린 아들 이올로스의 손을 잡았다. 크레우사는 묵묵히 남편의 뒤를 따랐다.

어두운 밤하늘과는 달리 트로이아 성은 불길에 타오르며 불야성을 이루고 있었다. 이글거리는 불길 속에 괴물과 같은 거대한 목마가 금방이라도 아이네이아스 일행을 덮치려는 듯했다.

거대한 목마가 눈에 보이지 않을 정도로 멀리 온 아이네이아스는 곧 삼나무 고목에 다다랐다. 그런데 뒤를 돌아보니 크레우사가 보이지 않았다. 그는 여기저기를 둘러보았지만 어디에서도 그녀의 모습이 보이지 않았다. 그는 비로소 아내가 없어진 것을 알았다. 그녀는 어둠 속에 아이네이아스를 뒤따르다 그리스군에 붙잡혔던 것이다. 아이네이아스는 아버지와 어린 아들을 하인들에게 맡기고 발길을 돌렸다.

트로이아를 탈출하는 아이네이아스 조각상 ▶

아이네이아스의 트로이아 탈출_ 시몽 부에의 작품
아이네이아스가 안키세스를 등에 업는 장면이다.

크레우사의 실종_ 헨리 깁스의 작품
아이네이아스가 아버지 안키세스를 업고 트로이아를 탈출하는 장면에서 그의 아내 크레우사가 그리스군에 붙잡히는 장면을 묘사한 그림이다.

　아이네이아스는 어둠을 뚫고 그의 집에까지 왔다. 그러나 이미 정든 집은 화염에 싸여 불에 타고 있었다. 순간 그는 온몸이 석상으로 변한 듯 그 자리에서 꼼짝하지 못했다. 그리스군의 병사들은 집 안의 물건들을 전리품으로 챙기기에 여념이 없었고, 아내 크레우사의 모습은 어디에도 보이지 않았다.

　정신을 차린 그는 크레우사가 그리스군의 포로가 되어 왕궁으로 끌려갔을 거라 생각하고는 왕궁 쪽으로 발길을 옮겼다. 그때였다. 아이네이아스 앞에 희뿌연 운무가 펼쳐지더니 크레우사가 나타났다.

"사랑하는 이여, 저는 대지의 여신 데메테르에게 붙들려 있으니 저를 위해 더 이상 눈물을 흘리지 마세요. 그러니 어서 속히 이곳을 떠나 새로운 국가를 세우도록 하세요."

아이네이아스는 크레우사의 말이 끝나기가 무섭게 그녀를 끌어안으려 했다. 그러나 크레우사의 옷깃도 손에 쥘 수가 없었다. 그는 곧 그녀가 환영이라는 것을 알아차렸다. 아이네이아스는 걷잡을 수 없는 슬픔에 휩싸여 어찌할 바를 몰랐다. 그는 그 자리에 주저앉아 꼼짝하지 않았다. 그러자 이번에는 그의 어머니 아프로디테가 나타났다.

"얘야! 어떻게 이곳에서 슬픔에만 젖어 있느냐? 트로이아의 유민들은 지금 너를 목이 빠져라 기다리고 있다. 그러니 어서 그들에게 돌아가 영

아이네이아스 앞에 나타난 크레우사
크레우사의 영혼이 아이네이아스 앞에 나타나 자신을 잊고 어서 트로이아를 떠나라고 말한다.

아이네이아스 앞에 나타난 아프로디테_ 죠반니 바띠스따 피토니의 작품
아프로디테는 아이네이아스의 멘토가 되어 그가 어려울 때마다 나타나 가르침을 준다.

광스러운 새 국가를 건설하거라. 그래야만 크레우사도 명계의 땅에서 기
뻐할 것이다.”

아이네이아스는 어머니 아프로디테의 가르침에 정신이 번쩍 들었다.
그는 자신이 새로운 트로이아의 지도자로 선택된, 이미 혼자 몸이 아니
란 걸 뼈저리게 느꼈다.

정신을 차린 아이네이아스는 서둘러 삼나무 고목의 데메테르 신전으
로 갔다. 그가 도착하니 그곳에는 이미 트로이아의 유민들이 산을 메울
정도로 가득히 모였다. 나이 든 남자들, 어린아이들을 데리고 온 여인네
들, 젊은 청년들과 처녀들을 가리지 않고 많은 사람들이 아이네이아스가

트로이아를 떠나는 아이네이아스_ 케르스티엔 데 쿠닝크의 작품
아이네이아스는 트로이아 유민들을 통솔하여 새로운 나라를 건설하러 트로이아를 떠난다.

오기만을 목이 빠지게 기다리고 있었던 것이다. 그들을 둘러본 다음 아이네이아스는 그들에게 간곡하게 말했다.

"트로이아 백성들이여! 젊은 청년들은 지금부터 속히 배를 건조하고 처녀들은 식량을 모아 공평히 나누어줄 준비를 하여 주시오. 우리는 저 불타는 저주받은 트로이아를 속히 벗어나야 하오."

절망 속에 신음하던 트로이아의 유민들은 아이네이아스의 말에 용기가 돋았다. 그들은 기꺼이 그들의 지도자 아이네이아스를 진심으로 따르며 그의 명령에 따라 신속하게 움직이기 시작했다.

유민의 시대

| 신천지 라티움을 향하여 |

아이네이아스가 이끄는 트로이아 유민들은 안탄드로스 근처에 있는 산기슭에 거처를 정하고 젊은 청년들은 배를 건조하기 시작했다. 젊은 처녀들은 산에 나는 열매와 음식이 될 만한 모든 것을 구해 저장하였으며, 모두들 한마음으로 움직인 결과 배를 띄울 수 있었다.

트로이아 유민들의 배는 레스보스섬을 지나 바람을 타고 항해하였다. 그러나 그들은 어느 방향을 향해 나아갈지 몰랐다. 이에 경험이 많은 아이네이아스의 아버지 안키세스가 말했다.

"서쪽으로는 그리스인들이 있으니 북쪽의 트리키아족이 있는 곳이 보다 안전할 것이다."

아이네이아스는 안키세스의 말을 받아 말했다.

"아버님, 프리아모스왕과 트리키아의 왕은 친구 사이입니다. 트로이아 전쟁이 시작되자, 프리아모스왕께서는 막내 아들 폴리도로스를 시종들과 함께 값비싼 보물들을 챙겨 함께 보냈습니다. 왕께서는 그 당시에 이미 트로이아가 전쟁에서 질지도 모른다는 것을 예감했기 때문입니다."

아이네이아스는 안키세스의 분부대로 이틀 밤낮을 꼬박 항해하여 다음 날 아침 태양이 떠오를 때에 트리키아라 짐작되는 어느 해안에 무사히 다다랐다. 그 해안은 크고 작은 섬들로 둘러싸여 있고, 인적이 끊긴

건축물들이 곳곳에 널려 있었다.

"어서 육지로 내려 뱃멀미를 달래자."

트로이아 유민들은 해안에 다다르자 안심의 말을 하며 닻을 내렸고, 호기심 가득한 눈빛을 빛내며 과거 화려했던 건축물들의 잔재가 즐비한 해안으로 조심스레 발을 들여놓았다. 그런데 해안에 들어서자 어느 곳을 둘러봐도 사람의 흔적은 도무지 찾을 수가 없었다. 무성한 나무 사이로 새들의 소리만이 들릴 뿐이었다.

트로이아 유민들과 아이네이아스는 이곳이 새로운 도시를 건설하기에 적합한 장소라고 생각하였다.

"자, 이곳에 제단을 세워 신들을 모시고 새로운 도시 건설을 축복받도록 합시다."

아이네이아스는 제단을 설치하기 위해 주변에서 자라는 도금양나무 가지를 꺾었다. 순간 그는 깜짝 놀라고 말았다. 놀랍게도 나뭇가지가 꺾

폴리도로스를 죽여 바다에 던지는 폴리메스토르를 묘사한 동판화_ 요한 빌헬름 바우어의 작품

인 부분에서 피가 흘려내렸다. 그리고 땅속에서 속삭이는 듯한 소리가 들려왔다.

"살려 주시오. 아이네이아스! 나는 당신의 친척인 폴리도로스요. 내가 이곳에서 많은 화살을 맞아 죽자, 화살들이 내 피를 먹고 싹을 틔워 이렇게 숲이 되었소."

이 말을 듣자, 아이네이아스는 트로이아의 어린

폴리도로스의 시신을 발견하는 헤카베 _ 동판에 에나멜

왕자였던 폴리도로스가 생각났다. 폴리도로스는 이곳 트리키아에 전쟁을 피하려고 피난 와 트리키아의 왕 폴리메스토르에게 몸을 의지했지만 트로이아 전쟁에서 트로이아가 멸망하자 폴리메스토르 왕은 폴리도로스를 죽여 바다에 던져버리고 그의 보물들을 약탈하였다. 그런데 비극은 여기서 그치지 않았다. 아킬레우스 무덤 앞에 끌려가 죽임을 당한 딸 폴릭세네의 장례를 준비하던 헤카베가 폴릭세네의 시신을 씻기 위해 항아리에 바닷물을 뜨려는 순간 난도질당한 막내아들의 시체를 발견했던 것이다.

헤카베는 처참하게 죽은 아들을 보자 가슴이 찢어지는 아픔을 느꼈고, 어이없게 죽은 불쌍한 아들의 복수를 다짐했다. 헤카베는 아가멤논에게 그의 여자가 된 자신의 딸 카산드라를 들먹이며 자신이 복수할 수 있도록 도와달라고 청한다. 아가멤논은 적극적이지는 않지만 폴리메스토르 부자를 헤카베의 막사로 불러올 수 있도록 돕는다. 그녀는 폴리메스토르를 안심시키고 나서는 그가 방심을 한 틈을 타 급습하여 폴리메스토르의 두 눈을 브로치로 피가 철철 넘칠 때까지 찔러 눈을 멀게 했다.

아이네이아스가 신음소리를 들은 그곳이 바로 폴리도로스의 무덤이었던 것이다. 폴리도로스의 몸에 꽂힌 화살에서 뿌리가 나면서 많은 가지들이 생긴 것이다. 폴리도로스는 아이네이아스를 향해 말했다.

"어째서 당신은 내가 편히 쉬는 것을 방해하는 것이오. 이곳에 제단을

폴리도로스의 시신을 발견한 헤카베_ 아드리안 반 스탈벤트의 작품
트로이아의 왕비 헤카베가 전리품이 되어 그리스군에 의해 끌려갈 때 우연히 막내아들 폴리도로스의 시신을 발견하게 된다.

폴리메스토르의 눈을 멀게 하는 헤카베_ 주세페 마리아 크레스피의 작품
원한에 서린 헤카베는 아들의 복수를 위해 폴리메스토르를 만나 그의 눈을 찔러 멀게 한다.

세우지 말고 서둘러 이 잔혹한 나라를, 이 탐욕스러운 해안을 떠나시오."

그렇게 말하고 나서 목소리는 침묵했다. 아이네이아스는 트로이아 사람들에게 이 사실을 알렸다. 순간 트로이아 유민들은 두려움에 아무 말도 하지 못했다. 잠시 후 그들은 한목소리로 말했다.

"이것은 불길한 징조이니 어서 이곳을 떠나도록 합시다."

쌍둥이 남매 아폴론과 아르테미스를 낳은 레토_ 마르칸토니오 프란체스키니의 작품
제우스의 사랑을 받은 레토는 아폴론과 아르테미스를 임신하였지만 헤라 여신의 질투로 출산할 곳을 찾지 못했다. 이에 제우스는 떠다니는 섬 델로스를 쇠사슬로 묶어 정지시키고 그곳에서 레토의 출산을 돕는다.

아이네이아스는 프리아모스왕을 배반한 배신의 땅을 떠나기 전에 폴리도로스를 엄숙히 장사 지냈다. 그는 프리아모스왕의 막내아들을 위해 제단을 세우고 제물을 바쳤다. 아이네이아스는 마지막으로 목청껏 폴리도로스의 이름을 부르고 범죄의 땅을 떠났다.

트리키아섬을 떠난 그들은 델로스섬에 상륙하였다. 델로스섬은 본래 떠다니는 섬이었지만, 제우스가 견고한 쇠사슬로 섬을 바다 바닥에 묶어놓았다. 아폴론과 아르테미스가 이 섬에서 태어났고, 나중에는 아폴

델로스섬에 상륙한 아이네이아스 일행_ 클로드 로랭의 작품

론에게 봉헌되었다.

　이곳에서 아이네이아스와 일행은 아폴론에게 신탁을 청했다. 그러나 아폴론은 언제나 그렇듯이 애매한 답변을 주었을 뿐이다.

　"너희는 옛날 어머니를 찾으라. 아이네이아스의 일행은 그곳에서 터를 잡고 살 수 있고, 다른 나라들은 너희의 지배 아래 놓일 것이다."

　그러자 그들은 서로를 바라보며 물었다.

　"하지만 신탁이 뜻하는 그곳은 어디일까?"

　안키세스는 자신들의 조상이 크레타섬으로부터 왔다는 전설이 있음을 생각해 냈다. 그리하여 아이네이아스 일행은 그곳으로 배를 타고 떠났다.

크레타를 떠나는 아이네이아스_ 동판에 에나멜

아이네이아스 일행은 신탁에 따라 크레타로 왔지만 전염병이 나돌고 가뭄이 계속되는 비참한 상황이
이어지자 크레타를 떠나 헤스페리아로 향한다.

그들은 크레타섬에 도착하여 도시를 건설하기 시작하였다. 그러나 얼마 안 있어 유민들 사이에 병이 나돌기 시작했고, 땀 흘려 농사지은 들에서는 한 알의 곡식도 나지 않았다.

이처럼 비참한 상황에 처해 있을 때, 아이네이아스가 꿈을 꾸었다. 꿈에서는 그곳을 떠나 헤스페리아라는 서쪽 나라를 찾아가라는 신의 지시가 내려왔다. 그곳은 트로이아 민족의 진정한 조상인 다르다노스가 처음으로 이주한 땅이었다.

아이네이아스 일행은 지금의 이탈리아 지역인 헤스페리아를 목적지로 정하고 새로운 나라를 건설하겠다는 희망을 품고 항해를 시작하였다. 그러나 그들은 무수한 고난과 어려움을 겪으면서 기나긴 시간을 보낸 끝에 가까스로 헤스페리아에 도착했다.

그들이 첫 번째 상륙한 곳은 하르피이아들이 사는 섬이었다. 하르피이아는 처녀의 머리결 같은 긴 머리와 긴 발톱을 가지고 있으며, 굶주림으로 창백한 몰골을 하고 있는 새였다. 이 새들은 제우스가 피네우스를 벌하기 위해 보낸 새였다. 제우스는 포악한 행동을 한 벌로써 피네우스의 시력을 빼앗았다. 그런 피네우스 앞에 먹을 것이 놓이면 언제나 공중에서

◀ 하르피이아
그리스 신화에 등장하는 괴물이다. '약탈하는 여자'라는 뜻이다. 아버지가 바다의 신 폰토스와 땅의 여신 가이아 사이에서 태어난 타우마스이고, 어머니는 오케아노스와 테티스 사이에서 태어난 엘렉트라이다. 무지개의 여신 이리스의 자매이다. 이들은 3명 또는 4명이라고도 하는데, 각각의 이름은 '질풍'을 뜻하는 아엘로, '빠른 날개'를 뜻하는 오키페테, '검은 여자'를 뜻하는 켈라이노, '발이 빠른 여자'를 뜻하는 포다르게이다.

하르피이아들이 몰려들어 먹을 것을 가로채 날아갔다. 그런데 그들은 아르고호 원정대의 영웅들 눈에 띄어 피네우스의 곁에서 추방되었고, 아이네이아스 일행이 상륙한 섬으로 도망 와 있었다. 아이네이아스 일행의 배가 항구에 닿자, 그들은 가축 떼가 들판에 무리 지어 다니는 것을 보았다. 그들은 들판으로 나가 필요한 만큼 가축을 잡아 음식 준비를 했다.

그러나 그들이 식탁에 고기와 음식을 마련하고 식사를 하려고 의자에 앉자마자 공중에서 무섭고도 날카로운 새소리가 들렸다. 곧이어 추악한 하르피이아 떼가 식탁으로 날아와 날카로운 발톱으로 접시에 담겨 있는 고기들을 낚아채 갔다.

하르피이아와 싸우는 트로이아 유민들_ 프랑수아 페리에의 작품
아이네이아스와 트로이아 유민들이 괴물새 하르피이아와 싸우는 장면을 묘사한 그림이다.

아이네이아스와 그의 일행들은 하르피이아들을 쫓아내려고 했지만 아무 소용이 없었다. 하르피이아들은 너무 민첩하여 잡을 수도 없었고, 설령 칼로 내리친다고 해도 몸을 덮고 있는 깃털이 갑옷처럼 단단하여 도저히 벨 수 없었다. 그중 한 마리가 가까운 곳에 있는 절벽 위에 앉아 큰 소리로 외쳤다.

"이 트로이아 놈들아, 도대체 죄 없는 우리에게 이게 무슨 짓이냐? 너희는 우리가 애써 기른 가축을 죽였고, 그것도 모자라서 우리에게 칼을 휘둘러 싸움까지 거느냐? 두고 보아라. 너희에게 무서운 일이 일어날 것이다."

그 새는 장차 아이네이아스 일행에게 무서운 재난이 닥칠 것이라고 예고한 뒤 날아갔다.

아이네이아스와 트로이아인들은 급히 배를 타고 그곳을 떠나 에페이로스 해안을 따라 항해하였다. 그 후 에페이로스에 상륙한 그들은 트로이아 전쟁 때 포로로 그곳으로 끌려갔던 트로이아인들이 그 나라의 지배자가 되어 있다는 놀라운 사실을 알게 되었다.

"내가 들은 것이 사실인지 알고 싶소."

아이네이아스는 이렇게 말하며, 일행들에게 트로이아 갑옷을 입고 무장할 것을 명령했다. 아이네이아스는 작은 숲을 지나 양옆에 세워진 제단 앞에 발을 멈췄다. 그의 앞에는 한 여인이 서 있었다. 여인은 여러 명의 시녀들을 거느리고 있었는데 매우 낯익은 얼굴이었다. 그 여인은 바로 트로이아의 영웅 헥토르의 아내 안드로마케였다. 그녀는 아이네이아스를 알아보고는 두 눈이 휘둥그레지면서 그 자리에서 쓰러졌다.

아이네이아스와 시녀들은 그녀를 부축하여 일으켰다. 정신을 차린 안

안드로마케를 만나는 아이네이아스_ 루이지 바실레티의 작품
아이네이아스가 헥토르의 아내 안드로마케를 만나는 장면으로, 그녀는 아이네이아스를 알아보고는
기절하고 만다.

드로마케는 아이네이아스를 두려움과 혼란스러운 기색으로 바라봤다.

"당신은 여신의 아들이 맞나요? 제가 헥토르를 부르자 당신이 왔어
요."

여인은 믿을 수 없다는 듯이 슬픈 눈으로 아이네이아스를 보며 계속
말했다.

"시누이인 크레우사는 어디에 있나요?"

트로이아로부터 수만 리 떨어진 이 낯선 땅에서 트로이아 영웅의 아
내를 보자 아이네이아스는 감격과 비탄이 함께 묻어난 목소리로 슬프
게 말했다.

"안드로마케여, 트로이아 멸망의 비극 속에 크레우사는 데메테르 여신이 데려갔다오. 그런데 당신은 어떻게 이곳에 있게 되었나요?"

아이네이아스의 물음에 안드로마케가 대답하였다.

"아킬레우스의 아들 네오프톨레모스가 저를 노예로 만들어 자기 배에 태웠답니다. 배에는 헬레노스도 끌려 왔었고, 다른 트로이아 왕족들과 그들의 부인들도 있었어요. 오만한 네오프톨레모스는 트로이아의 포로들 중에서 신분이 높은 사람들만 뽑아서 자기 배에 태웠던 것이지요. 우리는 이곳에 오게 되었고, 그는 멋대로 저를 헬레노스의 아내로 만들어 버렸어요. 후에 오레스테스가 나타나 네오프톨레모스를 죽였고, 그가 죽고 나자 헬레노스가 왕국의 일부를 차지했지요. 그래서 헬레노스는 이 도시를 트로이아와 비슷하게 만든 거예요."

아이네이아스는 그제서야 주변을 둘러보았다. 그곳에는 트로이아가 세워져 있었다. 바다를 낀 작은 항구와 아테나 신전은 마치 트로이아에 다시 돌아온 것같았다. 아이네이아스의 눈에는 이슬이 고였다. 그때였다. 위풍당당한 무장의 사내가 일행들을 이끌고 나타나 아이네이아스에게 다가왔다. 그는 이 도시를 건설한 헬레노스였다.

"그대는 신의 아들 아이네이아스가 아닌가?"

사사로이는 처남과 매부 사이인 아이네이아스와 헬레노스는 서로를 알아보고는 뜨겁게 포옹했다.

아이네이아스를 따르던 트로이아 유민들은 오랜만에 고향에 돌아온 것처럼 부트로툼의 왕궁에서 꿀 같은 휴식을 취했다. 드디어 작별을 해야 할 시간이 왔을 때, 예언력을 가진 헬레노스가 아이네이아스에게 말했다.

"아이네이아스여, 신이 내 누이 카산드라에게 주셨던 것처럼 나에게도 미래를 내다볼 수 있는 능력을 주셨다네. 하지만 안타깝게도 지금부터 내가 하는 말이 재앙일지 아니면 축복일지를 알 수 있는 능력까지는 주지 않았다네. 그대는 빠른 시일 내에 헤스페리아에 도착하지는 못할 걸세. 하지만 그대는 분명히 천년 왕국을 세우게 될 터이니 어떠한 고난과 역경도 이겨나가길 바라네. 만약 어느 곳에 이르러 흰 돼지 한 마리가 서른 마리의 새끼를 거느리고 있는 모습을 보게 되면, 바로 그곳이 그대가 터를 닦고 살게 될 장소라네. 그리고 괴물새 하르피이아가 한 불길한 예언에 대해서는 아무런 염려도 하지 말게. 그들의 힘은 그다지 크지 않네. 다만 이곳을 벗어나 항해 중에 바람이 자네를 시칠리아의 좁은 해협으로 접어들게 할 것이네. 그곳에는 끔찍한 두 괴물이 살고 있다네. 오른편 바위의 어두컴컴한 동굴 안에는 무시무시한 괴물인 스킬라가 숨어서 기다리고 있네. 만약 개가 짖는 소리가 들리거든 그대들은 매우 위험한 처지에 놓일 것이니 조심하길 바라네. 또한 협곡의 왼편 바위 아래, 깊디깊은 곳에 살고 있는 카립디스는 스킬라 못지않게 위험한 괴물이라네. 놈은 하루에 세 번씩 거대한 목구멍을 열고 엄청난 양의 바닷물을 들이마시는데, 그로 인해 생겨난 소용돌이가 주변에 있는 모든

◀ 스킬라 조각상 ▶
그리스 신화에 나오는 바다 괴물이다. 상체는 처녀이지만 하체는 여섯 마리의 사나운 개가 3중의 이빨을 드러내고 굶주림에 짖어대는 모습이다. 원래는 아름다운 님프였는데, 해신 글라우코스를 사이에 두고 마녀 키르케의 미움을 사 그녀의 마법에 의해 흉측한 바다 괴물이 되었다.

것을 바닷속으로 끌어들인다네."

아이네이아스는 헬레노스의 조언을 마음 깊이 새기며 에페이로스를 떠난다. 헬레노스는 아이네이아스 일행에게 많은 선물을 주었고, 안드로 마케는 어린 아스카니오스에게 금으로 수놓은 옷을 선물하였다.

아이네이아스 일행은 다시 바다를 항해하기 시작했다. 그들은 헤라클 레스의 도시인 타렌툼의 거대한 만을 가로질러 대륙의 남쪽 끝을 돌아 항해를 계속했다.

한참을 바다를 가로질러 가는데 갑자기 멀리서부터 거센 파도가 암벽 에 부딪혀 부서지는 듯한 기분 나쁜 소리가 들려오기 시작했다. 완만했 던 해변은 바위투성이로 변해갔으며, 곧 바다 위로 깎아지른 듯한 절벽 이 날카로운 창끝처럼 솟아오르는 것이 보였다. 잠시 후 그들로부터 얼 마 멀지 않은 곳에서 엄청나게 큰 물기둥이 커다란 굉음을 일으키며 하 늘 높이 솟아올랐다.

"저것은 카립디스다."

안키세스가 놀라 내지른 목소리는 트로이아 유민들의 마음을 떨게 하 였다. 이에 아이네이아스는 키잡이 팔리누루스에게 외쳤다.

"뱃머리를 가능한 한 빨리 왼쪽으로 돌리게. 그러지 않으면 저 무서운 놈이 우릴 삼켜버릴 거야."

팔리누루스는 키를 강하게 붙들고 배의 방향을 왼쪽으로 돌렸다.

"어떻게 저것이 살아있는 생명체입니까? 저건 강력한 바다의 소용돌 이일 뿐입니다."

그러나 아이네이아스는 팔리누루스에게 헬레노스의 경고를 상기시켰 다.

"저것은 예언자 헬레노스가 말한 신의 기형적 자식인 카립디스야. 그러니 조심하지 않으면 그가 우리를 공격할 수 있다네."

아이네이아스의 말대로 카립디스는 대지의 여신 가이아와 바다의 신 포세이돈 사이에서 태어난 여신이었다. 그런데 식욕이 너무 강해서 신들의 음식인 암브로시아와 넥타르를 함부로 먹어치우는 통에 분노한 제우스가 여신에게 벼락을 내리쳐 바다로 던져 버렸다. 제우스는 그녀에

카립디스와 스킬라 16세기 이탈리아 벽화 그림_ 알레산드로 알로리의 작품
바다 괴물로 변한 카립디스가 자리 잡은 곳은 바다의 물길이 좁아지는 해협이었는데, 맞은편 쪽에는 스킬라라는 또 다른 바다 괴물이 둥지를 틀고 있었다. 카립디스와 스킬라의 위협에 직면해야 했던 그리스군의 오디세우스와 황금 양털을 찾아 모험에 나선 아르고호 원정대도 이곳을 지나야 했는데, 모두 천신만고 끝에 빠져나갔다. 아이네이아스 일행은 로마로 가는 길에 이곳을 피해 멀리 시칠리아섬을 돌아가는 길을 택했다.

게 영원히 채워지지 않는 허기를 바닷물로 달래도록 하루에 세 번 엄청난 양의 바닷물을 들이마시게 하였다. 그녀가 거대한 아가리로 바닷물을 들이마셨다가 내뿜을 때면 주위에 엄청난 소용돌이가 생겨나 주변을 항해하던 배들을 마치 블랙홀처럼 빨아들였다.

키잡이 팔리누루스가 힘이 딸리자 아이네이아스도 힘을 보태 키를 잡았다. 그러는 사이 잠시 바닷물이 조용해지는가 싶더니 다시 출렁거리는 괴성과 함께 모든 것을 빨아들였다. 아이네이아스와 팔리누루스는 필사적으로 키를 놓지 않고 버텼다. 배 안에 있던 모든 사람들은 물결과 반대 방향으로 한꺼번에 노를 저었다. 그러자 어느 순간 그들은 거세게 휘몰아치던 소용돌이에서 벗어날 수 있었다. 그 와중에 안타깝게도 트로이아 유민 일부는 카립디스의 제물이 되었다.

카립디스의 공격으로부터 벗어난 아이네이아스 일행은 망망한 바다에서 밤을 지샜다. 그들이 키클롭스들이 사는 섬에 다다랐을 때는 새벽의 여신 에오스가 황금빛의 불을 밝힌 아침이 되었을 때였다.

아이네이아스와 일행들은 섬에 내렸다. 그들 중 노약자와 어린아이, 여인 들은 휴식을 취하고 아이네이아스와 젊은 남자들은 식수를 얻기 위해 주변을 탐색하였다.

그들은 물이 흐르는 시냇가를 따라 샘을 찾았다. 우거진 숲으로 시야가 가려 나뭇가지를 칼로 치며 앞으로 나아갈 때 무엇인가 인기척이 느껴졌다. 아이네이아스는 매의 눈으로 숨어 있는 한 사람의 모습을 발견했다. 그 사람은 아이네이아스 일행을 보고 놀란 듯 몸을 숨기고 조심스레 걸음을 옮기고 있었다.

아이네이아스는 재빨리 달려가 도망치려는 사내를 붙잡았다. 그는 남루하고 해진 옷을 입고 있는 그리스인이었다.

"너는 누구냐?"

아이네이아스의 물음에 그리스인은 체념한 듯 말문을 열었다.

"제가 누구인지 더 이상 중요하지 않습니다. 그동안 제가 겪었던 일을
생각하면, 저는 이미 오래전에 죽었어야 할 몸이었습니다. 저는 이타카
에서 온 아카이메니데스라고 합니다. 오디세우스 님을 따르던 병사였지
요. 당신네들은 저를 죽이겠지요. 어쩌면 잘되었는지 모릅니다. 괴물에
게 죽느니 사람의 손에 죽게 된 것이 차라리 잘된 일이지요."

아이네이아스는 이 낯선 그리스인의 말이 이해되지 않았다. 아이네이
아스는 그리스인과 함께 일행들이 기다리는 해변으로 돌아왔다. 안키세
스 앞에서 그리스인은 그동안의 일들을 소상히 말했다.

"저는 오디세우스 님을 모시고 트로이아 전쟁에 참전하였지요. 그리
고 전쟁이 끝나고 귀항하던 중 갖은 고초를 겪었습니다. 항해를 하다가
세이렌의 유혹을 피하려 오디세우스 님의 몸을 기둥에 결박시키기도 했

오디세우스를 결박하는 아카이메니데스_ 오토 그레이너의 작품
세이렌의 유혹을 피하기 위해 선원들에게는 귀마개를 하게 하고 오디세우스 자신은 아카이메니데스
에게 세이렌의 유혹에 움직이지 못하게 결박하라고 시키는 장면이다.

오디세우스를 유혹하는 세이렌_ 레옹 아돌프 오귀스트 벨리의 작품

세이렌은 바다 한가운데에 솟아 있는 작은 섬이나 암초에서 살았다고 전해지는 바다의 님프이다. 초창기에는 머리만 인간 여성이고 몸통 전체는 새의 모습을 하고 있다고 여겨졌는데, 점차 상반신은 손에 악기를 들고 있는 아름다운 여성으로, 허리 이하는 새의 형상으로 묘사되었다. 세이렌이 새의 몸을 가지게 된 연유에 대해서는 여러 신화들이 전해 오는데, 그중에서도 페르세포네의 납치 이야기가 가장 유명하다. 그에 따르면 세이렌은 본래 데메테르의 딸인 페르세포네의 시녀였다. 어느 날 페르세포네가 저승의 신 하데스에게 납치되자 데메테르 여신은 자신의 딸을 되찾기 위해 세이렌에게 새의 몸을 주고, 페르세포네가 끌려간 곳을 수색하게 했다. 그러나 결국 세이렌은 임무를 완수하지 못한 채 전설의 섬 안테모사에 정착하여 살게 되었다고 한다.

습니다."

안키세스는 그의 말 속에 세이렌이 등장하자 놀라움을 금치 못했다.

"세이렌이라면 아름다운 노래를 불러 뱃사람들을 유혹해 죽음에 이르게 한다는 님프들이 아니오?"

안키세스는 자신들 앞에 세이렌의 유혹이 다가올까 염려하여 말했다.

"그렇습니다. 세이렌의 노래를 듣고 물에 빠지지 않는 사람들은 아마 없을 겁니다. 오디세우스는 그럼에도 그녀들의 노래를 듣고 싶어 기둥에 결박된 채로 그곳을 통과했지요, 그러나 그녀들보다 더 무서운 존재가 지금 이곳에 있습니다."

아카이메니데스의 말에 안키세스는 물론 아이네이아스도 놀라며 그에게 대답을 재촉했다.

"이곳에 어떤 존재가 도사리고 있다는 말이냐?"

아카이메니데스는 아이네이아스의 말에 잠시 두려움에 가득 찬 시선으로 바닷가를 바라보았다.

"더 이상 머뭇거리지 말고 가능한 한 빨리 닻을 올려 이곳을 떠날 준비를 하세요. 이곳에는 키클롭스들이 살고 있습니다. 만약 그 괴물이 우리를 발견하는 날에는 모두가 끝장입니다! 자, 들어보십시오! 제가 오디세우스 님을 따라 이 해안에 발을 디딘 후 초승달이 보름달로

◀ **키클롭스의 두상**
외눈박이 거인 부족인 키클롭스는 시칠리아 해안의 섬에서 양과 염소를 기르며 동굴에서 산다. 몸은 거대하며, 힘은 엄청나게 세다. 야만적이고 오만불손한 성격을 지니고 있어, 다른 신들은 물론이고 제우스조차도 두려워하지 않는다.

바뀐 게 세 번입니다. 저 건너 숲 뒤쪽에 있는 산과 목초지에는 외눈박이 거인인 키클롭스들이 살고 있습니다. 저와 오디세우스 일행은 키클롭스 중 하나인 폴리페모스를 만나게 되었지요."

그는 그때의 일이 떠올랐는지 새삼 두려움에 떨며 잠시 말을 끊었다. 잠시 숨을 고르고는 주변을 한번 둘러보고 다시 말을 이었다.

"폴리페모스는 보아하니 다른 사람들과 사귐이 없이 양치기로 혼자 사는 것처럼 보였습니다. 참으로 그는 우리 인간이 아닌 불가사의한 괴물로 보였는데, 마치 뚝 떨어져 있는 높은 산처럼 보였습니다. 이때 오디세우스 님은 저를 포함한 특별히 힘이 센 12명을 뽑아 함께 떠났는데, 염소 가죽 자루에 달콤한 포도주를 가득 담은 걸 가지고 갔지요. 우리가 동굴로 들어갔을 때에 그는 밖에서 양 떼를 돌보고 있었습니다. 그래서 우리는 동굴 내부를 샅샅이 살펴볼 수 있었습니다.

동굴 속에는 치즈와 우유를 넣은 통과 주발, 우리마다 새끼 양과 새끼

폴리페모스_ 줄리오 로마노의 작품
키클롭스 종족 중 가장 키가 큰 폴리페모스는 오디세우스 일행들을 동굴에 가두고 식량으로 삼는다.

염소 등이 질서정연하게 가득 들어 있었습니다. 얼마 안 있어 동굴의 주인 폴리페모스가 큰 나뭇짐을 지고 돌아와 그것을 동굴 입구에 내려놓았습니다. 그는 젖을 짜기 위해 양과 염소를 동굴 안으로 몰아넣고, 그 안으로 들어오자 황소 스무 마리의 힘으로도 끌 수 없는 큰 바위를 동굴 입구에 끌어다 놓고는 앉아서 양젖을 짰습니다. 젖의 일부분은 치즈를 만들기 위하여 저장하고, 나머지는 식사 때 먹기 위하여 그대로 두었습니다. 그리고 둥근 눈으로 사방을 둘러보다가 우리를 발견하고 큰 소리로 "너희는 누구며 어디서 왔느냐?"고 물었습니다.

오디세우스 님은 아주 공손한 태도로 폴리페모스에게 말했습니다.

"우리들은 그리스인인데, 최근 트로이아를 정복하여 빛나는 공을 세우고 대원정에서 귀국하는 길입니다. 식량이 필요하니 도와주십시오."

폴리페모스는 아무 대답도 하지 않고 한쪽 손을 내밀어서 우리들 중 두 사람을 붙잡아 동굴의 벽을 향하여 내던져 머리를 박살 냈습니다. 그러고는 그들의 시신을 남김없이 먹어치우고 나서 동굴 바닥에 누워 깊은 잠이 들었습니다. 순식간에 일어난 무서운 참상에 우리는 부들부들 떨며 그 자리에서 바위처럼 굳어버리는 것 같았지만 오디세우스 님의 주의로 겨우 정신을 차릴 수 있었습니다.

폴리페모스 조각상 ▶
오디세우스는 폴리페모스에게 자신의 이름을 '우티스'라고 말한다. 영어로는 '노맨'(Noman=Nobody)이다. 큼직한 생올리브 통나무 끝을 깎아 뾰족하게 만든 것을 불에 달구어 여럿이 힘을 합쳐 술 취한 거인의 외눈에 쑤셔 박자, 비명 소리를 듣고 달려온 거인의 친구들이 누가 괴롭혔느냐고 묻는다. "우티스가 나를 찔렀다"고 거인이 대답하자 친구들은 "아무도 안 찔렀다니, 그럼 우린 간다"며 돌아가 버린다

오디세우스 님은 이 기회를 놓치지 않고 그가 잠자고 있는 동안에 칼로 찌를까도 생각했으나, 그렇게 하면 도리어 우리 모두의 죽음을 초래하는 결과가 되리라고 판단했습니다. 왜냐하면 거인이 동굴 입구에 갖다 놓은 바위를 우리들의 힘으로는 도저히 움직일 수 없었고, 따라서 우리들이 영원히 동굴 속에 갇히고 마는 결과를 초래하게 될지도 모르기 때문이었습니다.

다음 날 아침에도 거인은 우리들 중 두 사람을 붙잡고서 전날과 마찬가지로 한 점의 살도 남기지 않고 다 먹어치웠습니다. 그러고 나서 입구에 있는 바위를 열고서 전과 같이 양 떼를 몰고 밖으로 나간 후, 다시 바위를 움직여 입구를 막았습니다. 그가 나가자 우리는 피살된 동료들의 원수를 갚고, 도망칠 방도를 강구하였습니다. 우리는 키클롭스가 지팡이를 만들기 위해 베어온 막대기를 동굴 속에서 발견했습니다.

막대기의 끝을 뾰족하게 깎아서 불에 바짝 말린 다음, 동굴 바닥에 있는 짚 밑에다 감추어 두었습니다.

그리고 가장 용감한 사람 네 명을 선발하였는데 그들 중 하나가 저였습니다. 오디세우스 님은 다섯 번째로 우리에게 가담했습니다. 저녁때가 되자 키클롭스가 돌아와서 전과 같이 바위를 굴려 동굴 입구를 열고, 양 떼를 안으로 몰아넣었습니다. 그리고 젖을 짜고 여러 준비를 한 후에 다시 우리들 중 두 사람을 붙잡고서 머리를 박살 내어 그것으로 저녁 식사를 했습니다. 그가 식사를 마치자, 오디세우스 님은 그에게 접근하여 술을 한 사발 따라주면서 말했습니다.

"키클롭스여, 이것은 술입니다. 인간의 고기를 먹은 뒤에 마시면 좋습니다."

거인은 오디세우스 님의 제안을 의심하지 않고 그것을 받아 마셨습니

폴리페모스에게 술을 권하는 오디세우스_ 폼페이의 모자이크 벽화 그림

다. 그리고 대단히 좋다고 하며 더 달라고 했습니다. 오디세우스 님이 더
따라 주었더니 거인은 아주 기뻐하며, 은총을 베풀어 오디세우스 님을
제일 나중에 잡아먹겠다고 말했습니다. 저녁 식사가 끝나자 거인은 자리
에 누워 잠이 들었습니다. 오디세우스 님과 저를 포함한 네 사람은 막대
기 끝을 불 속에 넣어 벌겋게 달군 뒤, 그것을 거인의 애꾸눈에 바로 겨
누어 눈구멍에 깊이 박고는 빙빙 돌렸습니다.

폴리페모스는 엄청난 괴성을 지르며 이리저리 날뛰다가 한 손으로 말
뚝을 뽑아내고 다른 한 손으로는 허공을 휘저었습니다. 그때 저는 놈의
손에 잡히고 말았습니다. 재빨리 뒤로 물러서지 못했기 때문이지요. 이
제 모든 것이 끝났다고 생각한 순간 동굴 벽으로 내동댕이쳐졌고, 그대
로 정신을 잃고 말았습니다. 다시 깨어나 정신을 차렸을 때 동굴엔 아

폴리페모스의 외눈을 찌르는 오디세우스_ 펠레그리노 티발디의 작품
오디세우스는 폴리페모스가 술에 취해 잠들자 동료들과 함께 준비해 둔 뾰족한 나무로 거인의 하나뿐인 눈을 찔러 공격한다.

무도 없었습니다. 폴리페모스도 동료들도 사라지고 없었습니다. 어떻게 나를 혼자 남겨두고 떠날 수 있었는지 이해가 가지 않았습니다만, 아마도 동료들은 제가 죽었다고 생각한 모양입니다. 그렇게 해서 혼자 남게 되었습니다.

그 이후로 지금까지 나는 숲속을 헤매며 열매 등을 따 먹으면서 살았고, 밤이 되면 동물들의 굴에 들어가 몸을 숨겨야 했습니다. 그러다 당신들의 배를 보게 된 것입니다. 처음에는 동료들이 다시 돌아온 것이라 생각했습니다. 물론 그것이 착각이었다는 것을 깨닫는 데는 그리 오랜 시간이 걸리지 않았습니다. 그러나 당신들이 트로이아인이라는 사실이 내게는 아무런 문제도 되지 않습니다. 저는 인간의 손에 죽는 것이 소원이었으니까요."

아카이메니데스의 장황한 말이 끝나자 안키세스가 말했다.

"그대가 우리와 함께한다면 우리 식구로 받아들일 것이오."

그들이 말하고 있는 사이에 외눈박이 폴리페모스가 나타났다. 그는 몸집이 크고 보기 흉한 무서운 괴물로서 하나밖에 없던 눈까지 빠져 있었다. 그는 바닷물에 눈을 씻으려고 지팡이로 땅을 더듬으며 조심스런 걸음걸이로 바닷가에 내려왔다. 그는 트로이아인들의 배를 향해 물속을 걸어왔다. 그는 키가 대단히 컸기 때문에 깊은 바다까지 들어갈 수 있었다.

트로이아인들은 거대하고 험악한 거인을 보자 공포에 질려서 그를 피하려고 정신없이 노를 저었다. 노 젓는 소리를 듣자 폴리페모스가 소리쳤다. 그 소리가 어찌나 컸던지, 산 위 곳곳에 흩어져 있는 동굴 속에서 키클롭스들이 뛰어나와 해안에 죽 섰는데, 마치 커다란 소나무들이 늘어선 것과 같았다. 그들은 바위를 손에 들고 아이네이아스의 배를 향해 던졌다. 그들이 던진 바위가 거대한 물보라를 일으키며 아이네이아스의

폴리페모스를 공격하는 조각상 ▶
오디세우스가 폴리페모스를 공격하는 헬레니즘 시대의 조각상이다. 스페르롱가 국립 고고학 박물관에 소장되어 있다.

키클롭스들이 사는 섬을 탈출하는 아이네이아스_ 아놀트 뵈클린의 작품
아이네이아스와 일행들이 키클롭스의 공격으로부터 필사적으로 벗어나려 애쓰는 모습을 묘사한 그림이다.

배 옆에 떨어졌다.

그 모든 위험에도 불구하고 아이네이아스와 트로이아인들은 필사적으로 노를 저어 키클롭스들의 손에서 벗어나 간신히 목숨을 건질 수 있었다.

키클롭스들이 사는 섬을 벗어난 아이네이아스 일행은 트리나크리아의 해변을 따라 한동안 남쪽으로 항해하다가 서쪽으로 진로를 바꿔 나아갔다. 그들은 어느 날 저녁 무렵 아케스테스가 다스리고 있는 드레파눔의 항구에 들어서게 되었다. 아케스테스왕의 아버지는 시칠리아섬에 흐르는 강의 신 크리니소스이고 어머니는 트로이아 출신의 여인이었다. 그는 프리아모스를 지원하여 트로이아 전쟁에 참가하였다가 트로이아가 함락되기 전에 시칠리아섬으로 돌아왔다.

아이네이아스가 도착했다는 전언에 아케스테스왕은 그를 환대하였다.

아이네이아스는 실로 오랜만에 한결 가벼워진 마음으로 아버지 안키세스에게 말을 건넸다.

"이제 라티움의 해변까지는 티레이나해만 건너면 됩니다. 그러니 조금만 고생하세요."

안키세스는 드레파눔의 항구까지 오면서 평생 생각해 본 적도 없었던 무시무시한 일들을 겪느라 심신이 쇠약해질 대로 쇠약해져 있었다.

"그렇구나. 너의 말대로 무사히 그곳에 도착하면 얼마나 좋겠느냐."

아이네이아스는 아버지의 처소에서 나오면서 왠지 불안한 마음이 일었다.

아이네이아스의 불안한 마음은 적중하였다. 바로 그날 밤, 안키세스는 세상을 떠났다. 그는 그 어떤 고통이나 탄식도 없이 조용히 눈을 감고 죽은 자들이 있는 하데스의 세계로 내려갔다.

아이네이아스는 아버지 안키세스의 장례를 이곳에 세워져 있던 어머니 아프로디테의 신전에서 치렀다. 아프로디테 여신은 불사의 몸이지만

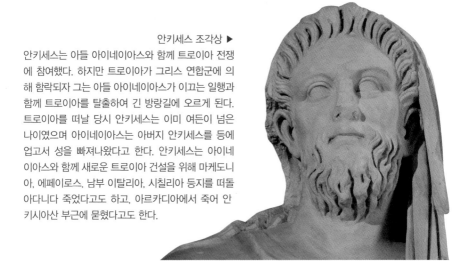

안키세스 조각상 ▶

안키세스는 아들 아이네이아스와 함께 트로이아 전쟁에 참여했다. 하지만 트로이아가 그리스 연합군에 의해 함락되자 그는 아들 아이네이아스가 이끄는 일행과 함께 트로이아를 탈출하여 긴 방랑길에 오르게 된다. 트로이아를 떠날 당시 안키세스는 이미 여든이 넘은 나이였으며 아이네이아스는 아버지 안키세스를 등에 업고서 성을 빠져나왔다고 한다. 안키세스는 아이네이아스와 함께 새로운 트로이아 건설을 위해 마케도니아, 에페이로스, 남부 이탈리아, 시칠리아 등지를 떠돌아다니다 죽었다고도 하고, 아르카디아에서 죽어 안키시아산 부근에 묻혔다고도 한다.

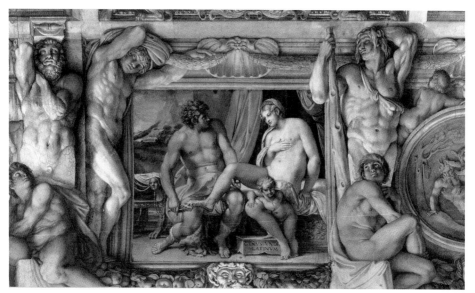

안키세스와 아프로디테_ 안니발레 카라치의 '신들의 사랑' 프레스코화 중 일부
아프로디테는 마음에 연정을 불러일으키는 띠를 가지고서 신들을 인간과 사랑에 빠지도록 하는 놀이를 즐겼다. 이 놀이의 희생자는 아폴론, 에오스 등 적지 않았다. 이에 화가 난 제우스는 아프로디테 자신이 인간의 남자를 사랑하도록 만들었다. 그리하여 아프로디테는 이다산에서 양을 돌보고 있던 다르다니아의 왕자 안키세스를 사랑하게 되었다. 아프로디테는 안키세스의 사랑을 얻기 위해 자신을 프리기아의 왕 오트레우스의 딸인데 헤르메스에게 납치되어 이다산으로 오게 되었다고 거짓말을 했다. 아프로디테는 그렇게 안키세스와 사랑을 나누어 아이네이아스를 낳았다.

안키세스는 그렇지 못했다. 그러나 그는 여신과의 사랑을 나눈 몇 안 되는 인간이었다. 그리고 로마의 시조인 아이네이아스를 낳았다.

아이네이아스는 안키세스 1주기 때에 이곳에서 장례 경기를 치렀고, 이후에는 추모 경기로 이어졌다. 추모 경기는 로마 제국 시대까지 계속된 '트로이아 경기'의 기원이 되었다.

아이네이스와 아프로디테

| 아프로디테의 아들 사랑 |

세상을 지배하는 올림포스에서는 헤라 여신이 바다를 내려다보고 있었다. 헤라는 아이네이아스와 트로이아인들이 목적지를 향해 무사히 항해하는 것을 보자 그들에 대한 과거의 원한이 다시 되살아났다. 헤라는 황금 사과를 놓고 벌인 경쟁에서 당한 수모를 두고두고 잊을 수가 없다. 그날 헤라는 트로이아의 왕자 파리스가 자신의 아름다움을 무시하고 황금 사과를 아프로디테에게 줌으로써 자기에게 씻을 수 없는 모욕을 안긴 그 수치스러운 날을 마음속에 담아 두고 있었다.

아이네이아스 일행의 순항하는 모습을 본 헤라는 바람의 지배자인 아이올로스에게 달려갔다. 아이올로스는 오디세우스에게 순풍을 주어 항해를 도와주고, 역풍은 묶어서 자루 속에 넣어 준 신이다. 헤라 여신이 아이올로스에게 도착했을 때 그는 섬의 가장 높은 산꼭대기에 앉아 산허리에서

◀ 아이올로스 조각상
그리스 신화에 나오는 바람의 지배자이다. 인간의 몸으로 태어났지만 제우스의 총애를 받아 바람을 지배하는 신의 반열에 올랐다. 물에 떠 있는 섬 아이올리아에 살면서 마음대로 바람을 섬 안 동굴에 가두기도 하고 풀기도 하였다.

아이올로스와 헤라_ 안토니오 란다의 작품
헤라 여신이 바람의 신 아이올로스에게 아이네이아스 배를 향해 거친 바람을 불어 항해를 방해하라
고 명령하는 장면이다.

울려 나오는 바람 소리에 몹시 만족하고 있었다. 바로 그때 헤라 여신이
그의 옆에 내려섰다.

"아이올로스여, 내 말을 좀 들어보시오. 날 위해 해줘야 할 일이 생겼
소. 이곳에서 멀지 않은 곳에서 트로이아인들이 지금 티레니아해를 지
나 라티움을 향해 가고 있는 중이오. 그들이 절대로 라티움 땅에 도착하
지 못하도록 거센 폭풍우를 불어 저 배를 난파시키도록 하시오. 내 부탁
을 들어준다면 내가 데리고 있는 여신이나 님프 들 중에서 가장 아름다
운 아이를 아내로 주겠소!"

아이올로스는 평소 새벽의 여신 에오스를 연모하였다. 그는 헤라 여신

바람을 일으키는 아이올로스_ 외젠 들라크루아의 작품

헤라 여신의 명령을 받은 아이올로스가 동굴에 갇힌 북풍과 태풍을 아이네이아스의 배로 보내는 장면이다.

포세이돈 목판화_ 포세이돈은 위기에 빠진 아이네이아스를 구해준다.

의 제안에 귀가 번쩍 뜨여 헤라 여신에게 말했다.

"고귀하신 여신이여, 당신께서 명령하시니 저는 그저 복종할 따름입니다."

아이올로스는 헤라의 명령에 따라 자신의 아들인 북풍 보레아스와 태풍 티폰 그리고 수많은 바람들을 보내어 잔잔한 바다에 풍랑을 일으키게 하였다. 무서운 폭풍이 일어나자, 트로이아 배들은 항로에서 벗어나 아프리카의 해안으로 밀려갔다. 배들은 난파하기 직전이었고, 서로 뿔뿔이 흩어지는 바람에 아이네이아스는 자기 배 외의 다른 배들은 다 난파된 줄로 알았다.

이때 포세이돈이 폭풍이 노호(怒號)하는 소리를 듣고는 자기가 그런 명령을 내린 적이 없다고 생각하며 머리를 물 위로 내밀고 보았다. 바다에서는 아이네이아스의 배들이 폭풍을 만나 떠밀리고 있었다. 그는 헤라가 트로이아인에 대해 적의를 품고 있는 것을 알고 있었으므로 그 상황을 눈치챘다. 그러나 허락 없이 자신의 영역으로 들어와 난장판을 만드는 데는 노여움을 풀 수 없었다. 포세이돈은 바람들을 불러 엄히 꾸짖어 물러가게 했다. 그런 다음 파도를 가라앉히고, 태양을 가리고 있던 구름을 걷어냈다. 그리고 암초에 걸려 움직이지 않게 된 배들을 그의 삼지창으로 찍어서 끌어내려 다시 바다에 뜨게 하였다. 아이네이아스는 격랑에 밀려 진로를 벗어나 아프리카 해안까지 갔다.

한편 신과 인간들의 지배자인 제우스는 높은 올림포스산 정상에서 육지와 바다를 내려다보고 있었다. 그의 시선은 아프리카 리비아 해안에 정박해 밤을 보내고 있는 아이네이아스의 막사에 가서 멈추었다. 그러다 잠시 트로이아 유민들의 먼 훗날의 운명에 대해 생각해 보았다.

바로 그때 아프로디테가 제우스 가까이로 다가왔다. 제우스는 그녀가 지금 무척 슬퍼하고 있다는 것을 잘 알고 있었다.

"신들의 제왕이신 제우스 신이시여, 어째서 아직도 내 아들과 그의 종족을 따라다니며 못살게 구시는 건가요? 분명 제 아들과 그의 후손들에게 권력과 명예를 주겠다고 약조하지 않으셨나요. 아이네이아스가 트로이아의 유민들을 이끌고 새로운 왕국을 건설하기를 허락하지 않으셨나요. 그런데 지금 아이네이아스가 거닐던 여러 배들은 뿔뿔이 흩어져 버렸고, 초라한 배 한 척만 남긴 채 폭풍우 속에서 빠져나오지 못하고 있습니다. 게다가 아이네이아스의 배들을 라티움과는 멀리 떨어진 리비아 해안으로 몰아넣으셨습니다."

아프로디테의 눈물겨운 애원에 제우스가 입을 열었다.

"너무 슬퍼하지 말거라. 네 아들은 언젠가는 반드시 라티움으로 가게

제우스와 아프로디테_ 헤르만 반 데르 미인의 작품

될 것이다. 아이네이아스의 미래에 대해 좀 더 많은 것을 얘기해 주마. 네 아들은 앞으로 그 땅에 살고 있는 원주민들과 수많은 전투를 벌일 것이다. 그러나 결국 그 미개한 종족들을 정복하고 새로운 왕국을 정착시켜서, 그들로 하여금 점차 원시적인 풍습을 버리고 법과 규칙을 존중하게 만들 것이다. 아이네이아스에 이어 그의 아들 아스카니오스가 뒤를 잇게 된다. 아스카니오스는 30년 동안 통치할 것이다. 이어서 왕위를 잇는 후손들은 300년 동안 왕국을 지속할 것이다.

그 후 왕의 딸이자 여사제인 레아 실비아가 군신 아레스와의 사이에서 쌍둥이 형제인 로물루스와 레무스를 낳을 것이다. 두 쌍둥이 형제는 암늑대에 의해 키워질 텐데, 로물루스에 의해 새로운 도시가 건설되고 그 도시의 이름을 로마라고 이름 붙일 것이다. 그리고 세상은 로마에 의해 법과 질서가 자리 잡게 될 것이다."

제우스의 예언을 들은 아프로디테는 다소나마 마음이 놓였다. 그녀는 올림포스를 나왔다. 그러나 곰곰이 생각에 잠겼던 그녀의 얼굴에 다시 근심이 드리웠다.

'제우스 신의 예언은 먼 미래에 벌어질 일들이다. 하지만 바로 지금, 이곳에서 아이네이아스의 운명은 도대체 어떻게 될 것인가? 지금 아이네이아스는 카르타고와 가까운 곳에 정박해 있다. 카르타고는 헤라 여신이 애지중지 여기는 도시이다. 그곳 사람들은 헤라 여신을 위해 거대하고 화려한 신전을 지어 많은 재물을 바치며 섬기고 있다. 그런데 만약 아들이 카르타고에 상륙한다면 결코 무사하지는 못할 것이다.

지금은 한시바삐 내 아들을 보호할 방법을 모색해야 한다……'

아이네이아스와 트로이아인들은 바다가 평온해지자 제일 가까운 해안으로 배를 몰았다. 그곳은 카르타고의 해안이었다. 배들은 심하게 파손되었으나, 도착한 사람들은 모두 무사하였으므로 아이네이아스는 매우 기뻐했다.

아이네이아스는 카르타고 해안에 배를 정박하고는 밤을 보냈다. 트로이아 사람들이 곤한 잠에 떨어졌을 때 아이네이아스는 동료 아카테스 한 명만 데리고 주변을 탐색하러 막사를 나섰다. 어느새 아이네이아

암늑대의 젖을 먹는 로물루스와 레무스 ▶
레아 실비아가 쌍둥이 아이들을 낳자 아물리우스는 아이들을 버리게 하였다. 아이들은 바구니에 실려 얼마 후 강가로 떠밀려가 멈추어 섰다. 때마침 근처에서 서성거리던 늑대 어미가 칭얼거리는 아이들에게 젖을 물렸으며, 딱따구리가 다른 먹을 것을 날라 주었다고 한다. 카피톨리아 박물관에 소장되어 있는 청동상이다.

스와 아카테스는 나무가 울창한 숲에 다다랐다. 그들은 그곳에서 낯선 여인을 발견했다. 여인은 이제 막 목욕을 마친 듯 하늘거리는 사냥용 가운을 걸치고 있었다. 얼핏 보아도 매우 아름다운 여인이었다. 가녀린 소녀 같기도 했다.

활을 멘 아름다운 여인이 먼저 말문을 열었다.

"어머나, 혹시 목욕하던 내 몸을 몰래 보지 않았겠지요?"

그녀의 목소리는 어딘가 모르게 웃음을 참고 있는 것처럼 들렸다.

"혹시 이곳에 저와 같은 옷차림을 하고 활과 화살통을 들고 있는 여인을 본 적이 없나요?"

아이네이아스는 정신을 가다듬고 대답했다.

"우리는 여기서 아무도 보지 못했소."

차분하게 여인의 말에 대답하는 동안 아이네이아스는 아름다운 여인의 모습에서 무언가 매우 기이한 느낌을 받았다. 무엇 때문에 그런 느낌이 드는지 알 수 없었다.

"그런데 당신은 누구시오? 아무래도 평범한 처녀가 아닌 것 같소! 내 느낌으로는 활을 들고 있는 것으로 보아 아르테미스 여신이거나 여신을 따르는 님프가 아닌가 하오. 만약 아르테미스 여신이라면 우리에게 도움이 필요합니다. 우리는 폭풍에 휩쓸려 이 해안까지 오게 되었소. 이곳이 어디인지, 어떤 사람들이 살고 있는지 제발 우리에게 알려주십시오. 그렇게 해주시면 우리는 당신 제단 앞에 수많은 제물을 바치겠습니다."

목욕을 마친 아프로디테 조각상 ▶
헬레니즘 시대의 조각상으로 로마 시대에 모각된 작품이다.

아이네이아스 앞에 나타난 아프로디테_ 안젤리카 카우프만의 작품

소녀로 변신한 아프로디테가 아이네이아스와 아카테스에게 나타나 이야기를 하는 장면이다.

아이네이아스 앞에 나타난 아프로디테_ 지아친토 지미냐니의 작품
아이네이아스가 아프로디테를 만나는 장면으로 그는 어머니 아프로디테의 정체를 모르고 있었다.

아이네이아스의 말에 여인은 빙긋이 웃으며 말했다.

"여신이라뇨? 저는 그렇게 지체 높은 사람이 아니랍니다. 하지만 여기가 어디인지는 알려줄게요. 이곳은 디도 여왕이 다스리고 있는 카르타고예요. 디도 여왕은 원래 페니키아 티로스의 공주였지요. 그녀의 아버지는 그녀를 그 도시에서 가장 부자인 시카이우스와 결혼시켰어요. 그런데 그녀의 오빠 피그말리온이 재산을 노리고 시카이우스를 죽였어요. 그러자 그녀는 남편의 재산을 가지고 자신을 따르는 사람들과 티로스에서 도망쳤어요. 자신들의 미래의 보금자리가 될 곳에 이르자, 그들은 원주민들에게 한 마리의 황소 가죽으로 둘러쌀 수 있을 정도로 작은 토지를 자

아이네이아스 앞에 나타난 아프로디테_ 피에트로 다 코르토나의 작품
아이네이아스가 아프로디테를 만나는 장면으로, 그는 어머니 아프로디테의 정체를 모르고 있었다.

신들에게 달라고 청하였지요. 승낙을 받은 그녀는 지혜를 발휘하였고, 소가죽을 잘라 여러 조각을 내어 그것을 군데군데 놓아 경계를 표시하고 그 경계 안에 성채를 쌓은 후 비르사라고 불렀어요. 그 후 이 성채의 주위에 카르타고시를 세우고, 세력이 강대해졌답니다."

말을 마친 아프로디테는 시치미를 뚝 떼고 물었다.

"그런데 당신들은 누구인가요? 어디서 와서 어디로 가는 길인가요?"

그러자 아이네이아스는 한숨을 내쉬면서 트로이아 전쟁 이야기를 했다. 그리고 그들이 이곳까지 오는 도중에 얼마나 많은 고통을 겪었는지 비탄에 젖은 목소리로 털어놓기 시작했다. 마치 숱한 역경과 고난을 이겨내고 겨우 집으로 돌아온 아들이 어머니 품에 안겨 그간에 겪은 고생담을 털어놓는 것 같았다. 아프로디테는 아이네이아스의 말을 듣고는 잠시 눈물이 맺힌 것처럼 보이기도 했다.

"당신이 누구건, 진정으로 신의 미움을 받았다면 지금껏 살아남지 못했을 거예요. 자, 어서 디도 여왕의 도시로 가세요. 도시로 들어가면 곧장 헤라 여신의 신전을 찾으세요. 그곳에서 디도 여왕이 오실 때까지 기다리세요. 여왕을 만나면 두려워하지 말고 앞으로 나가, 당신들을 손님으로 후하게 받아달라고 부탁하세요.

아이네이아스 앞에 나타난 아프로디테_
도나토 크레티의 작품
아프로디테는 자신의 신분을 숨기고 아이네이아스에게 현재의 지역에 대해 설명한다.

자, 빨리 여왕의 궁전으로 가요. 그곳에서 폭풍우에 잃은 당신 함대와 동료들도 모두 무사히 돌아와 당신을 기다리고 있을지 모르겠어요."

이렇게 말하고 그녀는 돌아서서 길을 가기 시작했다. 그녀의 장밋빛 목덜미가 훤히 드러나고 머리에서는 신들이 쓰는 향수 냄새가 났다. 그리고 조금 전까지 사냥을 위해 위로 걷어 올린 치맛자락은 온데간데없었고, 활과 화살통도 보이지 않았다. 반짝이는 은실로 짠 옷자락이 길게 드리워져 발목까지 덮었으며, 머리에는 투명하게 빛나는 레이스를 쓰고 있었다.

아이네이아스 앞에서 사라지는 아프로디테_ 티에폴로의 작품
아프로디테가 자신의 신분을 밝히지 않은 채 아이네이아스 곁을 떠나는 장면이다.

　그 모습을 본 아이네이아스는 그녀가 어머니임을 뒤늦게 알아보았다. 아이네이아스는 뒤쫓으며 어머니를 불러보았지만 그녀는 공중으로 사라져버렸다.

아이네이아스와 디도

| 아이네이아스의 운명적 사랑 |

아이네이아스와 아카테스는 서둘러 길을 나섰다. 이윽고 성채가 내려다보이는 산에 올랐다. 두 사람은 그곳에서 도시를 내려다보고 깜짝 놀랐다. 그곳에는 성벽으로 둘러싸인 도시가 우뚝 서 있었다. 티로스인들이 아치형 성문을 다듬기 위해 부지런히 일을 하는 모습도 보였다.

두 사람은 곧 도시로 들어가 그들 사이에 섞였다. 하지만 아프로디테가 짙은 안개로 그들의 몸을 감추었기에 그 누구의 눈에도 띄지 않았다. 그들은 도심에 자리 잡고 있는 헤라의 신전으로 들어갔다. 디도 여왕이 언젠가는 그곳에 나타나리라고 믿었기 때문이었다. 신전으로 들어간 아이네이아스는 또 한 번 놀랐다. 그곳의 벽에는 트로이아 전쟁의 전투 장면을 묘사한 그림과 조각 들이 벽면 가득 있었다.

벽면에 가득한 트로이아 전쟁 묘사 장면들을 쭉 둘러보고 아이네이아스는 짧은 탄성을 뱉어 냈다.

◀ 디도 여왕이 새겨진 주화

"이 벽화와 조각에는 트로이아 멸망의 역사가 처음부터 끝까지 장엄하게 표현되어 있다. 어쩌면 이것들이 우리에게 도움이 될지도 모르겠다. 여왕께서 우리가 누구인지, 어떤 일을 겪은 사람들인지 아시게 되면 우리를 무조건 해치려 하지는 않을 거야."

그때였다. 신전의 문이 열리며 디도 여왕이 수많은 젊은이들을 거느리고 들어서고 있었다. 아이네이아스는 화들짝 놀랐다. 잠깐이긴 했지만, 여왕이 자신을 볼 수 없다는 사실을 깜빡 잊고 있었기 때문이다. 디도 여왕은 신전으로 들어오자 이런저런 작업을 지시하기 시작했다. 그런데 여왕의 뒤를 이어 신전으로 들어서는 한 무리의 사람들을 보고 아이네이아스는 놀라움을 금치 못했다. 그들은 바로 폭풍에 떠밀려 뿔뿔이 흩어졌던 일행들이었다.

아이네이아스는 당장이라도 달려가 그들의 손을 잡고 싶었다. 그러나 아직 그럴 때가 아니라는 것을 느낀 그는 그들이 무슨 이야기를 하나 지켜보기로 했다. 이때 일행 중 가장 나이가 많은 일리오테스가 여왕 앞에 부복을 했다.

트로이아 전쟁을 묘사한 부조

"신의 축복을 받으신 여왕이시여, 저희 사정을 들어 주소서. 저희는 트로이아 유민으로 전쟁에 패한 후 바다란 바다는 다 떠돌아다니다가 이렇게 여왕님 앞에까지 오게 되었습니다. 저희는 결코 노략질이나 사람을 해하고자 이곳에 온 것이 아닙니다. 저희의 목적지는 라티움입니다. 그런데 폭풍을 만나 우리의 지도자인 아이네이아스를 잃고 이곳에 오게 된 것입니다."

일리오테스의 이야기에 귀를 기울이던 디도 여왕은 아이네이아스라는 이름을 듣자마자 마치 그를 알고 있었던 것처럼 말을 하였다.

"당신들의 지도자 아이네이아스는 생사가 불분명하오?"

일리오테스는 여왕의 말을 받아 입을 열었다.

"아이네이아스는 여신의 아들이기에 분명 생존해 계실 겁니다. 그는

디도 여왕 앞에 나서 자신을 소개하는 아이네이아스_ 야코포 아미고니의 작품

디도 여왕에게 자신을 소개하는 아이네이아스_ 나다니엘 댄스 홀랜드의 작품
아이네이아스가 트로이아 일행 중에 섞여 디도 여왕에게 자신을 소개하고 도움을 청하는 장면이다.

트로이아 멸망의 비극에서도 희망의 끈을 놓지 않고 우리를 이렇게 살아남게 했습니다."

아이네이아스는 당장이라도 나서서 신분을 나타내고 싶었다. 그러나 몸을 드러내고 싶어도 아프로디테의 안개에 싸여 있어서 그렇게 할 수 없었다. 이때 디도 여왕은 무슨 생각을 했는지 자리에서 벌떡 일어났다.

"어쩌면 당신들의 지도자는 이 나라의 해안에 이미 와 있을지도 모르는 일이죠! 병사들을 풀어 그를 찾아보도록 하지요."

그때 아프로디테가 아이네이아스에게 드리운 안개를 풀었다.

아이네이아스는 조금의 망설임도 없이 바로 여왕 앞에 나섰다.

디도 여왕에게 자신을 소개하는 아이네이아스_ 샤를 앙투안 쿠아펠의 작품
아프로디테의 안개가 걷히자 아이네이아스가 디도 여왕 앞에 나서는 모습을 묘사한 그림이다.

디도 여왕을 만나는 아이네이아스_ 요한 하인리히 티슈바인의 작품
디도 여왕이 여신의 아들 아이네이아스의 출현에 놀라며 반가워하는 모습을 묘사한 그림이다.

"여왕이시여, 정말 감사드립니다. 제가 바로 아이네이아스입니다. 당신이 저를 기꺼이 도와주신다면 후세에 그 이름을 크게 날리게 될 것입니다."

디도 여왕은 먼저 그의 늠름한 외모에 감탄했다. 그녀는 가만히 바닥을 응시했고, 두 눈동자는 긴 속눈썹 아래 감춰져 보이지 않으나 떨리고 있었다.

"여신의 아드님! 저는 이미 여러 해 전에 당신의 조국 트로이아의 슬픈 운명과 영웅들이 벌인 전쟁에 대한 노래를 음유 시인으로부터 들었습니다. 그 후로 내 머릿속에서 그 노래가 떠난 적이 없었지요. 그래서 헤라 여신의 신전을 지을 무렵, 유명한 예술가들을 불러 신전의 벽에 당신들이 벌인 전쟁에 대한 작품을 만들도록 하였습니다."

디도 여왕은 잠시 아이네이아스를 바라보며 말을 이었다.

"나는 트로이아의 영웅들과 그리스의 영웅들을 잘 알고 있어요. 당신 역시 오래전부터 잘 알고 있었고, 당신이 살아 있다는 것도 잘 알고 있었지요. 언젠가 당신을 만나볼 수 있길 바라왔는데, 마침 당신이 날 찾아오셨군요. 자, 이제 저는 흔쾌히 당신을 맞겠어요. 나도 당신 못지않은 험난한 고난을 겪었죠. 불행을 겪은 사람만이 불행한 사람의 마음을 아는 법이에요."

디도 여왕의 궁전에서는 곧 잔치 준비가 진행되었다. 디도는 바닷가에 남은 아이네이아스의 동료들에게 황소 20마리와 살진 돼지와 살진 양 100마리씩을 선물로 보냈다. 한편 아이네이아스는 아카테스를 급히 함선으로 보내 아들 아스카니오스를 데려오라고 했다. 아울러 트로이아의 폐허에서 건져낸 선물들도 가져오게 했다. 헬레네가 입었던 아름다운 옷들과 트로이아 공주들이 걸치고 다녔던 장신구들이었다. 그것은 디도 여왕을 비롯한 이곳 사람들에게 선물로 주기 위해서였다.

한편 아프로디테는 헤라 여신의 신전에서 벌어지고 있는 모든 일을 보고는 새로운 계획을 꾸미고 있었다. 무엇보다 아이네이아스가 디도 여왕에게 한시도 눈을 떼지 못하는 것과 그의 눈길을 싫어하지 않는 여왕의 모습이 영 못마땅했기 때문이다.

"디도의 마음은 변덕이 심해, 때로는 얌전한 양처럼 온순하지만 어느 순간 돌변하여 이성을 잃을 수 있는 여인이야. 만일 아이네이아스가 그녀를 사랑하게 된다면 카르타고에 안주해 새로운 왕국을 건설하려는 굳은 마음이 눈 녹듯이 사라지고 말지도 몰라."

아프로디테는 아들인 에로스를 불렀다. 에로스는 군신 아레스와 사이에서 태어난 아들로 날개가 달린 사랑의 신이었다.

"에로스야. 헤라가 인간의 몸으로 태어난 네 동생 아이네이아스를 집요하게 괴롭히는 것을 너도 잘 알고 있지? 게다가 지금 헤라가 카르타고에 머물고 있다는 사실도 나를 몹시 걱정스럽게 만드는구나. 그러니 나를 위해 너의 힘을 발휘해 다오. 네 동생 아이네이아스가 헤라에게 무슨 일을 당하기 전에 말이다."

에로스는 화살을 다듬다가 아프로디테의 말을 들었다.

"어머니, 제가 어떻게 하면 아이네이아스를 도울 수 있을까요?"

아프로디테는 평소엔 장난기가 많은 에로스가 오늘만큼은 그렇게 듬직해 보일 수가 없었다.

아프로디테와 에로스_ 프랑수아 부셰의 작품
에로스는 아프로디테와 아레스 사이에서 태어난 아들로 사랑의 전령을 맡는 역할을 한다.

"나는 사랑스러운 손자이자 아이네이아스의 아들인 아스카니오스를 잠시 숨겨놓을 작정이란다. 그사이에 네가 그 아이로 변신하여 디도를 만나거라. 그녀는 필히 너를 무릎에 앉히고 꼭 껴안으며 입을 맞출 것이다. 그럼 너는 그때를 놓치지 말고 그녀에게 사랑의 황금 화살과 독이 든 납화살을 스치게 하거라. 그렇게 되면 디도는 아이네이아스를 사랑하게 되지만 결코 그를 다치게 하지는 않을 것이다."

▲ 에로스의 화살
에로스는 사랑의 신으로, 누군가를 사랑에 빠뜨리는 황금 화살과 누군가를 싫어하게 하는 납화살을 가지고 있다. 사람은 물론이고 신도 이 화살들의 마력에서 벗어나지 못한다.

아프로디테는 이런 계획이 언젠가 좋지 않은 결과를 초래하리라는 것을 잘 알고 있었다. 그러나 지금은 그런 생각을 할 겨를이 없었다. 에로스는 어머니 아프로디테의 말을 귀담아들었다. 이런 일이야말로 자신이 가장 잘 할 수 있는 일이었기 때문이다.

아프로디테는 잠자는 아스카니오스를 안고 하늘을 날아 자신의 신전이 있는 이달리움산으로 돌아갔다. 그 시각 에로스는 아이네이아스의 아들 아스카니오스의 모습으로 변신한 후 아카테스를 기다리고 있었다. 옆에는 디도 여왕에게 가져다줄 선물이 가득 담긴 궤짝이 놓여 있었다. 이윽고 아카테스가 그를 찾아오자 반갑게 맞이하고는 선물 궤짝을 그에게 넘기고 그와 함께 디도 여왕의 궁전으로 향했다.

아스카니오스로 변신한 에로스는 파티가 벌어지는 디도의 궁전에 도착했다. 여왕과 아이네이아스는 마주 보고 앉아 있었고, 티로스인들은 무리 지어 연회를 즐기고 있었다.

아이네이아스는 아들 아스카니오스를 보고는 자리에서 일어났다. 이 때 아스카니오스는 아이네이아스에게 와락 달려들어 아버지를 끌어안고는 환희에 넘쳐 온갖 기쁨의 표현을 해댔다. 아이네이아스는 그런 아들의 행동이 평소와 달라 의아했다. 아들을 안은 아이네이아스는 에로스의 교활한 장난에 저항도 하지 못하고 디도 여왕을 사랑하게 되었다.

영악한 에로스는 디도 여왕을 향해 소년에게 어울리는 공손한 태도로 인사를 하였다. 그리고 환한 웃음을 지으며 그녀에게 다가가 두 뺨에 부드럽게 키스했다. 에로스는 여왕의 마음에서 조금씩 죽은 남편 시카이우스의 기억을 지웠다. 그리고 그 자리에 그녀가 오랫동안 잊고 있었던 새로운 사랑의 정열을 심어 넣었다. 여왕의 두 뺨에는 옅은 홍조가 떠올랐다.

디도에게 다가가는 에로스_ 프란체스코 솔리메나의 작품
에로스는 디도 여왕과 아이네이아스가 서로 사랑하게 만든다.

디도에게 자신의 아들 아스카니오스의 모습을 한 에로스를 소개하는 아이네이아스_ 티에폴로의 작품
디도 여왕은 아이네이아스에게 호감을 보이며 모든 편의를 제공하겠다고 약속한다. 그걸 보고 아프
로디테 여신과 헤라 여신이 이들을 맺어주기로 합의했다. 마침 아이네이아스에게는 아내가 없었다.
그는 트로이아에서 탈출하다가 아내 크레우사와 헤어져 그녀의 생사를 알 수 없었다. 그런데 두 신
의 속셈은 달랐다. 아프로디테는 아들 아이네이아스의 신변 안전을 위해서였고, 헤라는 얄미운 아이
네이아스를 아예 그곳에 눌러앉게 할 심산이었다. 그때 아이네이아스가 정박한 배로 전령을 보내 아
들 아스카니오스를 데려오라고 지시했다. 에로스가 어머니 아프로디테의 부탁을 받고 아스카니오스
대신 그의 모습으로 변신했다. 아이네이아스는 아들이 오자 기뻐하며 그를 안고 반겼다. 그걸 보고
디도도 아이를 안아보고 싶어 했다. 디도가 아이네이아스로부터 아스카니오스를 건네받는 순간 에
로스는 재빨리 그녀의 심장에 황금 화살로 상처를 냈다. 그때부터 아이네이아스에 대한 디도의 마음
은 손님에 대한 호의에서 갑자기 불타는 사랑으로 바뀌었다. 그림은 로코코 회화의 전형을 보여주는
조반니 바티스타 티에폴로의 프레스코 작품이다. 티에폴로는 16세기 위대한 베네치아 화가들의 전통
을 이으며, 고향인 베네치아에 있는 교회와 궁전에 대규모 프레스코와 제단화를 제작했다. 이 작품
은 빌라 발마라나에 소장되어 있다.

그녀는 아이네이아스를 쳐다보며 말했다.

"당신은 정말 귀여운 아들을 두셨군요. 내게도 이런 아들이 있다면 얼마나 좋을까요!"

디도와 아이네이아스가 서로 사랑스러운 눈길을 보내며 정겨운 말들을 주고받고 있는 사이에 에로스는 미소를 가득 띤 채 가지고 온 궤짝 속에서 선물들을 꺼냈다. 값지고 좋은 물건에 익숙한 카르타고인들마저도 에로스의 선물을 보고는 깜짝 놀랄 정도였다. 다들 여왕에게 잘 어울린다고 수군거렸다.

"아이네이아스여, 당신은 내게 커다란 기쁨을 주는군요. 이처럼 귀중한 선물은 난생 처음 보는 것들이에요. 언젠가 당신이 이곳을 떠나게 되

디도와 아이네이아스_ 피에르 나르시스 게랭의 작품
디도 여왕이 아스카니오스로 변신한 에로스의 어깨를 포옹하고 있는 그림으로 관람자를 응시하고 있는 에로스의 눈길이 장난스럽다.

연회를 베푸는 디도 여왕_ 프랑수아 드 트루아의 작품

는 날, 이 모든 것들이 당신을 떠올리게 할 거예요."

애정이 듬뿍 담긴 말로 여왕이 고마움의 표시를 하다가 갑자기 말을 멈추었다. 순간적으로 그녀의 표정에 슬픈 기색이 어렸다.

"하지만 난 당신이 떠나는 것을 절대로 바라지 않아요."

순간 아이네이아스는 디도 여왕의 거친 목소리에 깜짝 놀랐다.

그러나 그것은 잠시뿐이었고, 여왕은 얼른 얼굴 표정을 바꾸고 에로스를 더욱 꼭 껴안았다. 그녀는 아이네이아스 대신 에로스를 포옹했던 것이다. 그로부터 아이네이아스를 향한 디도 여왕의 집착은 더욱 더 집요해졌다.

연회는 성대하면서도 끝을 헤아릴 수 없을 듯 끊임없이 이어졌다. 연회에 참석한 카르타고인들 중에는 유목 생활을 하는 가이툴리족을 이끄는 이아르바스라는 족장이 있었다. 그는 예전에 여왕에게 구혼을 한 적이 있었는데, 여왕은 그의 청혼을 받아들이지 않았다. 그런 그의 눈에는 여왕이 아이네이아스에게만 눈길을 보내고 있는 것이 영 못마땅했다. 그는 화가 나 포도주를 계속 들이켰고, 증오심이 점점 커졌다.

연회가 끝나고 밤이 무르익자 아프로디테는 자신의 신전에서 디도 여왕 왕궁으로 갔다. 그녀의 품에는 여전히 깊은 잠에 빠진 아스카니오스가 안겨 있었다. 아프로디테는 잠든 그를 안고 왕궁의 어느 방으로 갔다. 그곳은 에로스가 묵고 있는 방이었다.

아프로디테는 품에서 잠을 자고 있는 아스카니오스를 침대에 눕혔다. 기다렸다는 듯 본래 모습으로 돌아온 에로스가 아프로디테를 따라나섰다.

"이제 우리는 아이네이아스를 위한 모든 준비를 마쳤다. 디도는 아이네이아스를 진정으로 사랑하게 될 것이고, 아이네이아스에게는 어떤 불행한 일도 일어나지 않을 것이다."

헤라 여신은 자신의 신전에서 아프로디테가 하는 말을 들었고, 얼굴에는 만감이 교차하는 듯 쓴웃음을 지은 채 냉정하게 한마디를 내뱉었다.

"결코 아프로디테의 뜻대로 이루어지지 않을 것이다."

한편 아이네이아스와 트로이아 유민들은 카르타고의 손님으로 극진한 대접을 받았다.

신발 끈을 매고 있는 아스카니오스 조각상 ▶
아스카니오스로 변신한 에로스를 묘사한 조각상이다.

그들은 카르타고 도시를 둘러보고 부러움에 탄성을 보냈고, 그들의 배가
정박되어 있는 해안에 나가보기도 했다.

그런 가운데 아이네이아스는 카르타고의 생활이 만족스러웠다.

"여신의 아들이여, 우리들의 신천지 라티움에는 언제 가실 것입니까?"

"머지않아 가게 될 거다."

아이네이아스는 내키지 않은 말투로 심드렁하게 말했지만 속마음은
그저 카르타고에 머물고 싶을 뿐이었다. 이런 그의 마음을 알기라도 하
듯 디도 여왕이 다가와 두 사람만의 시간이 되었다.

"저 웅장한 항구를 보세요. 나는 당신이 저 항구를 통해 이곳을 떠나

디도와 아이네이아스_ 로렌조 파시넬리의 작품
디도와 아이네이아스는 에로스의 술책으로 서로 사랑하게 된다. 이후 디도 여왕은 점점 사랑의 집
착에 빠진다.

지 않았으면 좋겠어요!"

"나는 결코 이곳을 떠나지 않을 것이오."

아이네이아스의 말에도 디도는 마음이 놓이지 않았다. 지금은 이렇게 말하지만 머지않아 그는 입버릇처럼 되뇌던 라티움으로 떠날 것이라는 예감이 여왕의 마음을 불안하게 했다. 디도 여왕은 아이네이아스의 손을 잡았다.

"아이네이아스여, 당신의 신천지 라티움이 이곳이라 생각할 수 없나요? 당신께서 이곳에 라티움을 건설한다면 나는 모든 것을 지원할 수가 있어요. 그러면 당신은 세상에서 가장 훌륭한 도시를 건설할 수 있고 이곳에 당신과 트로이아의 후예들이 영원히 머물 수가 있잖아요."

디도 여왕은 기대에 찬 얼굴로 아이네이아스를 바라보았다. 아이네이아스는 아무 말도 하지 못했다. 그는 그녀의 시선을 피하고 돌아서 걸었다. 디도는 여왕의 체면도 무시하고는 그의 뒤를 따랐다.

그날 밤 디도는 자신의 언니인 안나를 불러들였다. 여왕의 언니 안나는 디도를 친딸처럼 돌보고 있었다. 그녀는 눈물로 퉁퉁 불어터진 여왕의 얼굴을 보고 깜짝 놀랐다.

"여왕이시여, 어찌하여 이토록 깊은 슬픔에 빠져 울고 계시나요?"

그녀는 여왕을 감싸 안았다. 디도는 언니의 품에 안겨 마치 어린아이라도 된 것처럼 통곡하였다. 한참을 울고 난 디도는 흐느끼면서 아이네이아스에 대한 자신의 연정(戀情)을 언니에게 숨김없이 이야기하였다.

"진정하세요. 여왕께서 그토록 그를 사랑한다면 어째서 그에게 여왕의 남편으로 맞이하겠다는 제안을 하지 않는 겁니까?"

안나의 말을 들은 디도는 충격을 먹은 듯 깜짝 놀라며 말했다.

"언니, 나는 남편이 죽은 후로 절대 다른 남자와 재혼하지 않기로 맹세

디도와 아이네이아스_ 루틸리오 마네티의 작품
디도 여왕이 아이네이아스에게 자신의 도시에 머물 것을 애원하는 장면이다.

했어요. 이 사실을 아이네이아스가 알면 나를 경멸할 거예요."

"그런 답답한 말은 거두세요. 동생은 이 도시의 여왕이 아닙니까? 그런 이유로 아이네이아스가 동생에게 차마 결혼해 달라는 말을 꺼내지 못하는 겁니다. 그러니 여왕께서 용기를 내어 그에게 프러포즈를 하십시오. 그러지 않으면 이대로 여왕께서는 사랑의 열병을 이기지 못하고 큰일을 치를지도 모릅니다."

디도 여왕은 언니 안나로부터 조언을 듣는 순간 무엇에 홀린 듯한 얼굴이 되었다. 한참을 생각에 골몰한 후에 자리에서 벌떡 일어났다. 그녀의 얼굴에는 이미 눈물 자국이 말라버렸고, 엷은 홍조가 떠올랐다.

"언니의 말대로 따르겠어요. 그것이 이 영광스러운 도시를 발전시키는

디도와 안나_ 워싱턴 올스턴의 작품
디도 여왕의 언니 안나는 여왕에게 아이네이아스와 결혼할 것을 제안한다.

길일 거예요. 그렇게 하면 저승에 있는 신들과 남편도 이해해 줄 테지요. 당장 시녀들을 불러오도록 하세요. 아름다운 옷으로 갈아입어야 겠어요. 그리고 만약 이 시도마저 그가 거부한다면 모든 것을 끝내고 말겠어요."

디도 여왕은 생기가 넘치면서도 마음이 들뜬 심정으로 횡설수설하며 자신을 어쩌지 못하고 있었다. 그만큼 그녀는 에로스가 불어넣은 사랑의 열병에서 헤어나지 못했다.

한편 헤라 여신은 자신의 신전

사냥을 떠나는 디도와 아이네이아스_ 장 베르나르 레스타우트의 작품

을 떠나 올림포스산 위로 올라갔다. 그곳에는 아프로디테가 근심 어린 표정으로 카르타고를 내려다보고 있었다. 헤라는 아프로디테의 표정을 보고 내심 속으로 기뻤다.

"호호! 디도가 아이네이아스를 남편으로 맞이한다는 것은 매우 훌륭한 일이야. 그렇다면 아이네이아스가 카르타고에서 행복하게 잘 살 수 있잖아."

헤라는 짐짓 친절을 가장하고 아프로디테에게 말했다. 아프로디테는 헤라 여신에게 차갑게 말했다.

"아직 제우스께서 어떤 결정도 내리지 않았어요. 당신이 제우스의 부인이니 그에게 한 번 물어보시지요."

헤라 여신은 득의만만한 표정을 지으며 자신있게 말했다.

"이번 일은 내가 주도적으로 할 것이야. 내일 디도와 아이네이아스는 사냥을 나갈 것이고, 그곳에서 나는 그들이 사랑의 결실을 맺도록 할 것이다."

사냥 나온 아이네이아스와 디도_ 필리포 팔시토레의 작품
사냥 나온 두 사람을 맺어주기 위해 헤라 여신이 먹구름을 뿜어내는 장면이다.

　헤라 여신의 말대로 다음 날 디도와 아이네이아스는 사냥을 떠나게 되었다. 아이네이아스와 디도가 깊은 숲에서 사냥에 열중할 때에 헤라 여신은 하늘에서 먹구름을 뿜어냈다. 그리고 이내 번개를 동반한 우박을 퍼붓기 시작했다.

　사냥 나온 일행은 갑자기 내린 우박과 폭풍우를 피하려고 사방으로 흩어져 버렸다. 아이네이아스와 디도 두 사람만이 남게 되자 그들도 폭풍우를 피할 거처를 마련하려고 전전긍긍하였다. 마침 그들의 앞에 비바람을 피하기에 적당한 동굴이 보였다.

디도와 아이네이아스_ 장 베르나르 레스토의 작품
사냥 나온 디도와 아이네이아스가 폭풍우를 피해 동굴로 들어서는 장면이다.

아이네이아스는 디도를 부축하고 동굴로 들어갔다. 이 모든 것은 헤라 여신의 뜻이었다. 동굴 안은 의외로 아늑하면서도 따뜻했다. 마치 따뜻하고 폭신한 침상처럼 두 사람만을 위한 공간이 준비되어 있었다. 이것 또한 헤라 여신의 뜻이었다.

두 사람은 잠시 서먹한 분위기에서 자리를 하였다. 그때 헤라 여신이 보낸 사랑의 신 에로스가 아프로디테의 뜻에 반하는 행동을 하였다. 그는 디도 여왕의 젖은 옷을 벗겨내고 사랑의 열풍을 불어넣었다.

이윽고 두 사람은 누가 먼저랄 것도 없이 서로 부둥켜안았다. 서로의

디도와 아이네이아스_ 토마스 윌레보르트 보샤르트의 작품
동굴 속에서 디도와 아이네이아스가 사랑을 나누는 장면을 묘사한 그림이다.

입술이 뜨겁게 포개지고 상대에게 몸을 맡겼다. 동굴 밖에는 두 사람을
방해하는 세력이 접근하지 못하도록 그들의 신음만큼이나 요란한 소리
의 천둥번개가 몰아쳤다.

　이런 모습을 지켜본 헤라 여신은 쾌재를 불렀다. 여신은 이제 아이네
이아스가 사랑의 포로가 되었다고 확신했다.

디도의 자결

| 아이네이아스의 배신으로 삶을 마감하는 디도 |

아이네이아스와 디도의 사냥이 끝난 후 카르타고에서는 무성한 소문이 나돌기 시작했다. 그것은 소문의 여신 페메가 퍼뜨린 것이었다. 페메 여신은 1,000개의 창문이 있는 집에 살고 있고, 창문을 통해 온 세상에서 떠들어 대는 온갖 소문들을 다 들을 수 있다. 그러니 페메는 동굴 속에서 일어난 디도와 아이네이아스의 사랑을 누구보다 잘 알고 있었다. 특히 그녀는 자신이 알고 있는 것보다 훨씬 더 많은 것을 퍼뜨리고 다녔다.

페메는 카르타고 도시의 골목마다 바람처럼 다니면서 소문을 퍼뜨렸다.

"여왕이 트로이아의 아이네이아스를 남편으로 맞을 것이다. 사냥을 하던 날 두 사람은 동굴 속에서 사랑을 나누었고, 곧바로 부부가 되었다고 한다."

소문의 여신 페메 조각상 ▶
소문이나 명성을 인격화한 여신으로, 좋은 소문을 좋아하고 나쁜 소문에 분개한다. 페메는 신들과 인간의 다양한 일들을 들여다보고 들은 것을 처음에는 속삭이다가 점차적으로 큰 소리로 말하고 모두가 알 때까지 그것을 반복한다. 로마 신화에서는 파마에 해당한다.

이러한 소문은 가이툴리족의 족장 이아르바스의 귀에도 들어가게 되었다.

이아르바스는 그전까지 많은 제우스 신전을 지었고, 제우스에게 많은 제물을 바쳐 디도와의 결합을 빌었다. 그러나 아이네이아스가 여왕의 사랑을 차지하였다고 하니 불만이 터져 나왔다. 그는 신전으로 달려가 제우스께 하소연했다. 말은 하소연이었으나 불만에 찬 원망이었다.

"저는 제우스 주신께 모든 것을 바쳤습니다. 또한 과거 디도 여왕이 이 땅에 왔을 때 그녀에게 땅을 나누어주는 선의를 베풀었습니다. 그런데도 그녀는 저의 청혼을 뿌리치고 트로이아의 난민 아이네이아스와 통정하여 그를 남편으로 맞아들이려 합니다. 저는 당신에 대한 깊은 신앙심으로 신전을 세우고 온갖 제물을 바쳤습니다. 그러나 그 대가는 사랑에 버림받은 처량한 존재가 되었을 뿐입니다. 제 말이 합당하다면 아이네이아스에게 어떠한 벌이라도 내리시기를 바랍니다."

제우스는 이아르바스의 분노를 들었다. 그는 이아르바스가 그동안 자신을 위해 세운 신전과 제단 그리고 많은 제물들을 생각하였다. 또한 아이네이아스의 본연의 운명에 대해서도 생각해 보았다. 제우스는 전령의 신인 헤르메스를 불렀다.

"아이네이아스에게 가서 어서 이곳을 떠나 라티움을 향해 항해하라고 알려라. 그에게 그가 트로이아를 떠나올 때의 직분과 임무를 다시 한번 되새겨 보도록 하라고 당부하여라."

헤르메스는 서둘러 날개 달린 샌들을 신고 카르타고의 아이네이아스의 거처로 날아갔다. 아이네이아스 앞에 사뿐히 내린 헤르메스는 자신의 신분을 밝혔다.

"나는 제우스께서 보낸 전령의 신이다. 주신께서는 여신의 아들이 여

아이네이아스를 만나는 헤르메스_ 코라도 지아갱토의 작품
헤르메스가 아이네이아스에게 제우스의 명령을 전하는 장면을 묘사한 그림이다.

인의 치마폭에 푹 빠져 있는 것을 용납하지 않는다. 네게 정해진 운명을
되새기면서 당장 라티움으로 항해하라는 준엄한 명을 네게 전하노라."

어떤 변명이라도 할 수 있으면 좋으련만 아이네이아스는 헤르메스의
말에 아무런 대답도 할 수 없었다. 트로이아를 떠나올 때부터 자신에게
주어진 새로운 트로이아 건설의 사명은 그의 운명이었다. 또한 아버지
안키세스가 항해 도중에 운명하면서 라티움의 꿈을 이루라는 유언이 아
직도 그의 귓전에 생생하게 맴돌았다.

아이네이아스는 헤르메스가 연기처럼 사라졌는지도 모른 채 고심에
빠졌다. 그의 몸에는 극심한 고통이 몰려왔다. 그가 라티움의 꿈을 되살

아이네이아스와 헤르메스_ 마르칸토니오 프란체스키니의 작품

릴수록 디도와의 열정은 더욱 커져만 갔다. 그러나 제우스의 명령을 거스를 수는 없었다. 그는 이 사실을 디도에게 알리지 않은 채 카르타고를 떠나는 길밖에 없다고 결론 내렸다. 정신을 차린 아이네이아스는 부하들을 불러 은밀하게 출항 준비를 하라고 지시했다.

트로이아 유민들이 아무도 모르게 출항 준비에 서둘렀다. 그러나 소문의 여신 페메는 맨 먼저 트로이아 유민들의 배가 정박해 있는 항구 주변을 돌아다니더니, 이내 디도 여왕의 거처에 날아들어 시녀들의 방으로 들어갔다.

"트로이아인들이 떠날 준비를 하고 있다."

디도는 그날 밤 목욕을 돕는 시녀들에게서 그 소문을 전해 들었다. 그녀는 커다란 충격으로 한참 동안 미동도 하지 않은 채 그 자리에 꼼짝하지 않았다. 그리고 이내 포악하게 날뛰기 시작했다. 디도의 포악함은 그녀의 언니 안나가 와 달랬지만 소용이 없었다.

"어서 그를 내 곁에 데려다주세요."

디도는 오직 제 눈으로 아이네이아스를 확인해야만 진정이 될 것 같았다. 당황한 안나는 아이네이아스를 찾아다녔지만 그의 모습은 어디에서도 찾을 수가 없었다.

디도가 슬픔의 밤을 보낸 다음 날 아침 아이네이아스는 디도의 거처 맞은편 벽에 기대어 서 있었다. 디도는 한숨도 자지 못한 채 퉁퉁 부은 얼굴로 침실을 나와 아이네이아스를 보았다. 아이네이아스도 깊은 밤에 그녀의 침실을 방문했지만 차마 들어가지 못하고 한숨도 자지 못한 채 벽에 기대어 서 있었던 것이다.

디도는 아이네이아스의 두 손을 붙잡고 자신의 침실로 끌어들였다. 침실은 붉은 커튼으로 가려져 있지만 지난 밤 뜬눈으로 지낸 그녀의 체취

디도의 슬픔_ 도소 도시의 작품
디도 여왕이 아이네이아스가 자신을 떠난다는 소식을 듣고 충격을 받은 장면을 묘사한 그림이다.

가 느껴졌다. 그녀는 문을 잠그고 아이네이아스에게 쓰러지듯 기대었다.

"지금 당장 말해주세요. 당신이 이곳을 떠난다는 사람들의 말이 거짓 말이라고 말해주세요."

아이네이아스는 아무런 말도 하지 않았다. 디도는 앞가슴을 풀어 젖

디도와 아이네이아스 모자이크상
아이네이아스는 디도와의 사랑을 외면하고 카르타고를 떠나려 한다.

히고 나서 말을 이었다.

"동굴에서의 열정을 기억하지 않나요. 당신을 위해서라면 무엇이든 하겠어요. 당신의 하녀가 되어도 좋아요. 이 나라를 당신이 차지한다 해도, 당신만 떠나지 않는다면 기꺼이 당신에게 이 나라를 바칠게요. 밤새도록 당신만을 생각하며 열애에 우는 제 마음을 모르시나요. 그러니 제발 애원합니다. 저를 버리지 말아주세요. 그래요 당신은 잔인한 사람이 아닐 거예요!"

아이네이아스는 마음이 갈가리 찢어지는 것 같았다. 그럼에도 그는 그녀의 애원을 뿌리치며 냉정히 말했다.

"내가 이곳에 오게 된 것은 신의 뜻이라는 것을 잘 알 것이오. 또한 내가 당신을 떠나는 것도 내 뜻이 아니라 신의 뜻이오. 우리는 신의 뜻을 거스를 수 없소. 제우스께서 내게 전령을 보내셨소. 우리는 신의 명에 복종해야 하는 일만 남았단 말이오."

아이네이아스의 말을 들은 디도는 돌연 표정이 싸늘해졌다.

"제우스께서 할 일이 없어 당신을 내게서 빼앗아 가시려고 할까요? 그 말을 지금 믿으라는 건가요. 당신은 겁쟁이예요. 당신은 지금 신을 빙자해 카르타고를 도망치려고 하고 있어요. 사람들은 당신을 여신의 아들이라고 부른다지요! 그러나 내가 보기에는 한낱 겁쟁이에 불과해요. 자, 가세요. 더 이상 당신을 붙잡지 않을 거예요. 그 라티움이란 곳에 가다가 배가 뒤집혀 난파가 되어서 나를 부를 거예요. 만약 당신이 라티움에서 나라를 건설한다면 훗날 그 나라와 카르타고는 숙적이 되어 나의 원한을 갚아줄 거예요."

디도 여왕의 저주는 실현되었다. 고대에 카르타고와 로마 사이는 가장 큰 적이자 경쟁자였다. 카르타고의 장군 한니발은 로마를 침입하여 로마인의 간담을 서늘케 하였으며, 로마 제국은 카르타고를 멸망시키기도 했다.

디도 여왕은 아이네이아스를 외면하고는 자리에서 일어나 문을 열고 밖으로 나갔다. 그러나 그녀는 문을 나서자마자 그 자리에서 실신해 쓰러졌다. 시녀들이 비명을 지르며 여왕에게 달려들어 부축하였다.

아이네이아스는 디도의 왕궁을 나와 트로이아 유민들이 기다리는 해안에 도착했다. 유민들은 자신들을 잊지 않고 찾아온 아이네이아스를 반기며 진심으로 감사의 마음을 전했다. 아이네이아스는 서둘러 카르타고를 벗어나고 싶었다. 그는 유민들에게 출항을 준비하라고 명령했다. 그리고 유민들에게 디도 여왕이 준 선물들을 모두 남겨 두고 떠날 것을 지시하였다.

유민들은 어느 때보다 아이네이아스의 명령을 기꺼이 따랐다. 정신없이 출항 준비를 서두르던 아이네이아스는 문득 아들인 아스카니오스가 보이지 않는다는 것을 알았다. 그는 혹시 아들이 디도 여왕의 거처에 남아 있을까 속이 탔다.

"아스카니오스가 보이지 않으니 어디 있는 것이오?"

키잡이 팔리누루스가 대답했다.

"아스카니오스는 진작부터 아카테스와 함께 함선 안에 기거하고 있습니다. 그 아이는 여왕을 좋아하지 않았습니다. 그리고 왕궁에서의 생활도 맘에 들지 않았습니다. 그래서 이곳에 돌아와 아이네이아스 님을 기

출항 준비를 하는 아이네이아스 함대_ 도소 도시의 작품
아이네이아스가 카르타고를 떠나 라티움으로 갈 것을 명령하자 트로이아 유민들이 출항 준비를 하고 있다.

디도를 외면하는 아이네이아스_ 폼페오 바토니의 작품

다리고 있었어요. 아이네이아스 님이 언젠가는 여왕과 헤어져 이곳으로
돌아올 거라며 말입니다."

아이네이아스는 그제야 마음이 놓였으나 한편으로 아들에게 미안하
고 부끄러웠다. 그는 화제를 돌려 막사를 거두게 했다. 그리고 다음 날
새벽에 출항하기로 하고 트로이아 유민들에게 모두 배에서 밤을 보내라
고 명했다.

아이네이아스는 갑판에 누웠지만 쉽게 잠을 이룰 수 없었다. 두고 온
디도 여왕의 울부짖는 모습을 떠올리니 지금이라도 달려가 그녀를 끌어

안고 싶었다. 이런저런 상념으로 밤새 뒤척이다가 겨우 잠이 들었을 때 그의 몸에는 추위를 이기는 모포가 덮여져 있었다. 따뜻한 모포는 그의 아들 아스카니오스가 덮어준 것이다.

한편 카르타고 궁전에서는 디도 여왕이 침실에서 뒤척이고 있었다. 그녀는 좀처럼 잠을 이룰 수 없어 뜬눈으로 어둠 속의 허공을 응시하고 있었다. 어둠의 허공에서 갑자기 아이네이아스가 나타났다. 그는 항구의 배를 향해 걸어가고 있었다. 디도는 아이네이아스를 부르며 잡아보려 했지만 그는 경멸의 표정으로 그녀를 보고는 휙 돌아서 곧장 항구로 갔다.

꿈인지 생시인지 구분이 안 갈 정도로 머릿속이 복잡했지만 서서히 디도의 가슴이 칼로 베인 듯 아파왔다. 그녀는 한참을 침실에서 뒤척이며 슬피 울었다. 그때 어둠의 허공에서 또 다른 환영이 떠올랐다.

어둠 속의 환영은 주술의 여신 헤카테였다. 여신은 어둠 속에서 두 팔을 벌리며 다음과 같이 말했다.

"만약 그대가 누군가를 단 한 번도 만난 적 없는 것처럼 깨끗이 잊고 싶다면, 그를 생각나게 하는 모든 물건을 가져다가 장작불 위에 얹어서 태워버리세요. 태울 때는 밤의 신 에레부스와 암흑의 신 카오스에게 맹세를 해야 해요. 그리고 나서 달밤에 청동 낫으로 벤 검은 독초를 불 속에 던져 넣으세요. 그렇게 하면 그대가 생각하는 모든 것을 잊을 수가 있어요."

◀ 헤카테의 조각상
그리스 신화에 나오는 마법과 주술의 여신이다. 교차로, 문턱, 건널목 등을 지배하고 저승으로 통하는 문을 지키는 수호신이다. 헤카테는 이승과 저승을 오가며 죽은 자들과 소통할 수 있고, 미래의 일을 예언하는 능력이 있다.

디도에게 작별을 고하는 아이네이아스_ 조반니 프란체스코 루마넬리의 작품

 디도는 주술의 여신 헤카테가 하는 말이 쏙쏙 귀에 박혔다. 그녀는 한 가지 희망을 본 듯 자리에서 일어나 침실을 나왔다.

 침실 밖에는 새벽의 여신 에오스가 암흑과도 같은 어둠을 걷어내고 있었다. 디도는 초췌한 얼굴로 언니 안나의 방을 찾았다. 그리고 애써 밝은 얼굴로 안나에게 말했다.

 "같은 피를 나눈 언니여, 아이네이아스를 향한 사랑에서 해방될 수 있는 방법을 찾아냈어요. 궁전 안뜰 마당에 화장용 장작더미를 쌓아주세요. 그리고 그가 입었던 갑옷과 다른 옷들을 올려놔 줘요. 나를 파멸에 이르게 한 결혼 침대도 갖다놔 주세요."

디도의 죽음_ 조슈아 레이놀즈의 작품
디도 여왕은 화장용 장작더미 위에서 스스로 자결한다.

안나는 디도가 시키는 대로 했다. 그녀는 밖으로 나가 일꾼을 불렀다.
그리고 관솔가지와 참나무 가지를 왕궁의 가장 안쪽에 있는 마당으로 가
져오게 했다. 그녀는 동생인 여왕이 죽을 결심을 한 줄은 꿈에도 몰랐다.

여왕은 늙은 시녀를 시켜 안나를 장작더미에서 물러나 있도록 명령했
다. 모든 것이 여왕의 뜻대로 준비되자 그녀는 여왕을 상징하는 큰 칼
을 들고 망루에 올랐다. 그녀는 아이네이아스가 머무는 항구 쪽을 바라
보면서 읊조렸다.

"아, 이제 어떻게 해야 하나? 지금이라도 달려가 그를 붙잡을까? 아
니면 나도 라티움으로 데려가 달라고 할까? 어쩌면 그는 나를 받아줄지

카르타고에서 디도에게 작별을 고하는 아이네이아스_ 클로드 로랭의 작품

도 몰라.”

그러나 그녀는 곧 자신을 책망했다. 아이네이아스는 이미 카르타고 항
구를 벗어난 상태였다. 이제 모든 것이 무너져 내린 여왕은 삶을 지속할
이유를 잃었다. 그녀는 망루에서 내려오면서도 계속 읊조렸다.

“오, 제우스님! 그는 정말 떠나는 것입니까? 아, 왜 나는 그를 사랑하
고 저들을 받아들였을까? 티로스에 첫 발을 내디뎠을 때 그들을 없애려
고 하지 않았을까? 신이시여, 이제야 분노를 터뜨리는 어리석은 제 자신
이 원망스럽습니다. 헤라 여신이여, 그리고 복수의 여신이여, 제 기도를
들어주십시오! 만일 저 저주받은 자가 라티움에 도착하게 되면, 그것이

장작 위의 디도_ 요한 하인리히 티슈바인의 작품
화장용 장작더미에 올라 칼을 쥐고 부들부들 떨고 있는 디도 여왕의 모습이다.

신의 뜻이라면 그들을 끊임없는 전쟁의 굴레에 시달리게 해주십시오! 자기 영토에서 쫓겨나 자기 동료들이 무참하게 죽어가는 모습을 보게 해주십시오! 그가 일찍 죽어 무덤에 묻히지 못한 채 모래 한가운데 누워 있게 해주십시오. 티로스인들과 트로이아인들은 이제 영원한 원수가 되어 자손대대로 싸우게 해주십시오!"

망루에서 내려온 여왕은 장작더미 위로 올라가 손잡이가 벽옥으로 만들어진 칼을 쥐고는 부들부들 떨었다. 한참을 이런저런 생각에 망설이던 여왕은 드디어 결심이 선 듯 손에 힘을 주고 칼끝이 정확히 심장을 향하

디도의 죽음_ 헨리 퓨슬리의 작품
디도는 아이네이아스가 사랑을 저버리고 자신을 배신하자 자결하고 만다.

디도의 죽음_ 세바스티앵 부르동의 작품

게 겨냥했다. 행동은 거칠었지만, 엄청나게 밀려오는 죽음에 대한 공포
는 어쩔 수 없었다. 죽음의 공포에 시달리면서도 그녀는 곧장 장작더미
아래로 몸을 쓰러뜨렸다.

　디도가 삶과 죽음 사이에서 고통스럽게 신음하는 모습을 본 헤라 여
신이 전령의 여신 이리스를 보냈다. 이리스는 여왕의 머리맡에 날아들
어 말했다.

"헤라 여신의 명에 따라 그대의 머리카락을 신성한 제물로 저승의 신에게 가져가고, 그대의 영혼을 그대 육신에서 풀어주마."

이리스가 디도의 머리카락을 자르자 그녀의 몸에서 일시에 온기가 사라졌고 생명은 바람 속으로 흩어져 버렸다.

다시 한번 소문의 여신 페메가 궁전과 도시 구석구석을 바삐 돌아다니기 시작했다.

"여왕이 죽었다! 여왕이 장작더미 위에서 스스로 목숨을 끊었다!"

한편 그 시각 아이네이아스는 이미 육지에서 멀리 떨어진 바다로 접어들고 있었다. 문득 아이네이아스가 뒤돌아 보았을 때, 여왕의 성에서 검은 연기가 피어오르는 것이 보였다. 아이네이아스는 문득 섬뜩한 느낌이 들었다.

'아, 저것은······.'

아이네이아스의 두 눈에는 어느새 회한의 눈물이 맺혔다.

자결하는 디도를 표현한 조각상 ▶

추모 경기를 열다

| 아버지 안키세스를 위해 추모 경기를 여는 아이네이아스 |

아이네이아스의 함대는 카르타고 항구를 뒤로하고 바다를 헤치고 나아갔다. 함대가 순풍에 돛 단 듯이 잘 나가다가 트리나크리아섬의 해안 가까이를 돌아 북쪽으로 항해하는데 갑자기 시커먼 비구름이 몰려오더니 폭풍이 휘몰아치기 시작했다. 거세게 불어닥친 폭풍은 곧장 돛 안에 꽂혔고, 그 바람에 돛대가 삐거덕거리며 배들이 심하게 옆으로 기울었다. 그러다 폭풍이 잠잠해져 겨우 한숨 돌리고 있는데 이번에는 안개가 짙게 피어오르기 시작했다. 한 치 앞도 볼 수 없는 상황에서 자칫 암초라도 만나면 난파당하기 십상이었다. 참다못한 키잡이 팔리누루스가 옆에 서 있던 아이네이아스에게 말했다.

"여신의 아들이시여, 설사 제우스께서 약속하셨다 해도 이런 악조건인 날씨에 라티움으로 가기는 어렵습니다. 이곳에서 멀지 않은 곳에 우리가 들렀던 시칠리아가 있으니 방향을 돌려 그곳으로 가는 게 어떻겠습니까?"

아이네이아스는 팔리누루스의 말에 동의했다.

"자네 말대로 배의 방향을 시칠리아로 돌리게. 오늘 안에 트리나크리아에 도착하면 좋겠네. 내일이면 바로 드레파눔에서 아버지의 장례를 치른 지 꼭 1년이 되는 날일세. 어머니의 신전에서 제사도 치르고 기념 경기도 치렀으면 하네."

아이네이아스의 말을 들은 팔리누루스는 힘차게 키를 잡았다. 곧 배들은 속도를 높여 동쪽으로 향해 항해하기 시작했다. 어느새 안개가 걷히고 그들의 앞에는 시칠리아섬의 해안이 눈앞에 펼쳐졌다. 그들은 저녁 해가 지기 전에 무사히 드레파눔항에 도착할 수 있었다.

시칠리아를 다스리고 있는 아케스테스는 다시 돌아온 트로이아 유민들을 보고 깜짝 놀라면서도 반갑게 맞아주었다. 그는 아이네이아스와 뜨겁게 포옹하고 그들에게 음식을 내어 연회를 열었다. 하룻밤을 잘 지내고 난 아이네이아스는 자신의 동료들과 시칠리아 사람들에게 말했다.

"위대한 트로이아의 유민 여러분! 바로 1년 전 오늘, 내 아버지 안키세스께서 이곳에서 운명하셨소. 그리고 우리는 운명처럼 이곳에 왔소. 그러니 이제 고인의 제사를 지내고 추모 경기를 열겠소. 아케스테스왕께서도 함선 1척당 황소 2마리를 내놓았소. 나도 여러분을 위해 많은 선물을 준비할 것이오. 트로이아 사람이든 시칠리아 사람이든 가리지 않고 모두 참여하여 축제를 즐겨 주시오."

추모식은 9일 동안 진행되었다. 아이네이아스는 먼저 긴 행렬을 이끌고 무덤으로 향했다. 그런데 무덤에 도착해 제사를 준비하는 동안 갑자기 거대한 뱀이 나타나 제단 위를 기어다니며 제물로 차려진 음식들을 이것저것 맛보더니 조용히 땅속으로 사라지는 기묘한 일이 일어났다. 이를 지켜보던 사람들은 놀라기도 했지만 이 지역의 수호신이나 안키세스의 영혼이 뱀이 되어 나타난 것이라고 생각하면서 좋은 징조로 보았다.

드디어 마지막 날 모든 사람들이 기다렸던 추모 경기가 시작되었다. 트로이아 사람들과 시칠리아 사람들은 한데 모여 모처럼 큰 축제를 즐겼다.

시칠리아에 있는 아버지 안키세스의 무덤 앞에서 신들에게 제물을 바치는 아이네이아스_
제단위에 거대한 뱀이 나타나 제단의 음식을 맛본뒤에 조용히 사라진다.

첫 번째 경기는 함선 경주였다. 여러 함선 중 가려 뽑은 4척이 준비 중
이었다.

함선 경기는 갤리선을 타고 펼치는 경기로, 반환점으로 지정한 물에
반쯤 잠긴 바위를 돌아 해안가에 먼저 도착하는 배가 승리하는 경기였
다. 드디어 신호가 떨어지자 4척의 배가 물결을 헤쳐 나갔다. 4척 중 먼
저 기아스가 이끄는 갤리선이 앞서 나갔다. 반환점 바위에 근접하자 메

함선 경기_ 경기 도중 화가 난 기아스가 메노이테스를 배 밖으로 던져버리고 있다.

노이테스는 바위에 부딪힐까 겁을 먹고 배를 크게 돌리도록 지시했다.
그러자 다른 배의 키잡이 클로안투스는 기아스의 갤리선을 바위 쪽으로
밀어붙여 가까스로 반환점을 돌게 하여 최종 직선 코스에서 선두에 나
섰다. 이에 기아스는 화가 나 메노이테스를 배 밖으로 던져버리고 자신
이 노를 잡았다. 메노이테스는 헤엄쳐 반환점 바위 꼭대기에 올라갔다.
2척의 갤리선 후미에는 세르게스투스와 므네스테우스가 이끄는 갤리선

이 따라왔다. 세르게스투스는 욕심을 부리기 전까지는 선두였다. 그러나 반환 속도를 줄이려 너무 근접해 돌다보니, 노가 바위에 부딪혀 부러지면서 뒤처지고 말았다. 결국 므네스테우스가 선두에 근소하게 다가섰다. 므네스테우스는 기세를 몰아 키잡이인 동시에 리더로서 문제를 일으키고 있는 기아스를 따라잡았다. 이제 므네스테우스와 클로안투스가 선두를 경쟁하였다. 클로안투스가 바다의 신들에게 도움을 청하자, 신들은 그를 도와 승리로 가는 길을 확실히 보여주었다.

클로안투스가 가장 먼저 결승선을 끊었고 그 뒤를 이어 므네스테우스, 가이스 순으로 들어왔다. 마지막으로 세르게투스가 들어왔다. 아이네이아스는 이들 각자에게 시상하였다.

두 번째 경기는 달리기 경주였다. 니소스가 이길 것 같았으나 제물로 바쳐진 동물의 내장과 피가 흘러나온 곳에서 미끄러지며 넘어져 피범벅이 되었다. 졌다고 생각한 니소스는 뒤에 오는 선수의 발을 슬쩍 걸어 어릴 적 친구인 에우알루스가 우승하게 하였다. 경기를 마친 후, 니소스에게 걸려 넘어진 선수가 위로의 상을 요구하자, 아이네이아스는 넘어진 자와 우승한 자 모두에게 상을 주었다.

세 번째 경기는 권투로, 첫 번째 선수로 우뚝 선 사람은 트로이아인 다레스였다. 한동안은 그와 싸워 보겠다고 나서는 사람이 없었다. 얼마간 싸움을 붙이는 흥정이 끝난 후, 엔텔루스라는 이름의 시칠리아인이 나섰다.

◀ 쉬고 있는 권투 선수 청동상

시합은 처음에는 동등하
게 진행되었으나, 엔텔루
스가 온 몸의 체중을 실은
펀치를 가했음에도 불구
하고 다레스의 펀치가 바
로 그의 얼굴에 작렬하자
땅에 나뒹굴었다.

권투 경기 장면

그가 쓰러지자 시칠리
아의 왕 아케스테스가 달려와 일으켜 세웠다. 경기는 속개되고, 자존심
에 상처를 입은 엔텔루스가 다레스에게 엄청난 펀치를 가하자 아이네이
아스가 개입하여 경기를 중단시켰다.

"경기가 너무 과열되어 감정이 실리면 자칫 큰일로 번질 수 있다. 이
경기는 분명히 신들이 엔텔루스를 응원하는 것 같다."

참가 선수들과 청중들은 아이네이아스의 말에 모두 따랐다. 엔텔루스
가 우승의 상으로 황소를 받았지만 상대를 응징하지 못한 분노를 이기
지 못했다. 그는 여전히 자신이 뛰어난 펀치력을 지닌 권투 선수라는 것
을 증명하기 위해 수상한 황소의 두 뿔 사이를 가격해 두개골을 부수어
죽여 버렸다.

네 번째 경기는 활쏘기 경기였다. 아이네이아스는 들판에 배의 돛대를
세우고는 꼭대기에 날개를 펄럭이는 새를 줄로 묶어 놓았다. 히포코온이
먼저 나와 활을 쏘았다. 그러나 활은 새를 비켜나 돛대를 맞히고 말았다.
다음에는 므네스테우스가 쏘았는데, 새를 묶은 줄을 맞히어 그만 표적으
로 삼았던 새가 날아가 버렸다. 다음으로 에우리티온의 차례가 왔다. 그
는 그리스군과 전투에서 전사한 위대한 트로이아의 영웅인 판다루스의

활쏘기 시합_ 네 명의 궁수가 활쏘기를 하는 목판화의 한 장면이다.

동생이었다. 그는 자신의 형에게 기도한 후, 날아가는 새를 향해 힘껏 활시위를 당겨 새를 명중시켰다. 마지막 순서는 시칠리아 왕 아케스테스였다. 그는 표적이 없어 활을 쏠 필요가 없었으나, 여전히 자신에게 힘이 남아있다는 것을 증명하기 위해 하늘로 활을 쏘아 올렸다. 왕이 쏜 화살은 공중에서 불을 내고는 이내 유성으로 변하여 날아갔다.

아이네이아스는 아케스테스 왕에게 진정 아폴론의 활 솜씨라고 상찬하면서 우승상을 수여하였고, 에우리티온과 므네스테우스와 히포코온 순으로 상을 주었다.

다음 순서는 소년들의 기병대 작전 시범이었다. 아이네이아스는 이 모

우승자에게 시상하는 아이네이아스_ 페르디난드 볼의 작품
아이네이아스가 함선 경기 우승자에게 시상하는 장면이다.

이리스에게 명령을 내리는 헤라_ 프랑수아 르무아느의 작품
헤라 여신이 무지개와 전령의 여신인 이리스에게 트로이아 여인들에게 내려가 자신의 술책을 이룰
것을 명령하는 장면이다.

의 전투와 기병대 사열에서 소년들을 지도했는데, 이는 훗날 알바 롱가
의 성벽을 쌓는 동안 라틴족들을 가르치는 전통이 된다.

아이네이아스는 경기 동안 리더십을 발휘하여 심지어 파울이 생겨도
불화가 나지 않게 경기를 잘 운영하였고 경기가 끝난 후에는 승자와 패
자에게 신중하게 보상하였다.

아이네이아스가 아버지 안키세스의 추모 경기를 마쳤을 때 헤라 여신
은 이 모든 것을 내려다보면서 아이네이아스가 축제를 벌이는 걸 못마
땅해하였다. 여신은 아이네이아스 내부 진영에 문제를 일으키기로 결심
하고는 전령의 여신 이리스를 해안가에 모여 있는 트로이아 여인들에게

무지개를 뿜어내며 하늘을 나는 여신 이리스_ 가이 해드의 작품

내려보내, 자신들을 무한정 기다리게 하는 이 경기에 불만을 갖게 만들도록 하였다.

이리스는 트로이아의 명망 높은 귀부인 베로에로 변신해 여인들의 불만을 부추기고 배에 불을 지르라고 선동하였다.

"전쟁 때 트로이아의 성벽 밑에서 그리스군 손에 죽어버리는 게 차라리 나았을걸! 고향을 떠난 지 오랜 세월이 지났는데 여태껏 정처 없이 바다를 떠돌고 있다니! 아, 헤라 여신께서는 우리를 또 얼마나 괴롭히실까! 우리가 이 땅에 머물러 있을 수만 있다면 얼마나 좋겠어요? 어젯밤 카산드라의 영혼이 나를 찾아와서는 '여기가 바로 너희들의 고향이다. 너희들은 이곳에 트로이아를 세워야만 한다!'라고 말해주었습니다. 그러니 우리 모두 함선을 불태우기로 해요."

말을 마친 후 그녀는 주변을 밝히고 있던 횃불을 들어 배에다 던졌다. 흥분한 이리스의 행동에 트로이아 여인들은 어떻게 해야 할지 몰라 갈팡질팡했다. 그때 이리스가 본연의 모습으로 변하여 날개옷을 펴고 하늘로 오르더니 거대한 무지개를 창공에 새겨넣으며 날아갔다. 트로이아의 여인들은 놀라며 이구동성으로 말했다.

"저기 저 여인은 베로에가 아니라 여신임이 틀림없다."

처음에 어찌할 바를 몰라 망설이던 여인들은 우왕좌왕했으나 배에 불을 붙이는 데는 그리 오랜 시간이 걸리지 않았다. 경주에 열중하던 남자들에게 이 소식이 전해지자, 아스카니오스가 먼저 말을 타고 달려오고, 사람들이 그 뒤를 따라왔다. 여인들은 자신들이 한 행동을 부끄러워하며 모두 흩어졌으나, 상황은 너무 늦었다.

트로이아 유민들의 생명과도 같은 배가 불에 타자 아이네이아스는 절망하여 제우스 신께 기도했다.

함대에 불을 지르는 트로이아 여인들_ 클로드 로랭의 작품

"배를 구해주시든지 아니면 번갯불로 저를 쳐 죽게 하소서."

제우스는 아이네이아스의 기도를 들어주어 폭풍우를 내려 불을 꺼주
었다. 그러나 많은 배들이 이미 불에 타 파손됐고 불에 타지 않은 배는 4
척에 불과했다. 이 복잡한 사건 후, 아이네이아스는 장차 어떻게 일행을
이끌고 라티움까지 가야 할지 마음이 복잡하고 혼란스러웠다. 그가 근심
하고 있을 때 트로이아의 현명한 노인 난테스가 말했다.

"이곳 시칠리아에 다수의 사람들을 남겨두어 불탄 배들을 수리하도록
하고 4척의 배에 소수 정예만 태우고 여기를 떠나는 것이 좋을 것 같소.
그리고 여인들과 노인들은 이곳에 정착하도록 해야 합니다."

아이네이아스는 난테스의 제안에 동의하지 않았다. 그러나 불타는 하
늘 위에 안키세스가 나타나 아이네이아스에게 말했다.

"난테스의 말을 따르도록 하라. 그래야만 라티움의 길이 열릴 것이다."

아이네이아스는 아버지 안키세스를 보자 그에게 안기려 팔을 벌렸다. 그러나 그것은 환영이었다. 안키세스는 아이네이아스에게 더욱 세차게 말했다.

"네가 이 아비를 추모해준 것은 고맙다. 이제 라티움에는 아주 어려운 전쟁이 기다리고 있으니 강한 전사들을 데리고 가야 한다. 그곳에 도착하면 먼저 지하세계로 내려가, 장차 네 백성들의 미래에 관해 알아보도록 해라. 그리고 그곳에서 죄를 지은 자들의 영혼이 가는 검은 지옥의 수렁 타르타로스가 아닌, 천국인 엘리시움에서 은총을 받으며 지내고 있는 나를 만나게 될 것이다."

안키세스의 영혼은 이렇게 말하고 사라져 버렸다.

다음 날, 아이네이아스는 시칠리아 왕 아케스테스를 만나 트로이아 유민 중 누구를 그의 땅에 남겨두고 가면 좋을지 의논하고, 새로운 도시를 찾아나서기로 결심했다. 며칠 후 모두 같이 모여 연회를 마친 아이네이아스와 일행들은 남은 사람들과 시칠리아 사람들의 배웅을 받으며 드레파눔 항구를 떠나 라티움을 향해 출항했다.

팔리누루스의 죽음

| 키잡이 팔리누루스가 포세이돈의 제물이 되다 |

한편 아프로디테는 아이네이아스가 다시 망망대해로 출항하는 것을 보고는 바다의 신 포세이돈을 찾아가 아들이 안전하게 항해할 수 있도록 부탁했다.

"제우스 신과 버금가는 포세이돈이시여, 청이 있어 당신께 왔습니다."

포세이돈은 미의 여신 아프로디테가 자신을 제우스와 비교하여 존경을 표하자 내심 기분이 좋았다.

"오! 아름다운 당신이 이곳에 무슨 일이오?"

포세이돈의 말에 아프로디테가 말을 꺼냈다.

"당신도 이미 잘 알고 계실 거예요. 트로이아인들이 멸망했음에도 헤라는 아직 분노를 삭이지 않고 유민들을 미워하며 못살게 굴려는 사실을 말이에요. 그래서 이참에 바다의 모든 것을 주관하시는 당신께 간곡히 부탁드립니다. 트로이아 유민들이 당신의 영토 안에 있는 동안에는 부디 안전하게 항해할 수 있도록 그들을 보호해 주세요. 그들이 무사히

아프로디테 칼리피고스 조각상 ▶
'아프로디테 칼리피고스'는 '엉덩이가 아름다운 아프로디테 여신'이라는 뜻으로, 포세이돈은 아프로디테의 엉덩이에 취하여 그녀의 부탁을 들어준다.

아프로디테와 포세이돈_ 프랑수아 페리에의 작품
아프로디테가 포세이돈을 찾아 아이네이아스의 무사 항해를 부탁하는 장면을 묘사한 그림이다.

목적지인 라티움에 도착할 수 있게 도와주세요."

포세이돈은 아프로디테의 아름다운 엉덩이에 잠시 넋을 놓고 있었다.
그러다 아프로디테의 간절한 바람이 담긴 부탁을 받고는 잠시 트로이아
유민들의 배를 한 번 쳐다보았다. 배들은 고요하고도 빠르게 북쪽으로
향해 나아가고 있었다. 포세이돈은 아프로디테에게 은근하게 말했다.

"내가 그대의 아들을 좋아하고 있다는 사실을 그동안 충분히 증명해
보였다고 생각했는데……."

아프로디테는 그가 무엇을 요구하는지를 알면서도 슬쩍 외면하였다.
그리고 다시 한번 그에게 말했다.

"당신이 아이네이아스를 무사히 돌봐 준다면 그 이후 어떤 보상이라도
해줄게요. 그러니 확답을 해주세요."

포세이돈의 마차를 타고 가는 아프로디테_ 봉 불로뉴의 작품

포세이돈은 아프로디테의 대답에 슬며시 미소를 띠고는 짓궂게 말을
이었다.

"나는 성질이 급해서 나중이라는 말은 못 믿겠소. 지금 당장 보답을 받
아야만 일을 할 수 있겠소."

아프로디테는 고운 미간을 일그러뜨리며 토라진 듯한 말투로 말했다.

"당신의 바다에서 태어난 내가 어찌 거짓말을 하겠어요. 하지만 당신
께서 원한다면 지금이라도 당신의 원을 들어주겠어요."

포세이돈은 만면에 웃음을 띠며 말했다.

"하하! 뭐 그리 정색을 하며 말하시오. 내 말을 오해하진 마시오. 나는 아이네이아스 일행 중 한 사람을 바다의 제물로 원할 뿐이오. 그러면 그대 아들의 항해를 무사히 돌봐 주겠소."

포세이돈의 말에 안심한 아프로디테는 포세이돈의 마차를 타고 계속해서 바다 위를 달렸다. 온갖 바다 생물들이 그를 빙 둘러싸고 함께 달렸다. 빠르게 헤엄을 잘 치는 트리톤과 바다의 님프들이 수면 위로 떠오르자 아프로디테는 올림포스로 돌아갔다.

아이네이아스는 잔잔한 밤바다를 보고 제우스 신께 감사를 드렸다. 그는 모처럼 바다 위에서 마음의 평정을 찾을 수 있었다. 노잡이 선원들도 바람에 항해를 맡기고 모처럼 달콤한 잠을 취하고 있었다. 그럼에도 키잡이 팔리누루스는 절대 바다를 믿지 않았다. 언제 변덕을 부려 바다 위에 풍랑을 일으켜 배를 뒤집어 놓을지 알 수 없는 일이었기 때문이다. 그는 배의 구석구석을 점검하고 또 점검하였다.

이때 잠의 신 히프노스가 하늘에서 내려와 포르바스라는 트로이아인으로 변신하였다. 그는 팔리누루스의 앞에 나타나 말했다.

"팔리누루스! 순풍이 이어지고 있으니 그대도 쉬도록 해요. 내가 대신 키를 잡아주겠으니 잠시 눈을 붙이도록 하세요."

그러나 팔리누루스는 히프노스의 말에도 꿈쩍하지 않았다. 그러자 잠의 신은 손에 들고 있던 마법의 가지를 흔들어 지하세계를 흐르는

잠의 신 히프노스 두상 ▶

망각의 강인 레테강에서 가져온 물방울을 떨어뜨려 팔리누루스를 금세 졸리게 만들었다. 마침내 팔리누루스는 선미와 방향타를 부수고 물 밖으로 떨어졌는데, 그가 도움을 요청하는 소리를 아무도 듣지 못했다.

한참을 지난 후에야 아이네이아스는 배가 이상하게 흔들리며 앞으로 나가는 것을 깨닫고, 무언가 심상치 않다는 예감이 들었다. 아이네이아스는 곧 침상에서 뛰쳐나와 갑판 위로 달려갔다. 그의 시야에는 부서져 나간 널빤지가 들어왔고, 그 순간, 아이네이아스는 무슨 일이 일어났는지 짐작할 수 있었다. 팔리누루스가 포세이돈의 제물이 된 것을 알아차린 것이다.

"불쌍한 팔리누루스! 너는 땅에 묻히지도 못하고, 포세이돈이 데려가는구나. 너의 혼은 저승으로 건너가는 검은 스틱스강 물 위를 정처 없이 떠돌며 울부짖게 될 테지. 너처럼 땅에 묻히지 못한 자의 영혼은 뱃사공 카론이 나룻배에 태워 강을 건네주지 않으니 말이다."

아이네이아스는 키잡이 팔리누루스의 죽음으로 안전한 항해를 하여 마침내 쿠마이 해안에 도착했다.

◀ 배 밖으로 떨어지는 팔리누루스_
마졸리카 도자기 그림.

"이번 항해 일정은 곧 끝을 맞을 것이다. 다음번에 우리가 다시 육지를 밟게 된다면, 그곳이 우리가 염원하던 신천지 라티움이 될 것이다."

아이네이아스는 혼자 독백처럼 말을 하고는 무언가 알 수 없는 공포에 휩싸였다. 그는 이곳에서 자신이 할 일을 알고 있었다. 그것은 무녀 시빌레를 찾아가는 일이었다.

그는 한참을 주저하다가 마침내 입을 열었다.

"나는 이곳에 있는 아폴론의 신전을 지키는 시빌레라는 예언자를 만나야 한다. 그녀를 만나라는 것은 헬레노스의 조언이었다. 그녀는 나에게 하데스가 다스리는 저승의 세계를 안내할 것이다. 그곳에서 나는 아버지 안키세스를 만날 것이다. 나 역시 아버지와 만나고 싶다."

아이네이아스의 말이 끝나자마자 아카테스가 말을 받았다.

"오! 저는 오래전부터 저 지하의 죽은 자들의 세계가 어떻게 생겼는지 매우 궁금했습니다. 그렇다고 저의 궁금증 때문에 목숨을 버릴 수는 없었지요. 하지만 아이네이아스님이 가신다면 저도 데려가 주십시오."

아이네이아스는 고개를 가로저으며 말했다.

"언젠가 한 번은 가야 할 곳이네. 만약 살아서 그곳을 본다면 나중에 죽어 다시 그곳에 갈 때까지 두려움에 떨며 살아가게 될 것이야. 그러니 나는 널 데리고 갈 수 없다. 그 대신 날 위해 네가 할 일이 따로 있다. 지금 아폴론의 신전 안에 있는 시빌레를 찾아 나에게 모시고 오너라! 나는 신전 밖에서 기다리고 있겠다."

아이네이아스와 아카테스 일행들은 시빌레의 훌륭한 신전에 도착했다. 아카테스는 아무런 말을 하지 않고 신전 안으로 들어갔다.

신전은 예전에 크레타의 장인 다이달로스가 미노스왕으로부터 도망쳐 나왔을 때 지은 신전이었다. 다이달로스는 자기가 직접 만든 날개를 달

이카로스에게 날개를 달아주는 다이달로스_ 오라치오 리미날디의 작품
다이달로스가 크레타 왕의 미움을 사 아들 이카로스와 함께 갇혔을 때 날개를 만들어 하늘로 탈출
하려는 장면이다.

고 바다 위를 날아 이곳으로 도망쳐 올 수 있었다.

그러나 그의 아들 이카로스는 비행에 도취한 나머지 아버지의 경고를 무시하고 한껏 하늘 높이 올라갔다. 그러자 태양의 뜨거운 열기가 날개의 밀랍을 녹였고 날개를 잃은 이카로스는 그대로 바다로 추락했다.

다이달로스는 그의 위대한 예술을 통해 아들을 잃은 슬픔을 승화시키려고 이곳에 훌륭한 신전을 지었던 것이다.

아이네이아스와 트로이아 유민들은 신전 문 위에 장식된 그림들을 감탄하면서 바라보고 있었다. 그림 속에는 다이달로스가 만든 미궁과 미궁 한가운데 황소인간인 미노타우로스가 살아 움직일 것처럼 서 있었다. 또한 미궁을 들어가는 아테네의 영웅 테세우스의 조각도 보였다.

추락하는 이카로스_ 조셉 블론델의 작품
자만에 빠진 이카로스가 태양을 향해 날다가 추락하는 장면이다.

시빌레 신전 유적이 있는 풍경_ 위베르 로베르의 작품

기원전 2세기에 세운 신전으로, 그리스 신화에 나오는 무녀 시빌레를 모셨던 것으로 보인다. 아니에
네 강 부근의 빌라그레고리아나 공원 옆 언덕의 인공 단 위에 있다. 신전 자리는 에트루리아와 로마
의 고대 도시 티부르의 아크로폴리스가 있던 곳이다. 일찍이 중세 시대인 AD 978년에 신전을 성 조
지 교회로 사용하였으나 오늘날 그 흔적은 보이지 않는다.

얼마 후 두 개의 육중한 신전 문이 열리기 시작했다. 아이네이아스와 일행들은 초조한 마음으로 뒤로 물러났다. 드디어 신전 안에서 한 여인의 모습이 보였다. 그녀는 약간 두려운 기색을 나타내며 한 손으로 턱을 괴고 앉아 있었다. 조금 후 그녀는 환한 빛을 피하려는 듯 문이 열린 그림자 부분까지 걸어 나왔다. 그녀의 뒤로는 아카테스의 모습이 보였다. 그는 지금 있는 곳이 매우 마음에 들지 않으며 얼른 문밖으로 나가고 싶다는 표정을 얼굴 가득 담고 시무룩하게 서 있었다.

아이네이아스는 일행들을 뒤로 물러나게 하고는 시빌레를 맞으러 문 앞에 가까이 섰다.

시빌레는 우두커니 서 있는 아이네이아스에게 말을 건넸다.

"당신이 이곳에 올 것이라고 생각했습니다. 이제 그대들에게 신탁을 전할 때가 되었군요. 이곳에 아폴론 신께서 와 계세요."

말을 마친 그녀는 얼굴빛이 변하고 머리카락이 옅은 미풍에 풀어 헤쳐져 흩날렸다. 그녀는 아이네이아스를 뚫어지게 바라보며 말했다.

"무엇을 망설이고 있는 거예요? 그러려고 여기까지 온 것이 아니지 않소. 신께 자비를 베풀어달라고 먼저 기도를 올린 후에 나를 따라 동굴로 오시오."

◀ 시빌레 조각상
시빌레는 그리스 신화를 비롯하여 여러 신화에 등장하는 무녀이다. 나중에는 무녀를 총칭하는 일반 개념이 되었다.

그제야 트로이아 남자들은 서둘러 송아지와 암양을 제물로 바치고 머리를 조아렸다. 아이네이아스도 기도를 올렸다.

"포이보스 아폴론 신이시여, 드디어 우리가 원하던 헤스페리아의 해안에 도착하여 신을 경배합니다. 간절히 기도드리오니, 재앙이 더 이상 일어나지 않게 도와주소서! 라티움에 도착하면 신을 위해 대리석 신전을 짓고, 당신의 위대함을 온 세상에 울려퍼지게 하겠습니다. 또한 간청드리오니, 당신을 모시는 여사제의 입을 통해서 우리에게 미래의 운명을 알려주십시오."

시빌레는 아이네이아스의 기도가 끝나자 입을 열었다.

"이제 나를 따르시오!"

시빌레는 트로이아 유민들을 이끌고 신전 뒤로 걸어갔다. 신전 뒤에는 커다란 입을 벌린 듯한 동굴 입구가 나타났다. 시빌레는 그 자리에 조용히 멈춰 섰다. 그녀는 무아지경의 황홀경에 빠진 듯 숨을 헐떡거리더니, 두려움에 이를 딱딱거리며 힘겹게 한 마디 한 마디 말을 떼었다.

"신이 가까이 계시다! 신께서 내 몸에 들어오시려 한다."

트로이아 유민들은 공포에 사로잡혀 꼼짝하지 못하고 그녀를 응시하였다. 마침내 그녀는 예언을 토해내었다.

시빌레_ 미켈란젤로 ▶
시스티나성당의 프레스코화이다.

시빌레_ 프란체스코 바치아카의 작품
고대 신화에 등장하는 시빌레의 전형은 소아시아 지역으로 추정된다. 그녀에 대한 숭배 문화의 뿌리
는 소아시아 지역에서 행해지던 대모지신 의식, 예를 들면 키벨레 여신 숭배 등에서 찾을 수 있는데,
황홀경 속에서 예언을 쏟아내는 고대 오리엔트의 무녀 형식이 그리스 신화에 녹아 들어간 것으로 보
인다. 대개는 남성 예언자에 대비되는 카산드라와 같은 여성 예언자의 형태로 나타난다.

"오, 마침내 바다의 위험들을 물리친 자여! 트로이아인들은 라티움 땅으로 들어갈 것이다. 그러나 그대들은 이곳에 온 것을 후회하게 되리라. 끔찍한 전쟁이 끊이지 않고, 티베르강이 피로 붉게 물들며, 죽은 영혼들이 떼를 지어 저승 문으로 들어가는 모습이 보이는구나. 또한 너와 비견되는 적이 너를 기다리고 있는데, 그는 아킬레우스만큼 강하고 용감하다. 그리고 트로이아 전쟁의 원인이었던 헬레네처럼 한 여인을 두고 무시무시한 전투가 벌어질 것이다. 그러나 그대는 이 모든 재앙에 무릎 꿇지 말고 그대 운명이 허락하는 한 과감히 맞서도록 하라. 그대를 도와줄 왕이 나타날 것이다."

예언을 마친 시빌레는 그 자리에서 쓰러지고 말았다. 한바탕 몸을 사

시나무 떨듯 부르르 떨더니 겨우 정신을 차렸다. 그녀의 이마에는 송글송글 땀이 배어나왔다. 아이네이아스는 시빌레의 입을 통해 전해지는 아폴론의 신탁이 온통 수수께끼 같았다. 그는 애당초 라티움에서 편히 도시를 세울 것이라 여기지 않았다. 그런데 막상 신탁을 듣는

쿠마이의 시빌레_ 안드레아 델 카스타뇨의 작품
쿠마이의 시빌레는 아이네이아스가 저승으로 가는 모험을 할 때 안내하였다고 한다. 이승으로 돌아오는 길에 아이네이아스가 신전을 짓고 제물을 바치겠다고 하였으나, 자신이 인간이라는 이유로 이를 거절하였다. 한때 아폴론은 시빌레에게 구애하면서 무슨 소원이든 들어주겠다고 하였는데, 시빌레는 손에 한 움큼의 모래를 쥐고 모래알의 수만큼 수명을 내려달라고 말했다. 그러나 그 수명이 계속되는 동안 젊음을 유지하게 해 달라는 말은 하지 않은 데다가 마음이 변하여 결국 아폴론의 구애를 받아들이지 않았으므로, 성난 아폴론은 그녀가 요구한 모래알만큼의 수명은 주었으나 나이가 드는 만큼 늙도록 내버려 두었다.

아이네이아스와 시빌레_ 프랑수아 페리에의 작품
아이네이아스가 시빌레에게 저승을 안내해 줄 것을 부탁한다.

순간 앞이 캄캄해졌다. 그는 시빌레에게 말했다.

"예언의 사제여! 내 청을 한 가지 들어주시오. 이곳에는 저승으로 향하는 문이 있다고 들었소. 나를 사랑하는 아버지 안키세스 앞으로 갈 수 있게 해주시오."

그러자 시빌레가 말했다.

"트로이아인 안키세스의 아들이여, 죽은 자들의 나라로 내려가는 것은 쉽다. 온밤, 온 낮 동안 내내, 하데스의 문들은 열려있도다. 그러나 길을 되돌아와, 천상의 달콤한 공기를 향해 나오는 일은 실로 애써야 할 일이다."

아이네이아스는 시빌레의 말에도 고집을 꺾지 않았다.

"엘리시움에 계신 아버님을 뵐 수만 있다면 저승에서 돌아오지 못한다 해도 후회하지는 않겠습니다."

시빌레는 그의 청을 뿌리칠 수 없다고 판단하고 아이네이아스를 응시하며 말했다.

"스틱스강을 두 번 건너는 것이 그대의 소원이라면 들어주겠어요. 하지만 그 전에 해야 할 일이 있어요. 나무들 사이에 황금 잎이 달린 황금가지 하나가 감추어져 있는데 그 가지를 가져가야만 저승의 문으로 들어갈 수 있소. 죽음의 여왕 페르세포네는 황금가지를 선물하는 자에게만 문을 열어주기 때문이오."

시빌레는 잠시 숨을 고른 후 몸을 다시 부르르 떨더니 입을 열었다.

"지금 이 순간에 당신 동료 중 한 명이 죽어서 해변에 누워 있소. 그의 장례를 치르지 않으면 화가 미칠 테니, 시신을 거둬 땅에 묻어주도록 하시오!"

이 말을 마친 시빌레는 자리를 떠났다. 당황한 트로이아 유민들은 겁먹은 얼굴로 아이네이아스를 바라보았다. 그는 몇 안 되는 산 사람만이 다녀온 저승을 내려가겠다는 것인가? 오르페우스와 테세우스, 헤라클레스, 오디세우스처럼 성공하겠는가? 의문이었다. 게다가 또 다른 끔찍한 일이 아직 남아 있었다. 대체 동료들 중 누가 그사이에 목숨을 잃었

◀ 페르세포네 조각상
그리스 신화에서 페르세포네는 제우스와 대지의 여신 데메테르 사이에서 난 딸로 꽃밭을 거닐다 하데스에게 납치되어 하계로 끌려가 하데스의 아내로 지내게 된다. 이후 그녀를 저승의 여왕이라 부른다.

미세노스 장례를 치르는 목판화_ 세바스티안 브란트의 작품

단 말인가? 항해 중 키잡이 팔리누루스는 바다에 뛰어들어 포세이돈의 제물이 되었다. 그러나 그 이후 누구도 죽지 않았기에 의문이 들었다.

그런데 해안에 정박하고 있는 아이네이아스 함대에 남아있는 사람 중 나팔수 미세노스가 싸늘한 죽음으로 해변에 누워 있었다. 그는 자신이 소라 나팔을 포세이돈의 아들 트리톤보다 잘 분다고 오만한 생각을 하여 그에게 시합을 걸었다가 물에 빠져 죽었다. 트로이아 유민들은 미세노스의 시신을 격식에 맞춰 엄숙하게 장례를 치렀다.

나팔수 미세노스 ▶
트로이아의 영웅 헥토르의 나팔수로서 트로이아 전쟁에 참가하였으며, 전쟁이 끝난 뒤에는 이탈리아로 항하는 아이네이아스와 동행하였다. 항해 도중에 바다의 신 포세이돈의 아들 트리톤에게 소라 나팔 불기 시합을 도전하였다가 미움을 사서 바다에 빠져 익사하였다.

한편 아이네이아스는 숲에 들어가 황금가지를 찾아 헤매고 있었다. 하지만 숲으로 가득찬 산에서 황금가지를 찾아내는 것은 인간으로는 불가능한 일이었다. 그럼에도 아이네이아스는 포기를 모르고 이 나무 저 나무 곳곳을 살폈다.

그때였다. 아이네이아스의 머리 위에서 두 마리의 흰 비둘기가 맴을 돌았다. 아이네이아스는 문득 어머니를 떠올렸다. 비둘기는 미의 여신 아프로디테의 상징과도 같은 새였다.

"어머니."

아이네이아스는 희망을 가졌다. 두 마리의 비둘기는 아이네이아스를 보자 곧장 날아올라 앞장서고는 따라오는 아이네이아스에게 황금가지가 있는 곳을 알려주었다. 황금가지를 찾자 아이네이아스는 마치 어린아이처럼 흥분했다. 아이네이아스가 가지를 꺾자 바로 황금가지가 생겨났는

아프로디테와 비둘기_ 프란체스코 하예즈의 작품
아프로디테는 아이네이아스가 황금가지를 찾아나서자 비둘기를 보내 도와준다. 아프로디테의 상징은 비둘기, 제비, 백조, 염소, 아네모네, 장미, 사이프러스, 보리수, 몰약나무, 사과 등이다.

황금가지를 꺾는 아이네이아스_ 바츨라프 홀라의 작품
아이네이아스가 비둘기가 알려준 황금가지를 찾아 꺾자 황금가지가 다시 생겨난다.

아이네이아스와 시빌레_ 조셉 말로드 윌리엄 터너의 작품
아이네이아스와 시빌레가 나폴리 인근 아베르누스 크레타의 호수의 지하세계 입구에 서 있는 장면
이다.

데, 이는 좋은 징조를 나타내는 것으로, 시빌레는 만일 가지가 다시 생겨
나지 않으면 불행이 닥칠 것이라고 알려준 바 있었다.

아이네이아스는 숲에서 빠져나와, 산 위에 있는 시빌레가 머무는 아폴
론 신전으로 올라갔다. 아이네이아스가 황금가지를 그녀에게 내어놓자
시빌레는 고개를 끄덕이며 말했다.

"당신이 황금가지를 꺾어올 줄 알고 있었어요. 그것은 내가 맡아두겠
어요."

시빌레는 아이네이아스와 함께 유황 연기가 검은 베일처럼 나무들을
휘감고 있는 곳에 다다랐다.

연기를 헤치고 앞으로 나가니, 호숫가 한 켠에 시커먼 구멍이 입을 벌리고 모든 것을 삼키려는 듯한 모습의 동굴이 나타났다. 그곳에서 독성을 품은 김이 끓어오르며 하늘 위로 퍼지고 있었다.

조금 떨어진 곳에 있는 나무에 살진 양 한 마리가 묶여 있었다.

시빌레는 아이네이아스에게 양을 제물로 바치게 했다. 곧이어 그녀가 의식을 치른 후 제물을 통째로 불길 위에 얹고 기름을 붓자 발밑에서 땅이 열리며 저승의 개 케르베로스가 짖는 소리가 들려왔다. 저승의 여신 헤카테가 다가오고 있다는 신호였다. 그러자 시빌레가 아이네이아스에게 일렀다.

"자, 칼을 뽑아 들어요. 지금이야말로 그대에게 용기가 필요한 때니까!"

아이네이아스는 두려움 없이 칼을 빼어 들고 그녀의 뒤를 따랐다. 그들은 어느 순간 자신의 의지와는 상관없이 어둠을 뚫고 끝없이 아래로 떨어져 내려갔다. 그들이 발밑에 딱딱한 바닥이 닿는 것을 느꼈을 때, 끝이 보이지 않는 넓고 황량한 공간에 서 있었다. 그들은 마침내 저승의 문턱에 도착한 것이다.

저승을 내려가다

| 아이네이아스가 시빌레를 따라 저승을 방문하다 |

저승의 입구 앞에는 슬픔과 후회가 누워 있었다. 또 무서운 병과 공포
와 배고픔과 죽음이 있었다. 이어서 죽음과 한 형제인 잠과 쾌락이 있었
고, 그 맞은편에 죽음을 가져다주는 전쟁이 도사리고 있었다. 다른 편 어

강이 흐르는 지옥_ 야콥 반 스와넨버그의 작품
저승을 흐르는 강 중 코키토스는 불이 흐르는 강 플레게톤과 반대로 얼음장처럼 차가운 물이 흐른다.
이 강의 물을 마시면 망자들은 지상에서의 삶이 끝났다는 것을 깨닫고 비탄에 잠기게 된다.

두컴컴한 구석에는 뱀의 머리카락을 한 불화의 여신 에리스도 있었다. 또한 거대한 느릅나무에는 잎들마다 거짓과 헛된 망상이 주렁주렁 매달려 있었다.

조금 더 지나자 스킬라와 켄타우로스 등의 괴수들이 눈을 치켜뜨며 당장이라도 달려들 것처럼 위협적으로 서 있었다. 아이네이아스는 괴수들을 향해 칼을 겨누었다. 그러자 시빌레가 아이네이아스의 팔을 잡았다.

"저것들은 실체가 없는 허상일 뿐이오."

시빌레가 일러주지 않았다면 아이네이아스는 허공에 대고 칼을 휘둘렀을 것이다.

바로 그곳에 아케론강의 지류가 시작되고 있었다. 펄펄 끓는 진흙처럼 부글거리는 아케론의 강물은 꿈틀거리며 지류 아래의 비탄과 탄식의 강이라고 일컬어지는 코키토스로 흘러들어 갔다.

영혼들을 싣고 스틱스강을 건너는 카론_ 알렉산더 드미트리히 리토브첸코의 작품
카론은 죽음의 배를 모는 뱃사공이지만 노를 젓는 것은 영혼들의 몫이었다고 한다.

아케론 중간쯤의 증오의 강 스틱스강 가에 이르자, 강을 건너려는 죽
은 영혼들이 저승의 뱃사공 카론의 나룻배를 타러 몰려들고 있었다. 그
들은 저마다 어서 빨리 강을 건너게 해달라고 카론에게 애원했다. 그러
나 냉정하기 짝이 없는 카론은 어떤 이는 받아들였고, 어떤 이는 밀쳐
냈다.

아이네이아스는 시빌레에게 물었다.

"저들은 왜 저토록 간절하게 저 강을 건너게 해달라고 울부짖나요? 왜
어떤 이는 건너고 어떤 이는 남는 겁니까?"

그러자 시빌레가 대답했다.

"그대가 보고 있는 것은 이승과 저승의 경계를 이루는 스틱스강이에요. 신들도 맹세를 할 때 스틱스강에 대고 맹세를 하지요. 제우스님이라 하더라도 저 강에 대고 한 맹세는 거역할 수 없어요. 저 강은 매장을 한 영혼만이 건널 수 있는데, 매장을 못한 영혼은 강둑에서 백 년을 기다려야 건널 수 있어요."

아이네이아스는 측은한 마음이 들어 강을 건너지 못하는, 강둑에 있는 영혼들을 다시 한번 쳐다보았다. 그러다 그는 갑자기 움찔하였다. 그곳에는 자신의 키잡이 팔리누루스도 있었는데, 그는 강둑에서 매장되지 못한 영혼들과 함께 강을 건너지 못한 채 앉아 있었다.

아이네이아스와 팔리누루스_ 작자 미상
스틱스강 둑에서 팔리누루스를 만나는 아이네이아스.

바다에 빠지는 팔리누루스_ 17세기 목판화 삽화

아이네이아스는 영혼의 그림자들을 피하여 팔리누루스를 향해 다가
갔다.

"팔리누루스!"

아이네이아스는 너무나 반가운 나머지 그를 끌어안으며 소리를 쳤다.
그러나 팔리누루스는 손에 잡히지 않는 영혼으로, 연기처럼 아이네이아
스의 손을 빠져나갔다.

"오! 바다가 자넬 데려가 버리는 바람에 매장을 할 수 없었다네."

팔리누루스는 영혼으로서 아이네이아스에게 말했다.

"아닙니다. 신이 저를 죽인 게 아니라, 키가 부러져 물에 빠졌어요. 저
는 바다에 빠진 후 사흘 밤낮을 차가운 물결에 휩쓸려 다녀야 했습니다.
그리고 눈앞에 헤스페리아의 해안을 발견하고는 저는 죽을힘을 다해 헤

아이네이아스와 시빌레_ 피에트로 테스타의 작품
시빌레가 카론에게 황금가지를 보이는 장면이다.

엄쳐 육지로 올랐지요. 그런데 그곳에 사는 토착민이 저를 죽여 바다에
버렸어요. 여신의 아들이여, 저의 시신을 찾아 매장해 주십시오, 아니면
저 강을 건너게 해 주십시오."

그때 시빌레가 호통을 치듯 말했다.

"그대를 우리가 데려갈 수 없다는 것을 잘 알 것이다. 그대의 시신은
다른 현지인들이 묻어줄 것이다. 그리고 그대가 빠진 곳의 이름은 사람
들이 그대의 이름을 따서 부르게 될 것이다."

시빌레의 말을 들은 팔리누루스는 만족하였다. 시빌레는 팔리누루스
를 달래고는 뱃사공 카론에게 다가가 아이네이아스가 자신의 죽은 아버

케르베로스_ 윌리엄 블레이크의 작품

케르베로스는 저승세계의 입구를 지키는 개이다. 티폰과 에키드나의 자식으로 알려져 있는데, 외모는 세 개의 머리를 가지고 있고, 꼬리는 뱀이며, 턱 주위에도 무수한 뱀 머리가 나 있고, 검고 날카로운 이빨을 가진 모습으로 그려진다. 턱에 나 있는 무수한 뱀 머리는 맹독을 뿜어내며 그 독으로 인해 생긴 식물이 바꽃이다. 케르베로스는 청동 기구를 서로 문지르는 것 같은 울음소리를 낸다. 그 소리를 들은 자는 소름이 끼치고 몸이 얼어서 아무것도 할 수 없게 된다고 한다.

지를 만나러 가는 길이라 설명하고는 황금가지를 보여주자 카론은 군말 없이 이들을 배에 태워주었다.

아이네이아스와 시빌레가 카론의 배에 내려 저승 입구로 들어서자 저승의 수문장 케르베로스가 두 사람의 그림자를 보고 사납게 짖어댔다. 세 개의 목구멍으로 컹컹 짖어대는 소리가 어찌나 크고 사납던지 아이네이아스는 발길을 제대로 옮기지 못했다.

시빌레가 꿀을 바른 작은 먹이를 하나 꺼내 케르베로스 앞으로 던졌다. 그 먹이에는 깊은 잠에 빠지게 하는 약초가 섞여 있었다. 케르베로스는 먹이에 탐욕스럽게 달려들어 단숨에 먹어치웠다. 약 기운에 빠진 케르베로스는 졸음을 이기지 못하고 벌러덩 자빠져 깊은 잠에 빠졌다.

아이네이아스와 시빌레는 케르베로스 옆을 지나 저승의 문을 들어섰다. 안으로 들어가자 넓은 정원이 나왔다. 그곳에서 어린 영혼들의 울음소리가 들렸다. 죽음의 신 타나토스가 엄마의 젖가슴에서 억지로 떼어낸 어린아이들의 영혼이었다.

다음에는 어두컴컴하고 천장이 둥근 방의 문이 열렸다. 그곳에는 억울하게 모함을 받아 사형 선고를 받은 이들의 영혼이 있었다. 그들은 크레타의 왕이었던 미노스의 공정한 심판을 기다리고 있었다.

그 옆에는 잿빛의 음산한 안개가 스며나오는 방이 있었는데, 그곳에는 삶을 포기한 인간의 영혼들이 모여 있었다. 그들은 스스로 자살을 했지만 꼭 한 번만이라도 태양 빛을 볼 수 있기를 기원하는 것 같았다. 그러나 그들이 택한 자살은 커다란 죄악이었기 때문에 두 번 다시 태양을 볼 수는 없을 것이다.

길은 계속해서 도금양나무가 우거진 슬픔의 숲으로 이어지고 있었다. 그곳에는 남편을 의심하다 남편이 던진 창에 맞아 죽은 프로크리스와

미노스 조각상 ▶

미노스는 제우스와 에우로페 사이에서 난 아들로 라다만티스, 사르페돈과 형제지간이다. 그는 죽은 뒤에 하데스의 나라에서 라다만티스, 아이아코스와 함께 망자들의 지상에서의 행적을 심판하는 저승의 심판관이 되었다고 한다.

테세우스의 후처이자 의붓아들인 히폴리토스를 사랑하여 스스로 목숨을 끊은 파이드라가 창백한 얼굴로 아이네이아스를 노려보는 듯했다.

파이드라의 차가운 시선을 뒤로하고 또 한 여인이 고개를 숙이고 있었다. 그녀는 아이네이아스를 외면하려는 듯 고개를 반대로 돌렸다. 순간 아이네이아스는 온몸이 움찔거리며 경직되고 말았다.

"아! 당신이구려."

아이네이아스는 카르타고의 여왕 디도를 알아본 것이다.

"불쌍한 디도, 당신이 칼로 생을 마감했다는 소문을 들었는데 그것이 사실이었단 말이오? 아, 당신은 정말 나 때문에 죽은 거요? 신들의 이름

파이드라_ 알렉산드로 카바넬의 작품
그리스 신화에서 파이드라는 크레타의 왕 미노스와 왕비 파시파에 사이에서 태어난 딸로 아리아드네와 자매지간이다. 크레타와 아테네 사이의 정략결혼으로 테세우스의 두 번째 아내가 되어 데모폰과 아카마스를 낳았다. 전처의 아들인 히폴리토스를 사랑하지만 자신의 소망이 이루어지지 않자 그를 모함하는 편지를 남기고 자살하였다.

디도의 자결_ 요제프 스탈레트의 작품
디도는 아이네이아스가 자신을 떠나자 자결하고 만다. 그리고 그녀의 영혼은 지하세계에서 아이네
이아스를 만난다.

을 걸고 당신에게 다시 한번 맹세하겠소. 당신을 떠난 건 내 의지가 아니
었소. 그건 신들의 명령 때문이었소. 내가 떠나는 것이 당신에게 그토록
큰 고통을 안겨 주리라고는 미처 생각지 못했소!"

　아이네이아스가 눈물을 흘리며 그녀를 달랬다. 그러나 디도는 이미 아
이네이아스에게서 등을 돌린 후였다. 그녀는 어두운 숲속으로 걸어 나갔
고 그곳에선 그녀의 전 남편 시카이우스가 그녀의 고통을 어루만지며 아
이네이아스의 시야에서 사라져 버렸다.

아이네이아스는 너무도 슬픈 나머지 저승에서 벌어지는 일들에 조금도 주의를 기울이지 않고, 오로지 깊은 상념에 잠겼다. 이를 지켜본 시빌레가 그를 이끌었다.

"이승과 저승의 일로 번뇌한다는 것은 아무 소용이 없어요. 어서 이곳의 일을 보고 당신의 세계로 돌아가도록 하세요."

아이네이아스는 정신을 가다듬고 시빌레의 뒤를 따랐다. 도금양나무 숲을 뒤로하고 아이네이아스는 시빌레의 뒤를 쫓아갔다. 그들이 도착한 곳은 넓은 평야였다. 그곳은 전쟁터에서 죽은 영혼들이 머무는 곳이었다. 아이네이아스는 그곳에서 생사고락을 같이한 동료들을 만났다.

티테우스, 글라우코스, 메돈 등 트로이아의 전사들은 아이네이아스를 알아보고 다가왔다. 서로 포옹을 할 수는 없었으나 반가워하며 이야기를 나눴다. 그런데 조금 떨어진 곳에 또 다른 무리의 병사들이 보였다. 그들은 적이었던 그리스군의 병사들이었다. 그들은 아이네이아스를 보자마자 공공연하게 적대감을 드러내며 그를 노려보았다.

아이네이아스가 그들에게 다가가자 여기저기서 끔찍한 비명을 내지르고 도망치기 바빴다. 마지막으로 온몸에 처참한 상처를 입은 한 남자의 영혼이 다가왔다. 아이네이아스는 그가 누구인지 골똘히 바라보았다. 그러고는 이내 신음을 내뱉었다. 그는 프리아모스왕의 아들 중 하나인 데이포보스였다.

데이포보스는 헥토르가 가장 총애하고 아꼈던 동생이었다. 파리스가 죽자 헬레네를 아내로 맞이했지만 트로이아가 함락된 후 헬레네의 전남편 메넬라오스에 의해 처참하게 살해되었다.

"자네는 데이포보스가 아닌가? 자네에게 도대체 무슨 일이 일어난 건가? 우리가 마지막 전투를 벌였을 때 자네를 보지 못했네."

아이네이아스와 시빌레_ 얀 브뤼겔의 작품
시빌레와 아이네이아스가 지옥에서 엘리시움으로 향하는 모습이다.

아이네이아스의 말을 들은 데이포보스는 분노에 찬 얼굴로 입을 열
었다.

"아내인 헬레네의 배신으로 이렇게 됐소. 트로이아 멸망의 날 나는 헬
레네를 믿었소. 그러나 그녀가 그리스군과 내통하여 나의 침실로 공격해
왔소. 그녀가 메넬라오스에게 문을 열어 준 것이오. 방심한 채 자고 있던
나는 그만 그에게 죽임을 당했소. 그리고 우리 군사들 역시 필사적으로
분투했지만 중과부적으로 그만 모두 전사하고 말았소. 그런데 당신은 어
떻게 해서 산 자의 몸으로 죽은 자들이 오는 세계에 내려오게 되었소?"

그때 시빌레가 둘 사이를 끼어들며 말했다.

"이제 시간이 얼마 남지 않았어요. 그러니 어서 이곳을 떠나야 해요."

아이네이아스는 아쉬웠지만 데이포보스와 헤어져 그녀의 뒤를 따랐다.

아이네이아스와 시빌레는 양쪽으로 갈라지는 길 앞에 멈춰섰다.

"오른쪽 길은 하데스의 성벽 아래로 이어지는 길로 낙원인 엘리시움으로 통하는 길이에요. 그대 아버지를 만나려면 그쪽으로 가야 해요. 왼쪽 길은 악한 자들을 응징하는 길로 이 길 끝에는 저 무시무시한 타르타로스 지하 감옥으로 가게 되어 있어요."

아이네이아스가 주위를 둘러보았다. 절벽 아래 세 겹의 성벽으로 둘러싸인 시커먼 성이 보였다. 성벽 둘레에는 불의 강인 플레게톤이 흐르고 있었고, 앞에는 거대하고 육중한 문이 있었다. 그리고 그 위에 피투성이

타르타로스_ 작자 미상
그리스 신화에 등장하는 지하세계의 깊은 곳을 상징하는 태초의 신이자 공간의 개념이다. 세상의 가장 깊은 곳 하데스보다 더 아래 있는 곳으로 공포스러운 처벌의 공간이다. 타르타로스는 한번 갇히면 결코 빠져나올 수 없는 음침하고 우울한 지하세계이다. 제우스 신에게 반항하거나 그의 노여움을 산 신들이 이곳에 유폐되었다. 또한 신에게 반기를 들거나 모욕한 인간들도 이곳에 갇혔다.

옷을 입은 복수의 여신이 지키고 있었다.

성안에서는 끊임없는 비명과 채찍 소리가 들려왔다. 아이네이아스는 두려움에 떨며 시빌레에게 물었다.

"이게 무슨 소리입니까? 도대체 저들은 무슨 죄를 지었기에 저토록 끔찍한 비명을 지르며 형벌을 받고 있는 겁니까?"

시빌레 역시 두려움에 떨며 대답을 하였다.

"올바르게 살다가 죽은 사람은 저 공포의 성 안에 들어갈 필요가 없어요. 예전에 어둠의 여신 헤카테가 저에게 아베르누스의 숲을 돌봐달라고 부탁했을 때, 그녀가 직접 나를 데리고 타르타로스의 성 안을 보여준 적이 있었지요. 그곳에는 라다만티스가 지배하고 있었는데, 그가 죄인들을 심문해서 그들이 이승에서 범한 죄를 다 고백하게 했지요. 이승에서 자신이 지은 죄를 감추며 살았더라도 이곳에서 그걸 감춘다는 건 소용없는 짓이에요. 티시포네의 채찍질을 당해낼 재간이 없으니까요. 그다음 복수의 여신에게 넘겨져 심문을 받기 때문에 속일 수 없지요. 저곳을 넘어가면 머리가 50개가 달린 용이 살고 있는데, 제아무리 애를 써도 저 용이 있는 한 누구도 도망칠 수 없지요. 게다가 저 아래 바닥에는 하늘과 땅 사이의 거리보다 두 배나 깊은 지옥의 심연이 입을 떡 벌리고 있어요. 그 밑에는 태고에 대지의 자식으로 태어난 거인족 티탄들이 분노로 치를 떨며 몸부림을 치고 있지요."

시빌레는 잠시 숨을 고르며 다시 말을 계속했다.

"티탄족은 제우스와 올림포스 신들을 몰아내려고 했지요. 그 벌로 번개에 맞아 이 나락으로 떨어진 후 저렇게 속수무책으로 갇힌 신세가 된 거예요. 살모네우스도 저 심연에서 속죄의 시간을 보내고 있지요. 그는 자신이 제우스 못지않게 위대하다고 떠벌리고 다녔고, 이를 증명한답시

티탄의 추락_ 코르넬리스 반 하를렘의 작품
올림포스 신들에게 대항했던 티탄족이 패배하여 타르타로스 심연 속으로 추락하는 장면의 그림이다.

고 쇠바퀴를 단 전차 꽁무니에 쇠구슬을 달고 청동으로 포장한 길을 요란
하게 질주하면서 사방에 횃불을 던져 제우스의 천둥과 번개를 흉내 내려
했지요. 그는 또 제우스에게 바쳐져야 할 제물을 자신이 받기도 했지요.
이런 불경한 짓들은 결국 제우스의 분노를 사 타르타로스에 갇혀 형벌
을 받게 되었지요.

그리고 아폴론과 아프로디테에게 죽임을 당한 티티오스도 있지요. 그
는 주제넘게 아폴론과 아르테미스의 어머니 레토 여신을 겁탈하려 했지
요. 레토는 제우스의 사랑을 받아 아폴론과 아르테미스 남매를 낳은 탓

티티오스의 형벌_ 티치아노의 작품
그리스 신화에 등장하는 거인이다. 레토 여신을 겁탈하려다 그녀의 자식들인 아폴론과 아르테미스의
화살을 맞고 죽었다. 죽은 뒤 저승 타르타로스에서 독수리에게 간을 쪼아 먹히는 형벌을 받았다. 프
로메테우스 형벌 이야기와 비슷하다.

에 헤라의 미움을 사고 있었던 걸 기회로 삼은 것이죠. 하지만 티티오
스는 어머니 레토의 위험을 알아차린 아폴론과 아르테미스가 쏜 화살에
맞아 죽고 말았어요. 분노한 제우스는 파렴치한 티티오스를 저승의 가
장 깊은 나락인 타르타로스에 떨어뜨린 후 독수리에게 간을 쪼아 먹히는

형벌을 내렸지요. 티티오스는 간이 찢어지는 고통에도 불구하고 두 팔이 묶여 있었기 때문에 독수리들을 쫓아버릴 수가 없었지요. 여신의 아들이여, 그대는 익시온이라는 이름을 들어본 적이 있나요?"

아이네이아스는 시빌레의 갑작스러운 물음에 답하였다.

"아, 알다마다요. 익시온은 인류 최초의 친족 살해자가 아니오."

시빌레는 아이네이아스의 답에 만족하며 이야기를 계속하였다.

"그래요. 익시온은 테살리아의 왕으로 라피타이족을 다스렸지요. 그는 이웃 나라 마그네시아의 왕 데이오네우스의 딸 디아와 결혼하였는데, 이 결혼을 위해 데이오네우스에게 많은 결혼 선물을 약속했지요. 하지만 결혼 뒤에 장인 데이오네우스가 약속의 이행을 요구하자 선물을 내주지 않으려고 비열하게도 그를 뜨거운 숯이 가득한 구덩이에 떨어뜨려 죽였어요. 그러나 그런 이유로 그가 타르타로스에 감금된 것은 아니에요. 물론 친족 살해는 신성모독에 해당하는 중죄였기 때문에 아무도 익시온을 정화해 주려 하지 않았어요. 모든 신들 가운데 오로지 제우스만이 죄를 저지른 후 광기에 빠져 있던 익시온을 불쌍히 여겨 그의 죄를 정화해 주었어요. 하지만 익시온이 배은망덕하게도 자신의 아내인 헤라에게 반하여 그녀를 범하려 했지요. 이에 화가 난 제우스는 구름의 님프 네펠레에게 헤라의 환영을 만들게 하여 익시온을 속였지요. 제우스는 또다시 신성모독의 죄를 범한 익시온을 불타는 수레바퀴에 묶어 허공으로 던져버렸어요. 익시온은 이곳 타르타로스에 감금되어 불타는 수레바퀴에 묶여 영원한 고통을 받고 있지요."

시빌레는 말을 마친 후 아이네이아스를 재촉했다.

"자, 이제 이 황금가지를 받으시오! 저기 성벽의 아치형 문이 보이지요. 저 문은 하데스 궁전의 문으로, 그 안에는 저승의 여왕 페르세포네

익시온의 형벌_ 쥘 엘리 들로네의 작품

익시온은 헤라 여신을 범하려다 제우스가 구름의 님프 네펠레에게 지시하여 만든 헤라의 환영과 정을 통하여 반인반마족인 켄타우로스들을 낳았다고도 한다. 익시온은 타르타로스에 가서도 불타는 수레바퀴에 묶여 영원한 고통을 받고 있다고 한다. 전승에 따라서는 익시온이 묶인 수레바퀴에 활활 타오르는 불길이 아니라 뱀이 휘감겨 있기도 하다.

가 살고 있어요. 그녀는 대지의 여신 데메테르의 딸로, 데메테르는 딸을 안전하게 지키기 위해 시칠리아 섬에 숨겨 두었지요. 숲에서 오케아노스의 딸들과 놀던 페르세포네는 어여쁜 수선화가 핀 것을 보고 다가갔다가 그만 하계의 신 하데스에게 납치되어 그의 아내가 되고 말았어요. 당신은 그녀에게 가서 이 선물을 바치도록 하세요. 그러면 엘리시움으로 가는 길을 열어줄 거예요."

페르세포네를 납치하는 하데스_ 잔 로렌초 베르니니의 작품
하데스가 페르세포네를 납치하는 장면으로 여인의 대리석 피부를 움푹 들어가게 만든 것을 포함하여
세부 묘사가 섬세하고 뛰어나다. 보르게세 미술관 소장.

페르세포네 납치_ 니콜라 미냐르의 작품

그리스 신화에서 페르세포네는 하데스에게 납치되어 하계로 끌려갔다. 어머니 데메테르의 강력한 요구로 페르세포네는 다시 지상으로 돌아올 수 있게 되었지만, 하데스가 건넨 석류를 먹는 바람에 하계를 완전히 떠나지 못하고 1년 중 3분의 2는 지상에 머물고 나머지 3분의 1은 하계에서 하데스의 아내로 지내게 된다.

아이네이아스는 시빌레의 말대로 황금가지를 성벽 아래 샘에서 솟아나오는 물에 적셔 자신의 온 몸에 뿌린 뒤 문턱에 꽂았다.

그러자 엘리시움으로 가는 길이 활짝 열렸고 그들은 축복받은 나라로 들어설 수 있었다.

엘리시움

| 아이네이아스가 천국인 엘리시움을 방문하다 |

엘리시움에 첫발을 내딛는 순간 아이네이아스는 눈부신 광휘에 휩싸여 처음에는 제대로 눈을 뜰 수가 없었다. 그곳은 지금까지 본 음침하고 어두운 지옥과는 별개의 세상이었다. 아이네이아스와 시빌레는 주변을 둘러보기 위해 잠시 가던 길을 멈추고 그 자리에 섰다. 아름답고 드넓은 들판이 펼쳐져 있고, 수많은 영혼들이 밝은 표정으로 그들이 살아 있을 때 즐기던 놀이와 운동을 하고 있었다. 어떤 이들은 춤추기도 했고, 또 어떤 이들은 말을 몰고 있었다. 트라키아의 음유 시인이 칠현금 소리에 맞춰 노래하는 소리가 사방으로 아름답게 울려 퍼졌다.

엘리시움 들판_ 아서 보웬 데이비스의 작품
엘리시움은 들판이라고도 불린다. 신들의 총애를 받는 영웅들이 불사의 존재가 되어, 혹은 지상의 삶을 마친 뒤에 들어간다는 복받은 땅이다.

엘리시움_ 히에로니무스 보스의 작품
엘리시움을 나타낸 그림으로. 이 작품에 등장하는 사람들의 모습과 구상은 현재도 연구되고 있다.

아이네이아스는 그들 중에 아버지 안키세스가 있나 사방을 살펴보았지만 찾을 수가 없었다.

시빌레는 아이네이아스의 손길을 이끌고 반짝이는 그림자 형상들이 모여 있는 무리로 향했다.

"저기 모여 있는 영혼들에게 경배를 하세요. 그들은 당신 나라 트로이아의 영광스러운 선조로 일루스와 아사라쿠스, 테우케르와 다르다누스입니다."

아이네이아스는 깜짝 놀라며 입을 열었다.

"아, 정말 저분들이 트로이아를 건설한 영웅들이십니까?"

시빌레는 또 다른 쪽을 가리키며 말했다.

"저기 황금 전차 주변에 모여 있는 병사들은 트로이아를 위해 싸우다 큰 부상을 당한 사람들이지요. 아, 저기 시인이자 예언자인 무사이오스가 이리로 오고 있어요. 그를 만나 당신의 아버지 안키세스 소식을 물어보지요."

두 사람은 곧 반짝이는 그림자 영혼들로 둘러싸여 있는 무사이오스에게 다가갔다. 시빌레는 그를 존경하는 어투로 말을 건넸다.

무사이오스와 리노스가 있는 도자기 그림 ▶
무사이오스는 '남자 무사이'라는 뜻으로 무사이 여신들의 특징과 능력을 지녔다는 신화적 인물이다. 무사이오스는 자주 오르페우스와 비교된다. 무사이오스는 오르페우스가 죽은 뒤 그의 리라를 물려받은 인물이라고도 하며, 오르페우스가 아니라 그와 함께 음악의 신으로 불리는 리노스의 제자였다는 설도 있다. 무사이오스는 아테네의 무사이 언덕(지금의 필로파포스 언덕)에서 노래 부르던 아테네인으로, 나이가 들어 죽은 뒤 자신이 늘 노래 부르던 무사이 언덕에 묻혔다고 한다.

"오르페우스와 비견되시는 무사이오스님, 저는 아이네이아스의 부친인 안키세스를 만나기 위해 이곳에 왔습니다. 당신께서 우리의 안내자가 되어주시면 감사하겠습니다."

무사이오스는 시빌레를 보며 온화한 미소를 보냈다.

"어서 오시오! 나는 그가 어디 있는지 알고 있소."

무사이오스는 아이네이아스와 시빌레를 데리고 안키세스가 있는 곳으로 향했다. 초록빛 골짜기로 들어서자 완만한 강둑 사이로 유유히 강물이 흐르고 있었다. 그 강에는 수많은 무리의 영혼들이 몰려와 물을 마시거나 몸을 담그고 있었다.

아이네이아스는 그들의 저런 모습이 무엇을 의미하는지 궁금하여 물어보려 했으나 그때 아버지 안키세스의 모습이 보였다. 안키세스는 강 가까이에 있는 작은 바위에 앉아서 물을 마시러 지나가는 영혼들을 하나

엘리시움에서 아버지를 만나는 아이네이아스_ 세바스티앙 브랑크스의 작품

엘리시움의 아이네이아스와 안키세스_ 세바스티아노 콘카의 작품
엘리시움의 안키세스가 아이네이아스에게 레테의 강에 대해 이야기하는 장면을 묘사한 그림이다.

하나 세심히 살펴보고 있었다. 그렇게 찬찬히 영혼들을 살펴보던 그가 멀리서 아이네이아스가 다가오는 것을 발견하였다.

"아들아, 드디어 네가 왔구나! 나는 반드시 네가 오리라고 믿었다. 혹여 네가 영혼으로 올까 두려워 이곳에서 지나가는 영혼들을 살피고 있었단다."

아이네이아스는 눈물에 겨워 두 팔을 벌리고 아버지를 부둥켜안았다. 그러나 안타깝게도 그는 팔을 아래로 내려뜨려야만 했다. 안키세스의 영혼은 마치 가벼운 바람처럼, 날개 달린 꿈처럼 그의 품에서 빠져나갔다. 아이네이아스는 살아 있는 자가 죽은 이들의 영혼에 가까이 다가갈 수 없다는 것을 알면서도 감격에 겨워 잠시 그 사실을 잊었던 것이다.

아이네이아스는 조금 전 궁금했던 것을 안키세스에게 물었다.

"아버님! 저들 모두가 강물을 마시는 것은 무슨 이유입니까?"

안키세스는 아들의 물음에 인자하게 답해주었다.

"이 강은 망각의 강으로, 저 영혼들은 다시 이승으로 돌아가 새로운 삶을 시작하는 환생을 준비하기 위해 이곳 기억을 지우려고 망각을 마시는 것이란다."

아이네이아스는 깜짝 놀라 아버지에게 물었다.

"여기 있는 영혼들 중에 다시 지상으로 올라가 육신을 갖게 되는 영혼들이 있다고요? 왜지요? 왜 이곳 낙원을 떠나 다시 세상에 태어나겠다는 생각을 품는 건가요?"

아이네이아스의 놀란 모습을 보고 안키세스가 웃으며 말했다.

"아들아, 내가 간단하게 우주 순환의 법칙을 말해주마. 세상에 존재하는 모든 것들, 하늘, 땅, 물, 해와 달, 별들을 비롯해 모든 살아 있는 생

레테의 강을 향하는 영혼들_ 존 로댐 스펜서 스탠홉의 작품
죽은 영혼이 명계로 가면서 레테의 강물을 한 모금씩 마시게 되는데, 강물을 마신 영혼은 과거의 모든 기억을 깨끗이 지우고 전생의 번뇌를 잊게 된다.

명체들은 영혼이 있단다. 이 영혼들은 살아 있는 생명체의 일부가 되기도 하는데, 종종 몸이 영혼을 오염시켜서 영혼이 흐려지게 되지. 영혼은 다들 이전의 생을 간직하고 있는데, 죽은 자의 영혼은 반드시 좋은 날들을 보내서 영혼이 정화되도록 해야 한다. 그런데 종종 그 시간이 수천 년이 걸리는 고통이 따르기도 한단다. 이 정화의 과정을 거치게 되면 영혼은 다시 선명해진다. 순수한 생을 지닌 영혼들은 엘리시움에 가게 된단다. 그리고 마침내 정화의 시간을 끝내고 환생의 시간이 되면, 죽은 자의 영혼은 레테의 강물을 마시고 이전의 기억을 모두 지워버리고는 새로운 몸으로 들어가게 된단다."

안키세스는 아들의 궁금증을 풀어주고는 아이네이아스와 시빌레를 데리고 언덕 위로 갔다. 그곳에는 많은 영혼들이 긴 행렬을 짓고 있었다.

레테의 강_ 존 로댐 스펜서 스탠홉의 작품
255쪽 하단의 〈레테의 강을 향하는 영혼들〉의 부분 그림이다.

안키세스는 아들에게 말했다.

"자, 이제 너에게 우리 트로이아 자손들이 어떤 영광을 누리게 될지 일러주도록 하마. 저기 허리를 숙이고 레테의 강에 팔을 뻗은 젊은이가 보이지? 그가 저 영혼들 가운데 맨 먼저 지상으로 오를 것이다. 그는 너의 막내아들로 태어나 실비우스라는 이름을 가질 것이다. 나중에 네가 늙을 때까지 그의 어머니가 그를 숲속에서 왕으로서 길러줄 것이니 그가 알바 롱가를

안키세스와 아이네이아스_ 피에트로 바르델리노의 작품
안키세스가 아이네이아스와 시빌레에게 미래에 태어날 인물들에 대해 이야기하는 장면이다.

다스리게 될 것이다. 그리고 그 뒤가 카피스와 누미토르 그리고 마지막이 아이네이아스 실비우스이다. 너의 이름을 이어받은 아이네이아스 실비우스는 아들로서의 효심뿐 아니라 전쟁에서의 명예도 너와 비슷하게 될 아이다.

저쪽에 떡갈나무잎으로 된 화관을 쓴 젊은이들이 나중에 어른이 되면, 네가 세운 왕국에 새로운 도시를 건설할 자들이다. 그리고 저기 머리에 쓴 투구 위에 깃털 장식이 나부끼고 있는 저 영웅이 바로 로물루스이다. 그는 일곱 개의 언덕으로 둘러싸인 도시에 성벽을 건설하게 될 것이다. 그 도시가 장차 온 세상을 지배하게 될 위대한 로마이다.

저 건너편에 있는 위대한 남자가 보이느냐? 얼굴에는 지혜와 강인함, 공정함이 넘치고, 유럽과 아프리카, 아시아의 모든 사람들이 두려움과

루도비시 대석관
로마군의 전쟁을 나타낸 부조 조각상으로 로마 제국의 영광을 잘 나타내고 있는 상징과도 같다.

경외심을 가지고 그의 이름을 부르게 될 위인, 그가 바로 가이우스 율리
우스 카이사르이다. 그의 주변에 모여 있는 이들은 모두 네 아들 아스카
니오스 율루스에게서 태어나는 후손들이다. 사람들은 그들을 네 아들의
이름을 따서 율리아 가문이라고 부르게 될 것이다.

자, 이제 강둑 위에 서 있는 젊은이를 보거라. 그가 바로 네가 세운 왕
국에 황금시대를 가져올 최초의 로마 황제인 카이사르 아우구스투스 황
제이다. 그는 평화를 사랑하는 황제가 될 테지만, 제국의 안전을 위해 어
쩔 수 없이 수많은 전쟁을 치러야만 한다. 그러나 그의 통치하에서 예술
과 학문이 꽃을 피울 것이며, 나라 전체에 넓은 도로가 사방으로 놓이고,
지금은 늪지와 울창한 숲으로 뒤덮인 황무지가 개간되어 로마의 백성들
에게 풍부한 밀을 수확하게 해줄 것이다.

안키세스에게 작별을 고하는 아이네이아스와 시빌레_ 빌헬름 뵈트너의 작품
상아 문을 나서는 아이네이아스와 시빌레를 배웅하는 안키세스.

　미개한 종족들이 로마의 법과 질서 아래 모두 복종할 것이다. 그리하
여 너의 왕국의 후손들은 아우구스투스를 칭송할 것이고, 이것은 바로
네가 신으로 숭상받는 역사가 되리라."

　이어서 안키세스는 아들을 데리고 다니며 아들이 가까운 미래에 성취
할 영광의 미래를 일일이 보여주고 설명해 주었다. 그럼으로써 아버지
는 아들의 시선을 미래를 향해, 세계를 향해 열리게 만들었고, 그의 마
음속에 희망의 불을 심어주었다. 그는 아들이 앞으로 치르게 될 전쟁에
대해서도 이야기해 주고, 그가 맞이할 위기와 고난을 이기는 방법도 알
려주었다.

　"아들아, 자랑스러운 로마인으로서 명심하거라! 권위로써 여러 민족
을 다스리고, 평화를 지키려고 애쓰도록 해라. 교만한 자들이 있으면 군

사를 일으켜 멸망시키고, 패한 자들에게는 관용을 베풀어라!"

이제 떠나야 할 시간이 되자, 안키세스는 아들을 데리고 지하세계를 나가는 잠의 문으로 데려갔는데, 여기에는 두 개의 문이 있었다. 각각 뿔과 상아로 만들어진 문이다. 안키세스는 둘 중 상아로 된 문을 통해 그들을 내보냈다. 뿔로 만들어진 문은 죽은 자의 영혼이 밖으로 나갈 수 있는 문이고 상아로 된 문은 거짓 영혼이 밖으로 나갈 수 있는 문이었다.

라티움에 도착하다

| 아이네이아스가 약속의 땅 라티움에 도착하다 |

아이네이아스는 저승에서 벗어나 그의 일행들이 기다리고 있는 곳으로 돌아왔다. 아스카니오스는 무사히 돌아온 아버지를 보고 눈물을 흘리며 아버지의 품으로 뛰어들었다. 트로이아 유민들도 다시 돌아온 그들의 지도자를 맞이하며 기쁨의 재회를 나눴다.

그들이 마지막 목적지를 향해 출발했을 때, 태양은 붉은 노을을 드리우며 수평선 너머로 넘어가고 있었다. 아이네이아스는 일행들에게 말했다.

"내일 아침이면 우리는 라티움 해안에 도착할 수 있을 것이다."

바다의 밤은 물결을 헤치며 들려오는 노 젓는 소리뿐 세상의 모든 소리를 잠재운 듯 적요의 시간만이 흘러가고 있었다. 그때 달콤하면서 매혹적인 노랫소리가 바람에 실려 들려왔다.

키르케 조각상 ▶

키르케는 태양신 헬리오스와 오케아노스의 딸인 바다의 님프 페르세이스 사이에서 태어난 딸로 마법에 능한 님프이다. 키르케의 집 주위에는 그녀의 마법에 걸린 사람들이 변한 사자며 이리 들이 우글거리고, 오디세우스의 부하들이 마법에 걸리기도 했다. 오디세우스가 그녀를 굴복시켜 부하들이 마법에서 풀려났고, 키르케는 오디세우스를 사랑했다.

키르케의 섬을 지나는 아이네이아스_ 16세기 동판에 에나멜화 작품

그 소리는 바다의 마법사 키르케가 아이아이섬에서 부르는 소리였다.

트로이아의 젊은이들은 매혹적인 노랫소리에 홀려 키르케의 섬으로 노를 저으려는 충동이 생겼다. 아이네이아스는 젊은이들에게 귀를 막으라고 명령했지만 이미 그들은 반쯤 정신이 나간 상태였다.

이때 바다에서는 포세이돈이 이 광경을 지켜보고 있었다. 그는 아프로디테에게 아이네이아스와 그 일행들을 보호해 주겠다는 약속을 했기 때문에 키르케의 노랫소리를 멈추게 했다. 그러자 사나운 맹수들의 울음소리가 섬 주변을 온통 메아리쳤다.

트로이아의 젊은이들은 무서운 짐승들의 울음소리에 번쩍 정신이 들었다. 이렇게 해서 아이네이아스의 일행들은 키르케로부터 어떠한 해도 입지 않고 아이아이섬을 지날 수 있었다.

키르케의 아이아이섬을 지나는 아이네이아스
아이네이아스가 바다의 마법사 키르케의 유혹을 물리치고 항해하는 장면을 묘사한 17세기 소묘 작품

테베레강에 도착한 아이네이아스_ 피에트로 다 코르토나의 작품
아이네이아스가 테베레강 가에 내리자 강의 신이 그를 반기는 장면을 묘사한 프레스코화이다.

아이아이섬을 벗어나자 새벽의 여신 에오스가 바다 위를 황금빛으로 물들였다. 아이네이아스 일행은 곧 새로운 육지를 발견하고 그쪽으로 배를 몰았다. 배는 어느새 육지 해안을 거쳐 강으로 접어들었다. 강어귀의 주변은 숲이 우거져 있고, 온갖 종류의 아름다운 새들이 날아들었다.

아이네이아스는 눈앞에 펼쳐진 평화로운 전경을 보며 자연스럽게 눈가에 이슬이 맺혔다. 그들이 그토록 간절히 소망하던 라티움의 테베레강에 도착한 것이다. 잠시 후 배들이 선착할 수 있는 알맞은 강둑에 배들을 정박시켰다.

트로이아 유민들은 주린 배를 채우려 주변의 과일과 열매 들을 따와서 딱딱하고 납작한 둥근 빵조각에 얹어 먹었다. 그러나 부족한 식량 때문에 만족스럽게 허기를 채우지는 못했다. 이때 아이네이아스의 아들 아스카니오스가 주린 배를 쓸어내리며 지나가는 투로 말했다.

"이제는 빈 테이블까지 먹어치울 것 같다."

이 말을 들은 아이네이아스는 무엇인가 깨달은 듯 말을 하였다.

"하하! 모두들 들으시오. 하르피이아 중 우리에게 저주를 퍼붓던 켈라이노의 말을 기억하는가? 그녀가 예언하길, 우리가 배고픔에 못 이겨 빈 테이블까지 먹어치우게 되기 전까지는 라티움에 도달할 수 없을 거라고 하지 않았나. 내 생각에 그 예언은 방금 전 쉽게 이루어진 것 같네! 자, 배에서 포도주를 가져와 강의 신에게 제물로 바치도록 하게. 앞으로 우리는 새로운 전투를 치러야 한다는 사실을 잊지 말아야 하네."

켈라이노 조각상 ▶
메리 포널의 작품, 켈빈그로브 미술관 소장
켈라이노는 그리스 신화에 등장하는 괴상하게 생긴 새 하르피이아 자매 중 한 명이다. 아이네이아스에게 저주를 퍼부은 예언은 아스카니오스의 말에 의해 가볍게 실현되었는데, 이때 밀로 만든 단단하고 둥근 원반의 딱딱한 빵에 과일 등의 토핑을 올려놓고 먹었다. 이에 아스카니오스가 "나무 테이블까지 먹었다."라고 말하자 아이네이아스가 켈라이노의 예언을 떠올렸다. 이때 그들이 만든 음식이 현재의 '피자'가 되었다고 한다.

파우누스와 숲의 님프 마리카_ 루벤스의 작품

고대 로마의 목자와 가축과 숲의 신이다. 예언을 전하는 신으로서 파투누스(말하는 자)라고 부르기도
하였다. 신전은 테베레강의 한가운데 있는 테베레섬에 있으며 라티누스를 낳았다고 한다.

아이네이아스는 그와 함께 온 트로이아 유민들이 새로 다가올 역경을 두려워하지 않게 용기를 주었다.

아이네이아스와 트로이아 유민들이 간절히 바라던 약속의 땅 라티움에는 라틴족의 라티누스왕이 다스리고 있었다. 라티누스는 목신 파우누스(그리스 신화의 판)와 숲의 님프 마리카 사이에 태어난 아들로 사투르누스(그리스 신화의 크로노스)의 직계 자손이다. 라티누스는 목신 파우누스의 신전을 세워 라티움의 미래에 대해 신탁을 구하기도 했다.

라비니아_ 존 오피의 작품
라티누스왕과 그의 아내 아마타 왕비의 외동딸로, 아이네이아스와 투르누스가 그녀를 놓고 끔찍한 전쟁을 치른다.

라티누스와 아마타 왕비 사이에는 아들이 없고 딸만 하나 있었는데 그녀의 이름은 라비니아였다. 그녀는 젊고 아름다웠기에 왕국의 수많은 남자들이 그녀에게 구혼을 했다. 라비니아의 어머니는 이미 오래전부터 외동딸의 배필로 루툴리인들의 왕인 투르누스를 염두에 두고 있었다.

그러나 라티누스왕은 왕비가 투르누스를 선호하는 것에 대해 걱정이 많았다. 그것은 라티누스왕이 기이한 신탁을 받았기 때문이었다. 라티누스왕은 어느 날 궁전의 안뜰에 있는 월계수나무 주위로 수많은 벌 떼가 몰려들더니 급기야 나뭇잎이 보이지 않을 정도로 달라붙는 광경을 목격했다. 이상하게 생각한 왕은 사제에게 이것이 무엇을 의미하는지 물었다.

제단 앞의 라비니아_ 미라벨로 카발로리의 작품
제단의 불이 라비니아 머리카락에 옮겨 붙는 장면을 묘사하였다.

"저 징조는 먼 곳에 있는 지도자가 군대를 이끌고 이곳에 와 이 도시와
나라를 다스리게 되리라는 것을 의미합니다."

그뿐이 아니었다. 라티누스왕이 제단의 제물에 불을 붙이자 그 불이
곁에 있던 딸 라비니아의 긴 머리카락에 옮겨 붙어 그녀의 장신구가 타
버렸고, 곧 온 성과 도시 전체로 번져나갔다.

라티누스왕이 사제에게 두 번째 기이한 일에 답을 구하자 사제가 말
했다.

"라비니아 공주께서는 온 세상에 이름을 떨칠 것이나, 이 도시에 끔찍
한 전쟁을 가져올 것입니다."

사제의 전언을 들은 라티누스왕은 앞날이 걱정되어 왕궁 밖 파우누스
신전으로 갔다. 그는 양들을 잡아 제물로 바치고, 제물 위에 엎드려 기도

했다. 그순간 그는 아버지의 음성을 들었다.

"아들아, 네 딸을 이곳 사람과는 결혼시키지 마라. 네 사위는 먼 나라에서 이곳으로 올 것이고, 그 이방인은 자신의 핏줄로 우리의 이름을 하늘에 있는 별들에까지 널리 떨치게 할 것이다."

파우누스의 신탁은 천개의 혀를 가진 소문의 여신 페메가 온 도시와 나라 전체에 퍼뜨렸다.

한편 아이네이아스는 아침 일찍 일리오네우스를 수장으로 하여 정찰대를 조직하고는 테베레강 주변을 정탐하게 했다. 그리고 자신은 남은 젊은이들과 함께 거처로 쓸 막사를 강가에 짓고 혹시나 적의 침입을 방비하기 위해 방벽과 흉벽을 설치하였다.

멀리 로마가 보이는 테베레강의 풍경_ 제이콥 모어의 작품
테베레는 아이네이아스가 도착한 강의 이름으로 이탈리아 중부를 흐르는 강이다. 로마 시대 이전 알바 롱가의 왕 티베리스의 이름에서 유래되었다고 한다.

라티누스왕을 만나는 일리오네우스_ 18세기 채색화
아이네이아스 선발대 일리오네우스가 라티누스왕을 만나 선물을 전하는 그림이다.

정찰대로 나간 일리오네우스는 육지 안쪽으로 향하며 곧 라티누스의
성을 발견하였다. 그들은 아무런 제지를 받지 않고 도시로 들어설 수 있
었다. 그런데 마치 그들을 기다렸던 것처럼 왕궁 안에서는 라티누스왕이
높은 왕좌에 앉아 그들을 맞이하였다.

"라티누스왕께서 당신들을 기다리고 있소!"

나이가 많은 원로인 듯한 노인이 일리오네우스의 일행을 안내하였다.
왕은 트로이아인들을 친절하게 맞았다.

"그대들은 어디서 왔소?"

라티누스왕의 말에 일리오네우스가 대답했다.

"저희는 트로이아인으로 파도에 밀려 이곳에 온 것도 아니고 길을 잃
어서 이곳에 온 것도 아닙니다. 여신의 아드님인 우리의 지도자 아이네
이아스님께서 신들로부터 이곳 라티움으로 가라는 소명을 받았기에 여
기에 이른 것입니다."

그러자 라티누스왕이 입을 열었다.

"오, 트로이아 시조인 다르다누스에 대한 전설을 잘 알고 있소."

일리오네우스는 많은 선물을 라티누스왕에게 전달하였다. 그러고는 자신들이 이곳 해안가에 정착할 수 있도록 허락해 달라 요청하였다. 라티누스왕은 잠시 생각을 마친 후, 이들의 요구를 받아들이기로 했다.

"신들께서 우리의 뜻과 자신들의 예언이 이루어지게 해주시기를! 트로이아인이여, 그대의 소원은 이루어질 것이오. 그리고 나는 선물들을 거절하지 않을 것이오. 내가 왕인 동안에는 그대들에게 비옥한 농경지와 부(富)가 부족한 날이 없도록 할 것이오. 다만 그대들의 지도자가 몸소 이리로 와야 할 것이오. 그가 우리와 함께하기를 원하고, 또 우리의 친구가 되어 동맹자라고 불리기를 원한다면 말이오. 그는 친구들의 면전에서 몸을 사려서는 안 될 것이오. 내가 제시하는 화친의 조건은 그대들의 왕의 오른손을 잡는 것이오. 그대들은 지금의 지도자에게 전하시오. 내게는 딸이 하나 있소. 한데 내 딸이 우리 백성들 중 한 남자와 결혼하는 것을 내 아버지의 신전에서 나온 신탁도, 하늘의 수많은 전조들도 허용치 않고 있소. 신들의 예언에 따르면, 라티움에 다가올 운명이란 외지에서 이방인들이 와서 사위가 될 것인즉, 그들이 자신들의 피로 우리의 이름을 하늘로 올릴 것이라고 했소. 아이네이아스야말로 운명이 요구하는 바로 그 사람이라고 나는 생각하며, 그것은 내 소원이기도 하오. 내게 조금이라도 선견지명이 있다면 말이오."

라티누스왕과 일리오네우스가 만나 이야기를 나눌 때에 천상의 헤라 여신은 아르고스에서 신들의 거처로 돌아가는 길이었다. 도중에 그녀는 라티움이 한눈에 내려다보이는 구름 위를 한동안 머물렀다. 헤라 여신은 아이네이아스가 무사히 라티움 해안에 정박하여 새로운 거처를 구축하는 모습을 보고는 화가 돋았다.

구름 위의 헤라_ 귀스타브 모로의 작품
헤라 여신은 아이네이아스가 성공적으로 라티움에 도착하자
분노하여 새로운 음모를 꾸민다.

"운명이 아이네이아스의 편이 되었다고 해도 나는 모든 일이 그에게 어렵게 만들도록 하겠다."

신들의 여왕 헤라 여신은 지하세계인 하데스의 궁전에 기거하는 복수의 여신 알렉토(로마 신화의 푸리아이)를 불러냈다.

"밤의 따님! 아이네이아스와 라비니아가 아무 어려움 없이 결혼하지 못하도록 만들어 주시오. 사람들의 마음에 전쟁의 씨앗을 비오듯 뿌리시오. 그렇게 해서 내 명예를 회복시켜 주시오."

복수의 여신 알렉토는 인간들에게 증오를 심어주는 일을 하기에 헤라 여신의 명령을 거절하지 않았다. 그녀는 뱀들이 그녀의 머리 위에서 꿈틀거리는 가운데 곧장 라티움으로 날아가 라티누스왕의 부인 아마타의 거처 앞에 내려앉았다. 아마타는 딸 라비니아의 결혼 문제로 속이 부글부글 끓고 있었다. 그녀는 애당초 투르누스를 사윗감으로 생각하였으나 그를 마다하고 정체도 모르는 낯선 남자에게 딸을 주겠다는 라티누스왕이 불만이었다.

알렉토는 자신의 머리에서 뱀 한 마리를 뽑아내 아마타의 방에 넣었다.

헤라의 권좌에 날아가는 알렉토_ 16세기 동판에 에나멜 그림

복수의 여신 알렉토_ 붉은 인물 문양의 그리스 도자기.

뱀은 소리도 없이 기어가 아마타의 부드러운 젖가슴 사이로 미끄러져 들어갔다. 그리고 그녀의 몸에 독기를 뿜어내었다. 그러자 뱀의 독이 그녀의 살 속 깊이 파고들어 광기에 휩싸이게 만들었다.

알렉토가 심어 준 증오로 가득 찬 아마타 왕비는 곧장 라티누스 거처로 갔다.

"당신은 내 딸을 떠돌이 이방인과 결혼시킬 작정인가요? 라비니아는 투르누스와 결혼하도록 일찍이 약속돼 있었어요. 그런데 약속을 그런 식으로 저버릴 수 있나요? 나는 이 일을 절대로 가만둘 수가 없어요."

아마타 왕비는 왕에게 일방적인 말만을 퍼붓고는 왕궁을 나왔다. 그녀는 곧장 딸의 거처로 발길을 돌려 딸과 하녀들을 불러냈다. 그리고 왕비는 딸과 하녀들을 설득하여 디오니소스(로마의 신 바쿠스)를 추종하는 여사제 마이나데스들이 살고 있는 숲속으로 도망쳤다.

이 모든 상황을 어둠에서 지켜보던 알렉토는 이내 검은 날개를 펄럭이며 투르누스의 거처로 날아갔다. 그는 침실에서 세상모르게 잠에 빠져 있었다. 알렉토는 늙은 여사제의 모습으로 변신하여 투르누스의 꿈 속으로 들어갔다.

"투르누스, 그대는 그대의 왕홀이 낯선 이방인에게 넘어가는데도 태평스럽게 잠만 자고 있단 말인가? 어서 빨리 깨어나 그를 공격하라! 헤라 여신이 직접 명령하셨다. 그러니 무장을 하고 그대가 얼마나 강한 존재인지 보여줘라!"

투르누스는 꿈속이지만 달콤한 잠을 깨우는 늙은 여사제로 변신한 알렉토가 귀찮았다. 그는 비웃는 투로 대답했다.

마이나데스_ 안드리에스 코르넬리스 렌즈의 작품
술의 신 디오니소스를 따르는 여인들이다. 이들은 미친 듯한 도취 상태로 산과 들판을 헤매고 다니면서 춤추고 노래하며 디오니소스를 찬양하였다. 실제로 디오니소스 제례가 행해질 때도 광적인 춤을 추며 의식을 행하는 여인들이 있었는데, 이들도 마이나데스라고 불렸다.

투르누스와 알렉토
알렉토는 그리스 로마 신화에 등장하는 복수의 여신 에리니에스 3자매 중 하나이다. 알렉토가 투르누스 꿈속에 나타나 트로이아 함대를 공격할 것을 종용하는 모습을 새긴 동판화이다.

　"나도 트로이아 함대가 라티움 해안에 정박했다는 소식을 들었소. 그런데 당신이 무슨 이유로 전쟁을 부추기는 것이오. 노인네, 당신은 늙었으니 신전의 신상이나 돌보도록 하시오. 전쟁과 평화는 남자들의 일이니 당신이 나설 것 없소."

　투르누스의 말에 알렉토는 분노하였다.

　"터진 입이라고 함부로 지껄이지 마라. 네가 정녕 아름다운 라비니아를 낯선 이방인에게 빼앗겨도 좋단 말이냐!"

　투르누스는 라비니아의 이야기를 듣는 순간 정신이 번쩍 들었다. 그리고 그의 앞에 있는 늙은 여사제는 어느새 본모습을 드러내고는 들고 있는 횃불을 투르누스에게 던졌다. 투르누스는 공포에 휩싸여 잠에서 깨어났다. 그는 지체하지 않고 무기를 가져오라고 소리쳤다.

새벽의 여신이 아직 깨어나기도 전에 루툴리인들의 도시와 성은 무장한 병사들로 넘쳐났다. 그들은 투르누스 왕의 신붓감을 빼앗기지 않으려고 무기를 들었다. 마치 메넬라오스가 헬레네를 트로이아에 빼앗겨 전쟁을 일으켰던 것처럼 말이다.

모든 것이 순조롭게 돌아가자 만면에 웃음을 띤 복수의 여신 알렉토는 트로이아인의 진영으로 날아갔다.

"후후! 하찮고 작은 일이라도 우습게 보면 안 된다. 큰불을 일으키려면 작은 불씨를 놓는 일부터 시작해야 한다."

알렉토는 전쟁의 불씨를 찾아냈다.

아이네이아스의 아들 아스카니오스는 라티움 숲에서 사냥을 하고 있었다. 알렉토는 아스카니오스의 사냥개에게 사슴의 냄새를 맡고 추격하

에리니에스 3자매_ 윌리앙 아돌프 부그로의 작품
그리스 로마 신화에 등장하는 복수의 여신 에리니에스 3자매는 티시포네, 알렉토, 메가이라인데 이들은 항상 함께 떼를 지어 다닌다. 크로노스가 낫으로 아버지 우라노스의 성기를 자를 때 흐른 피가 대지에 스며들어 태어났다고도 하며 밤의 여신 닉스의 딸이라고도 한다.

사슴을 향해 화을 쏘는 아스카니오스_ 클로드 로랭의 작품
아스카니오스가 실비아의 사슴을 향해 활을 쏘는 장면을 묘사한 그림이다.

게 했다. 그런데 이 사슴은 라티누스왕의 충실한 목동이자 영토 관리인인 티르헤우스의 딸 실비아가 애지중지하게 길들인 사슴이었다.

사냥개들이 사슴을 몰고 아스카니오스가 있는 곳으로 오자 그는 활을 쏘아 관통시켰다. 그러나 사슴은 화살을 맞은 채로 실비아의 축사로 도망쳤다. 실비아가 놀라서 뛰쳐나왔을 때 사슴은 그녀 앞에서 고꾸라지며 죽었다.

사슴을 뒤쫓아온 아스카니오스는 실비아가 죽은 사슴을 끌어안고 통곡하는 모습을 보고는 당황하였다. 그사이 분노한 실비아의 목동들이 몽둥이를 들고 아스카니오스에게 달려들었다. 이를 지켜보던 트로이아인들은 아스카니오스를 구하려고 아스카니오스를 막아섰다.

사태는 걷잡을 수 없는 방향으로 점점 커져만 갔다. 트로이아의 젊은 병사가 쏜 화살이 실비아의 큰오빠의 목덜미를 관통했다. 그러자 실비아의 목동들이 던진 도끼 하나가 트로이아의 젊은 병사 한 명을 베어 그 자리에서 쓰러졌다. 예기치 않았던 숲속의 작은 공방전으로 라티움에 고통의 전쟁이 시작되었다.

알렉토는 사소한 싸움이 전투로 번져가는 것을 보고 만족한 미소를 지었다. 그리고 천상으로 올라가 헤라 여신을 만나 자신의 과업을 자랑하듯 보고했다.

"신들의 여왕이여, 드디어 당신의 소원을 완성하였습니다."

헤라는 거만한 기색의 알렉토가 마음에 들지 않았다.

"수고가 많았소. 이제부터 내가 직접 알아서 하겠소. 그러니 그만 손을 떼고 하데스의 궁전으로 돌아가시오."

헤라의 말을 들은 알렉토는 툴툴거리며 지하세계로 돌아갔다.

아스카니오스와 실비아의 사슴 싸움_ 루벤스의 작품
실비아가 아끼던 사슴이 화살에 맞아 죽자 슬퍼하는 가운데 실비아의 목동들과 아스카니오스의 트로이아 병사들 간에 싸움이 벌어지는 장면을 묘사한 그림이다.

한편 라티누스왕은 트로이아인과 전쟁이 벌어졌다는 소식에 근심과 슬픔에 빠져 안절부절못하였다.

"아, 신탁이 예고한 대로 전쟁이 벌어지고 말았구나."

곧이어 투르누스가 라티누스왕의 궁전에 들어왔다. 그는 자신의 병사들을 데리고 개선장군처럼 위용을 자랑하였다. 그들 중 아마타 왕비와 배칸트들과 숲속에서 바카날리아의 광란의 축제에 참석했던 모든 사람들이 투르누스와 한편이 되어 나타났다.

"라티누스왕이시여, 어서 라비니아와 결혼을 허락하소서."

투르누스는 협박에 가까운 말을 라티누스왕에게 했다. 그러나 라티누스왕은 요지부동이었다.

'아, 저 어리석은 자들이 앞으로 어떤 운명이 벌어질지 왜 모른단 말인가!'

라티움 전쟁을 나타내는 부조
헤라 여신의 간계로 투르누스는 자신의 병사들과 아마타 왕비의 도움을 받아 아이네이아스와의 전쟁을 치르려 한다.

라티누스는 결혼 계획에는 반대했지만, 시민들의 광란을 중단시키지는 못했다. 그는 탄식하며 궁전 깊숙이 틀어박혔다. 그리고는 밖으로 나오지 않고 나랏일을 아예 돌보지 않았다.

라티움에는 오래전부터 한 가지 관습이 전통으로 내려오고 있었다. 전쟁을 시작할 때가 되면 국왕은 미리 정해져 있는 의식을 갖추어 야누스 신전의 문을 열게 되어 있었다. 투르누스와 라티움의 백성들은 어서 그 의식을 거행하라고 라티누스왕을 압박했다. 그러나 왕은 끝내 이를 거절했다. 왕과 신하들이 옥신각신하고 있는데, 헤라 자신이 천상에서 내려와 도저히 거스를 수 없는 힘으로 야누스의 청동문을 부숴 버렸다.

야누스의 문이 열리자 라티움의 백성들은 모두 광기에 사로잡힌 것처럼 농기구 대신 무기를 들었다. 그들은 광장으로 나와 투르누스를 외쳤다.

"투르누스가 이방인으로부터 우리를 구할 것이다!"

결국 라티움 백성들의 요구에 따라 투르누스가 총사령관이 되었다. 그는 전쟁에 참여할 동맹군을 결성하였다. 그는 곧 전쟁이 시작된다는 것

야누스 조각상 ▶

야누스는 로마 신화에서 문을 상징하는 신이다. 문은 시작을 상징하므로 모든 사물과 계절의 시작을 주관하는 신으로 숭배받았고, 도시의 출입구 등 주로 문을 지키는 수호신 역할을 하였다. 보통 서로 반대편을 바라보고 있는 두 개의 얼굴로 묘사되는데, 그리스 신화에 대응하는 신이 없는 유일한 로마 신화 신이다. 로마 중심부에 있던 신전의 문은 평화로울 때는 닫혀 있고 전쟁중에는 열려 있었는데, 누마와 아우구스투스가 다스릴 때에는 단 한 번만 닫혀 있었다고 한다. 로마를 세운 로물루스에게 여자들을 빼앗긴 사비니인들이 로마를 공격하였을 때 야누스가 뜨거운 샘물을 뿜어 이들을 물리쳤다는 전설이 전한다. 두 얼굴을 지닌 모습에 빗대어 이중적인 사람을 가리키기도 한다.

라티움 전쟁에 참여하는 동맹군
라우렌툼 성채에서 투르누스가 전쟁의 시작을 알리는 장면이다. 6세기 동판에 에나멜 그림.

을 알리기 위해 라우렌툼 왕궁에 가장 높은 탑을 세웠다. 그러자 사방에서 투르누스를 지지하는 동맹군들이 모여 들었다.

첫번째로 참여한 장수는 신을 경멸하는 자로 소문난 메젠티우스였다. 그는 아들 라우수스와 함께 천 명의 병력을 이끌고 참여하였다.

그다음으로 프라이네스테라는 도시를 건설한 카이쿨루스가 나타났다. 그는 불의 신 헤파이스토스(로마 신 불카누스)의 아들로 어머니는 양치기인 데피디이 형제의 누이로서, 화로 곁에 있을 때 튀어오른 불꽃이 몸에 닿아 임신하여 태어났다고 한다. 그를 따르는 병사들은 방패나 칼 대신 돌로 만든 투석기로 무장하고 나타났다. 그들은 모두 늑대 가죽으로 된 두건을 둘렀고, 왼쪽 발은 맨발이었다.

그리고 헤라클레스와 레아라는 무녀 사이에서 태어난 아들 아벤티누스가 용맹한 병사들을 이끌고 나타났다. 그는 자신이 헤라클레스의 아들임을 나타내기 위하여 아버지처럼 사자 가죽을 몸에 걸치고 히드라가 그려진 방패를 지니고 다녔다.

불꽃 속의 카이쿨루스
처녀의 몸으로 아이를 낳은 카이쿨루스의 어머니는 갓난아기를 제우스 신전 옆에 버렸으나, 데피디이 형제가 아기 곁에서 타오르는 불꽃을 보고 아기를 발견하여 데려갔다. 성인이 된 카이쿨루스는 프라이네스테가 될 운명의 마을을 발견하였다. 인근의 사람들을 불러모은 카이쿨루스는 그들을 자신이 세운 도시의 시민으로 만들기 위하여 아버지 헤파이스토스에게 권능을 보여달고 기원하였다. 이에 헤파이스토스가 보낸 불꽃이 군중을 에워쌌으며, 카이쿨루스가 명령하자 곧 사라져버렸다. 기적을 목격한 사람들이 프라이네스테의 시민이 된 것은 물론, 더 많은 사람들이 헤파이스토스와 그의 아들의 보호를 받으며 살기 위하여 모여들어 번성하였다.

또한 고대로부터 산속에 있던 사비니인들도 동참하였다. 사비니인은 훗날 로마를 건국한 로물루스와 앙숙인 관계로 대적하다가 화해한 종족이었다.

여기에 쌍둥이 형제인 코라스와 카틸루스가 병사들을 이끌고 동맹군에 참여하였다. 그들은 오늘날 로마의 기원이 되는 팔란티움을 세운 에우안드로스와 함께 선단을 이끌고 이탈리아로 건너왔다고 전해지는데 카틸루스의 아들들이었다. 그들이 지휘하는 병사들은 수염이 무성하게 났는데 마치 반인반마의 켄타우로스와 닮았다.

그리고 볼스키족을 이끄는 여전사 카밀라가 아르테미스의 복장처럼, 어깨에 활을 메고 허리에는 화살이 가득 든 화살통을 차고 나타났다. 그녀가 등장하자 모든 병사들은 한동안 그녀의 아름다움에 매료되었다.

투르누스는 사절단을 《일리아스》에 나오는 유명한 그리스군의 영웅인 디오메데스에게 보내 그들의 오랜 적인 트로이아의 아이네이아스와의 전쟁에 동참할 것을 설득했다.

디오메데스와 아테나 여신상 ▶
디오메데스는 오디세우스와 함께 호메로스의 《일리아스》에 등장하는 위대한 영웅 중 한 명이다. 그는 트로이아 전쟁 때 아테나 여신의 도움을 받았다. 아이네이아스와의 결투에서 승리를 잡았으나 아프로디테가 나타나 아이네이아스를 구한다. 이에 여신을 추격하여 아프로디테에게 상처를 내고 군신 아레스를 물리친 유일한 인간이었다. 그리스군에서 아킬레우스 다음으로 용맹한 장수이기도 하다.

동맹을 맺다

| 아이네이아스가 에반드로스왕과 동맹을 맺다 |

아이네이아스는 일리오네우스를 통해 라티누스왕의 우호적인 이야기와 많은 선물까지 받게 되자 안도의 한숨을 쉬었다. 비록 이겼지만, 아스카니오스가 실비아의 사슴을 쏴서 벌어진 전투로 인해 라티움의 백성들이 트로이아인에게 한층 적대감이 높아진 상태에서 나온 우호적인 결과였기 때문이다. 아이네이아스는 라티누스왕의 호의를 잘 간직하는 한편 투르누스의 심상치 않은 움직임에는 촉각을 곤두세웠다.

"아, 신께서 인도하신 이 땅에서 물러나야 한단 말인가? 아니면 트로이아 전쟁처럼 또 한 번의 비극적인 전쟁을 치러야 한단 말인가?"

아이네이아스는 트로이아 전쟁에서 받은 상처가 되살아났다. 그는 앞으로 벌어질 일에 대해 깊이 생각하느라 뒤척이다가 피곤한 상태로 잠이 들었다. 그리고 그는 꿈속에서 테베레강의 신 티베리누스를 만났다.

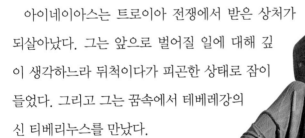

티베리누스 조각상 ▶
테베레강의 신으로 아이네이아스에게 팔란티움의 에반드로스왕과 동맹하게 되리라고 예지해 준다. 조각상은 로마의 캄피돌리오 광장에 설치되어 있다.

아이네이아스 꿈에 나타난 티베리누스
티베리누스가 아이네이아스의 꿈에 나타나 그의 근심을 달래주는 장면을 묘사한 목판화이다.

"라티움의 들판을 근심으로 물들이는 여신의 아들이여, 이 들판은 그
대들에게 근심의 들판이 아니라 환희의 들판이 될 것이다. 우선 그대가
내 말을 믿을 수 있다면 말이다. 예전에 헬레누스가 그대에게 했던 예언
중에서 흰 돼지 한 마리가 서른 마리의 새끼를 낳는 모습을 보게 되는 곳
이 그대들의 안식처가 될 것이라고 한 말을 기억하는가? 이곳 강가에는
팔란티움이라는 도시가 있다. 그곳은 그리스의 영웅 팔라스의 후손들이
세운 도시이다. 그들은 라틴족과 끊임없이 전쟁을 하고 있다. 어서 일어
나 그곳으로 가서 동맹을 맺도록 하라. 그리하면 그대들은 천군만마의
위력을 가진 힘을 얻게 될 것이다."

티베리누스가 예언한 팔란티움은 훗날 새롭게 로마가 세워질 바로 그
땅이었다. 잠에서 깬 아이네이아스는 티베리누스의 꿈의 계시를 따르기
로 했다.

아이네이아스는 배 두 척을 준비하여 팔란티움으로 향할 것을 명령했다. 또 자신이 자리를 비우고 없는 동안 진영을 철통같이 방어하고 유민들을 보호하라고 지시했다. 혹 투르누스가 공격해 오더라도 전투에 나서지 말라고 경고했다.

아이네이아스와 일행들은 밤새도록 노를 저어갔다. 강의 신 티베리누스가 물결을 일으켜 그들을 인도했다. 이틀째 되던 날 거대한 떡갈나무 옆을 지나갔다. 그런데 그 아래에 흰 돼지가 수많은 새끼들에게 젖을 먹이고 있는 모습이 보였다. 아이네이아스는 예언의 한 장면을 확인하고는 전율이 돋았다.

"헬레노스의 예언이 이렇게 실현되는구나."

드디어 팔란티움 언덕이 눈에 들어왔다. 저 멀리 성곽과 드문드문 흩어져 있는 집들이 매우 평화스럽게 보였다. 팔란티움에서는 해마다 헤라클레스와 신들에게 제물을 바치는 축제를 벌이고 있었다. 그런데 아이네이아스의 배가 나타나자 모두들 놀라며 경계 태세를 취했다. 군중들 속에서 에반드로스왕의 아들 팔라스가 나가서 아이네이아스와 맞섰다.

"당신들은 누구요? 무슨 일로 여기까지 오게 되었소?"

아이네이아스는 범상치 않은 그를 보고 호감이 갔다.

"우리는 트로이아에서 온 사람들이오. 우리는 적으로 이곳에 온 것이 아니라 에반드로스왕을 뵙기 위해서 온 것이오."

젖을 먹이는 돼지 조각상 ▶
헬레노스는 서른 마리의 새끼를 거느리는 돼지를 보게 되는 곳이 아이네이아스가 자리 잡을 곳이라 예언한다. 아이네이아스는 팔란티움에서 그 돼지를 목격하게 된다.

아이네이아스 함선 도착
팔란티움에 도착한 아이네이아스는 평화의 상징인 올리브나무를 보이는 가운데 팔라스가 창을 겨누며 맞이하고 있다. 동판에 에나멜 그림.

팔란티움에 도착하는 아이네이아스_ 클로드 로랭의 작품

아이네이아스는 평화를 상징하는 올리브나무를 보이면서 정중하게 말했다. 팔라스는 아이네이아스의 진정함을 발견하고 예의를 갖추며 말했다.

"에반드로스왕을 만나려는 목적이 무엇이오?"

"라틴족이 우리에게 선전포고를 해왔소. 우리는 에반드로스왕을 뵙고 동맹을 청하고자 하오!"

순간, 젊은 팔라스의 얼굴에 놀란 기색이 역력히 드러났다. 그러나 그는 이내 놀라움을 감추며 말했다.

"그럼 배에서 내려 우리 아버님을 만나서 말씀드리시오."

곧 아이네이아스는 팔라스의 안내를 받아 에반드로스왕을 만났다. 에반드로스왕은 전령의 신 헤르메스가 아르카디아 지방에 흐르는 강의 신

에반드로스왕을 만나는 아이네이아스
에반드로스의 아들 팔라스가 아이네이아스를 아버지에게 안내하고 있다. 동판에 에나멜 그림.

라돈의 딸 카르멘티스와의 사이에서 낳은 아들이다. 그리스 사람 가운데 가장 현명한 사람으로 알려졌으며, 트로이아 전쟁이 일어나기 전에 이탈리아로 이주하여 테베르 강 동쪽 연안에 팔란티움이라는 도시를 건설하였다.

"고귀하신 왕이시여, 우리는 트로이아인입니다. 당신이 그리스에서 온 왕이라는 것을 잘 알고 있습니다. 하지만 당신 백성들과 우리는 거슬러 올라가 보면 위대한 조상들과 연결되어 있습니다. 일찍이 저는 이곳에서 헬레노스의 돼지 예언을 받은 바 있습니다. 또한 지금은 라틴족이라는 공동의 적을 맞아 대치를 하고 있습니다. 저는 왕께서 저희와 동맹을 맺기를 원합니다. 이 동맹으로 영광스러운 땅을 얻게 될 것이라고 확신하고 있습니다."

이에 에반드로스왕은 한동안 아무 말 없이 뭔가를 곰곰이 생각하더니, 마침내 입을 열었다.

에반드로스왕을 만나는 아이네이아스_ 피에트로 다 코르토나의 작품
아이네이아스가 에반드로스왕을 만나 동맹 맺기를 청하는 모습이다.

헤라클레스와 게리온의 소_ 루카스 크라나흐의 작품
헤라클레스는 에우리스테우스의 열 번째 과업으로서 게리온의 소떼를 빼앗기 위해 게리온을 죽인다.

"그대를 보니 그대 아버지 안키세스의 목소리와 모습이 생생하게 떠오르는구려. 그가 트로이아 왕 프리아모스와 함께 여행하던 중에 이곳에 들른 적이 있소. 그때 나는 어린 소년이었소. 나는 용기를 내어 안키세스에게 말을 걸었소. 그분은 어린 내가 귀여웠던지 황금 화살통과 외투를 주었소. 지금은 내 아들 팔라스가 귀한 그것을 가지고 있소. 그런데 지금 그분의 아들을 만나다니 이것은 신이 우리에게 준 운명이 아닌가 싶소.

자, 우리는 형제와 같은 동맹을 맺기로 합시다. 우리가 형제가 되었다는
뜻으로 우리의 신성한 의식에 참여하시오."

아이네이아스와 일행은 기꺼이 축제 의식에 참석했다.

"감사합니다. 에반드로스왕이시여, 그런데 오늘 열리는 이 축제 의식
이 무슨 축제인가요? 축제의 성격을 알아야 진심으로 경배를 할 수 있
으니까요."

에반드로스는 사자 가죽 위에 앉아서 아이네이아스에게 말
했다.

"오래전에 우리는 반인반수의 카쿠스로부터 위협을 받았
소. 그 괴수는 불을 뿜는 괴물로 팔란티움 언덕의 동
굴에 살면서 백성들을 잡아먹어 사람들을 공포에 떨
게 했소. 이때 헤라클레스는 에우리스테우스로부터
부여받은 열 번째 과업을 수행하기 위해 게리온의
소 떼를 빼앗아 아르고스로 가다가 카쿠스가 사는
곳을 지나가게 되었소.

소들이 탐난 카쿠스는 헤라클레스가 잠이 든 틈
을 타서 몇 마리를 훔쳐 꼬리를 붙들고 뒷걸음질
쳐서 동굴로 끌고 갔소. 잠에서 깬 헤라클레스는 소 몇
마리가 없어진 것을 알고 주변을 둘러보았으나 찾을
수 없었소. 찾기를 단념한 헤라클레스가 다시 소 떼
를 몰고 카쿠스의 동굴 주변을 지나갈 때, 동굴
안에서 소 울음소리를 듣고는 동굴을 탐색했소.

헤라클레스와 카쿠스 조각상 ▶

카쿠스는 큰 바위로 동굴 입구를 가려 헤라클레스의 눈을 속이려고 하였으나 결국 발각되었지요. 카쿠스는 입으로 불을 내뿜으면서 헤라클레스에게 대항하였으나 헤라클라스가 카쿠스의 목을 졸라 살해하여 우리의 근심을 해결해 주었소. 우리는 이런 헤라클레스의 은덕을 기리기 위해 매년 이맘때면 그를 기리는 축제 의식을 치르고 있소. 자, 이야기가 나온 김에 이 도시의 유서 깊은 곳들을 둘러보기로 합시다."

에반드로스왕은 아이네이아스와 함께 팔란티움 언덕을 둘러보았다.

"저 동굴이 카쿠스가 살았던 동굴이오. 한때 저 동굴 안에는 인간의 뼈가 산을 이루었소. 그리고 이 지역의 숲들은 목축의 신 파우누스와 그 요정들이 살던 곳이오. 그 후로는 떡갈나무 줄기에서 태어난 인간들이 살았소. 그들은 아직 문명을 몰랐던 거요. 그때 크로노스 신께서 아들 제우스와 벌인 싸움에서 패하고 이곳으로 피신하였소. 크로노스께서는 이곳의 미개한 종족을 모아 그들에게 문명을 알려주었소. 비로소 라티움의

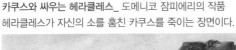

카쿠스와 싸우는 헤라클레스_ 도메니코 잠피에리의 작품
헤라클레스가 자신의 소를 훔친 카쿠스를 죽이는 장면이다.

아이네이아스와 에반드로스_ 프랑스 리모즈 소장의 동판에 에나멜 그림
에반드로스가 파우누스와 카쿠스가 살았던 동굴을 보여주는 장면이다.

팔란티움 언덕

팔라티노 언덕으로 불리기도 한다. 이곳은 로마가 시작된 요람과 같은 곳이다. 아이네이아스가 팔란티움 왕국과 동맹을 맺어 난세를 평정하고 그의 후예인 목동들과 로물루스가 함께 이 팔라티노 언덕 위에 로마를 세운 다음, 사비니의 여인들을 강탈하고 강력한 힘을 가진 농부들과 연합하여 영토를 확장해 간 곳이다. 하지만 로마라는 이름만은 한사코 고수하였다.

황금시대가 펼쳐진 것이오. 그러나 후에 사람들이 점점 타락하여 공포스러운 전쟁으로 평화롭던 시대가 파괴되었소. 탐욕스러운 외부 종족들과 왕들이 쳐들어와 이 땅을 점령하게 되면서 서로 다투고 싸우는 불화의 시대를 맞고 있었소. 그대도 잘 알다시피 나 역시 그리스에서 이곳으로 도망나와 지금처럼 팔란티움을 지배하고 있지 않소."

아이네이아스와 에반드로스가 왕궁으로 돌아왔을 때 비로소 축제 의식이 끝이 났다.

아프로디테의 스캔들

| 신들 세계의 최고 스캔들 |

아이네이아스의 어머니 아프로디테는 낯선 땅을 찾아 항해에 나선 아들 생각에 늘 걱정으로 하루하루를 보냈다. 여신에게는 많은 자식들이 있었으나 모두 신과의 관계에서 태어난 자식이었기에 그들은 영원히 죽지 않는 불사의 몸을 가지고 태어났다. 그러나 아이네이아스는 인간인 안키세스와 관계하여 낳은 자식이기에 그의 생명은 영원불멸할 수 없었다. 그런 점에서 늘 아이네이아스에 대한 여신의 정은 각별하였다.

아이네이아스가 곧 전쟁에 나서게 되는 민감한 시기에 여신은 손을 놓고 바라볼 수만은 없었다. 그녀는 사랑하지 않지만 첫 남편인 불의 신 헤파이스토스의 대장간을 찾았다.

헤파이스토스와 결혼 후 한 번도 찾지 않은 대장간에 아프로디테가 나타나자 헤파이스토스를 비롯하여 대장간의 일꾼들은 하던 일을 멈추고 그녀의 아름다움에 빠져들었다. 절름발이에 못생긴 헤파이스토스가 한 번도 결혼하지 않은 미의 여신 아프로디테를 차지할 수 있었던 피치 못할 사연이 있었다.

아프로디테의 조각상 ▶
프랑수아 바루아에 의해 모각된 작품으로 엉덩이가 아름다운 조각상으로 유명하다.

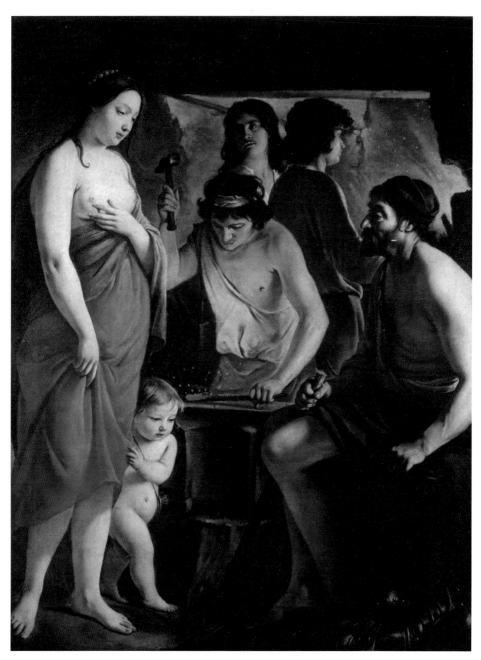

헤파이스토스의 대장간을 찾은 아프로디테_ 르 냉 형제의 작품

아프로디테가 첫 남편이자 불의 신 헤파이스토스의 대장간을 찾는 모습이다.

제우스는 헤라를 포함한 여러 부인들과 많은 자녀들을 두었는데, 제우스와 헤라 사이에 태어난 아이들이 제우스의 서자들에 비해 능력이 떨어졌다. 헤파이스토스는 뛰어난 손재주를 갖고 있었으나 다리를 절뚝거리는 절름발이에 못생겼다. 또한 그의 어머니 헤라는 누구와도 관계를 맺지 않고 혼자서 낳았다. 그의 동생인 전쟁의 신 아레스는 키도 훤칠하고 미남이긴 하지만 신이라 하기에는 그 자질이 너무나 모자랐다.

자식들이 태어나기 전 헤라 여신은 자신의 자식들이 다른 자식들보다 열등할 것이라는 신탁으로 늘 스트레스에 쌓였다. 제우스가 다른 여인과 불륜을 일으켜 자식이라도 낳으면 분노와 질투에 사로잡혀 불륜녀와 그의 자식들을 응징하기에 바빴다.

그녀는 헤파이스토스를 낳고 나서 아이의 상태에 낙담하였다. 아이는 한쪽 다리를 절고, 흉측한 생김새를 하고 있었던 것이다. 자신의 아이를 보자마자 헤라는 그만 격분하였다.

"꼴 보기도 싫으니 저 아이를 바다로 던져버려라."

헤라는 무서웠다. 그녀는 제우스의 애인들에게 독기를 품어 응징을 가했듯 자신의 아들 헤파이스토스를 올림포스산에서 던져버렸다. 헤파이스토스는 밤낮이 지나도록 아래로 아래로 떨어지다가 어느 바다에 떨어

어린 헤파이스토스를 하늘에서 떨어뜨리는 부조

테티스 여신에게 방패와 갑옷을 만들어주는 헤파이스토스_ 루벤스의 작품
헤파이스토스는 자신을 키워준 테티스 여신의 아들 아킬레우스에게 줄 방패와 갑옷을 만들어준다.

졌다. 그 아이를 바다의 여신 테티스가 거두어들인다.

"이 아이가 헤라가 버린 아이란 말인가?"

테티스는 아이의 못생긴 외모를 보고 탄식을 했다. 그러나 아이의 초롱초롱 빛나는 눈동자를 보고는 적잖게 놀랐다.

"이 아이는 분명 영광스러운 신이 될 것이 틀림없다. 헤라의 그 급한 성정으로 보석 같은 이 아이의 미래를 못 보다니."

테티스는 기꺼이 아이의 대모가 되어 주었다. 그녀는 올림포스 신들과 티탄족 간 전쟁 때 자매인 레아의 딸 헤라를 맡아 키웠는데, 헤라에 이어 그녀의 아들인 헤파이스토스도 받아들였다.

헤파이스토스는 외모는 볼품없었지만 비상한 손재주를 가지고 있었다. 그는 바다의 님프들을 위한 팔찌나 목걸이 등을 만들었다. 님프들은 그의 멋진 장식품으로 치장을 하고 뽐냈으며, 이제 그가 만든 장식품들은 신들 세상에서 서로 얻고자 하는 보물이 되었다.

헤파이스토스가 바다에서 9년을 지낼 때였다. 올림포스의 헤라 여신은 아름다운 장식품을 만드는 자가 누구인지 궁금하였다. 그리고 그가 자신이 버렸던 아이인 헤파이스토스라는 것을 알고는 놀람과 미안함이 교차되었다. 그녀는 당장 헤파이스토스를 올림포스로 올라오도록 했다.

"네가 내 아들 헤파이스토스가 맞단 말이냐?"

아이를 버릴 때는 언제고, 헤파이스토스가 신들의 세상에서 주목을 받는 유명 인사가 되니 그제야 그를 찾은 것이다. 헤파이스토스는 여왕 헤라를 위해 황금으로 된 의자를 만들어 바쳤다. 그 의자는 올림포스에서 볼 수 없는 진귀한 진주들이 박혀 있는 아름다운 의자였다.

헤라는 아들인 헤파이스토스가 내놓은 의자를 보더니 자리에서 일어나 황금 의자에 앉았다.

헤파이스토스 집의 헤라_ 윌리엄 블레이크 리치먼드의 작품 헤라와 헤파이스토스는 모자 관계이지만 이기적인 헤라에게 버림을 받은 헤파이스토스는 장성하여 헤라가 곤욕을 치르게 한다.

"오! 이렇게 편안한 느낌의 의자는……."

그녀가 말을 마치기도 전에 황금 의자에서 보이지 않는 그물이 튀어나와 헤라를 꽁꽁 묶어버렸다.

"이게 무엇 하는 짓이냐!"

헤라는 언성을 높였으나 헤파이스토스는 조금도 동요하지 않았다.

"어서 이 그물을 풀지 못하겠느냐."

헤라는 다시 한번 고성을 외쳤다.

그러자 헤파이스토스는 참았던 울분을 터뜨리듯 말문을 열었다.

"내 얼굴이 못생긴 것은 내가 만든 것이 아니오. 또한 절룩거리는 내 다리도 내가 만든 것이 아니오. 이 모든 것을 바로 당신이 만들어 놓고 아무런 가책도 없이 나를 버렸소. 버리려면 차라리 낳지를 말지, 왜 낳은 것이오."

헤라 여신은 수치심에 얼굴이 붉어졌다.

"내가 잘못했다. 그러니 이 그물을 풀고 말로 문제를 풀자꾸나."

여신의 말에 헤파이스토스는 냉정하게 말했다.

"아니요. 나는 대양의 깊숙한 바다에서 이날만을 기다리며 살아왔소. 당신이 나와 같은 처지라면 어떻게 했겠소? 나는 당신의 피를 물려받았기에 당신의 방법으로 응징하고자 하오."

다급해진 헤라 여신은 헤파이스토스가 딱 받아들일 만한 매력적인 제

헤라 여신을 묶은 그물을 풀어주는 헤파이스토스
헤파이스토스가 아프로디테와 결혼을 전제로 헤라 여신을 그물에서 풀어주는 장면을 묘사한 그리스 도자기 그림이다.

안을 했다.

"나를 풀어준다면 세상에서 가장 아름다운 아프로디테를 너에게 줄 테니 진정하거라."

헤파이스토스는 헤라 여신의 말에 동요되었다.

"그렇다면 저 무서운 스틱스강에 이 약속을 맹세할 수 있겠소?"

헤라는 스틱스강에 맹세를 했다. 그렇게 하여 헤파이스토스의 그물에서 벗어날 수 있었다.

아프로디테는 헤라가 자신과 헤파이스토스를 결혼시키려는 중재에 펄쩍 뛰었다.

"나더러 절름발이인 헤파이스토스와 결혼하라니 정신이 잘못된 것이 아니에요."

바다의 여신 테티스_ 프레드릭 레이튼의 작품
헤라는 레아와 크로노스 사이에서 태어났다. 그녀가 크로노스 뱃속에 삼켜지다가 형제들과 함께 토해져 나왔는데 아직 미숙한 상태여서 테티스가 맡아 양육하였다. 결국 테티스는 헤라와 그의 아들 헤파이스토스를 키운 대모였다.

헤라에게 허리띠를 채워주는 아프로디테_ 안드레아 아피아니의 작품
헤라는 제우스를 유혹하기 위해 어떤 남신들도 유혹에 넘어간다는 아프로디테의 허리띠를 빌린다.

헤라는 길길이 날뛰는 아프로디테를 달랬다.

"여신이여, 신들의 여왕인 나의 부탁을 들어주면 어떤 보상이라도 할
테니 진정하세요."

아프로디테는 더욱 씩씩거렸다.

"당신은 지난날 내 허리띠를 빌려가는 신세를 졌어요. 그런데도 이번
에는 당신의 못생긴 아들과 결혼하라니, 그것이 그때 허리띠를 빌려간
보상이란 말이에요? 이번 부탁을 들어주면 또 어떤 걸 내놓으라 할지 두
려우니 당신의 부탁을 들어줄 수가 없어요."

아프로디테는 조곤조곤 따지듯 대들었다. 헤라는 더 이상 할 말이 없
었다. 이번 일은 자기가 생각해도 무리임을 알았다. 그렇다고 스틱스강

파포스섬의 아프로디테_ 허버트 제임스 드레이퍼의 작품

파포스섬은 아프로디테가 태어난 곳으로 파포스에 있는 샘은 처녀성을 상실하고 목욕을 하면 처녀
성이 되살아난다는 명소이다.

에 맹세한 이상 약속을 어길 수는 없었다.

헤라는 테티스를 찾았다.

"어머니, 그간 안녕하셨지요."

"오! 나의 사랑하는 딸아. 그런데 안색이 왜 그렇게 어두운 것이냐."

헤라는 헤파이스토스의 약속을 이야기했다.

"아프로디테가 헤파이스토스와의 결혼을 한사코 거절하기에 어머니의 도움이 필요합니다. 도와주세요."

테티스는 한때 어린 헤라를 양육하였다. 그리고 이제 그녀가 낳은 아들인 헤파이스토스를 양육하여 두 모자의 대모가 되었다. 그러니 헤라의 부탁을 안 들어줄 수 없었다. 그녀는 헤라의 인도를 받아 아프로디테의 거처인 파포스섬에 도착했다. 아프로디테는 테티스의 방문에 맨발로 뛰어 나왔다.

아프로디테도 태어날 때 테티스 여신의 도움으로 거친 파도에서 살아남을 수 있었다. 생명의 은인인 테티스 여신의 방문을 반갑게 맞이하면서도 곁에 함께 서있는 헤라 여신을 보자 안색이 굳어졌다.

"여신께서는 아무런 기별도 없이 무슨 일로 오셨습니까?"

아프로디테의 말투가 자기도 모르게 딱딱해졌다. 그런 그녀의 마음을 아는지 테티스는 웃으며 말했다.

"호호! 내가 못 올 곳을 왔나요. 마음을 풀고 같은 여신들끼리니 서로 이야기나 나누지요."

아프로디테는 온화한 테티스의 말에 마음이 놓이면서 여신들을 거처로 안내했다. 거처는 소담했지만 매우 화려하였다. 님프들이 넥타르를 내오고 여신들은 둘러앉아 이야기꽃을 피웠다. 그때 테티스는 품 안에서 조그만 상자를 아프로디테에게 주었다.

"이것은 제가 드리는 선물이니 받아 주세요."

아프로디테는 선물상자를 받아 뚜껑을 열었다. 선물상자에는 청아한 빛이 나는 황금 반지가 있었다. 반지는 황금인데도 바닷물을 머금은 듯 푸른 광채가 쏟아졌다.

"오! 이것은 말로만 듣던 황금, 아니 청금의 반지가 아니에요?"

아프로디테뿐 아니라 헤라도 깜짝 놀랐다. 청금 반지는 그 주인에게 영원한 아름다움을 준다는 전설 속의 반지였다.

"호호! 모두들 놀랐겠지요. 이 반지는 헤파이스토스가 나에게 선물한 반지예요. 나를 어머니 이상으로 생각하는 그가 열 달 동안이나 정성을 다해 만든 반지랍니다."

아프로디테는 부러웠다. 물론 헤라도 부러웠지만 착잡한 마음이 일기도 하였다. 그녀도 열 달 동안 헤파이토스를 품은 후 낳았지만 돌아온 것이라고는 그물로 쳐진 황금 의자였다. 아프로디테는 귀한 선물을 받고도 믿어지지 않았다.

"정말 이것을 저에게 주시는 것입니까?"

"호호! 이것은 미의 여신이 끼고 있어야 할 반지가 아니겠어요."

아프로디테는 테티스의 말을 이해했다. 영원한 아름다움을 주는 이 반지야말로 자신이 주인이라는 것을, 그리고 누구에게도 이 반지를 빼앗기고 싶지 않다는 마음을.

"호호! 마음에 드셨다니 주는 저로서도 기분이 좋네요. 하지만 조건이 있어요. 이 반지를 끼는 여신은 헤파이스토스와 결혼을 해야 합니다."

아프로디테는 반지를 손가락에 끼우려는 순간 테티스의 말을 듣고 멈췄다. 그리고 시녀인 아글라에아에게 반지를 상자에 넣으라고 지시했다.

"아니, 왜 반지를 상자에 넣는 것입니까?"

테티스는 웃으며 이야기를 하였다. 그러자 아프로디테는 헤라의 얼굴을 노려보더니 테티스에게 말했다.

"청금 반지와 내 순결을 바꾸려 하다니요."

아프로디테는 조금 노한 목소리였다. 그리고 헤라를 바라보며 말했다.

"그대는 나의 허리띠로 여왕이 되었거늘 어째서 나를 괴롭히기만 하오."

그래도 테티스는 온화함으로 아프로디테를 대했다. 테티스는 아프로디테의 시녀 아글라에아를 바라보며 말했다.

"그럼 아프로디테 대신 이 반지를 너에게 주겠다."

아글라에아는 깜짝 놀랐다. 이 상황을 어떻게 대해야 할지 난감했다. 이때 헤라 여신이 끼어들며 말했다.

"아글라에아 정도면 충분히 반지의 주인이 될 자격이 있어요. 그러니 어서 받아요."

헤라의 말대로 아글라에아는 아름다움을 상징하는 여신이었다. 그녀는 제우스와 에우리노메 사이에서 태어난 세 여신 중 하나인데 이 세 여신이 카리테스라 불리는 삼미신(三美神)이다.

첫째인 에우프로시네는 명랑함과 유쾌함을 상징하였고, 막내인 탈리아는 발랄함과 풍요로움을 상징하며, 둘째인 아글라에아는 아름다움을 상징하였다.

그녀들은 항상 함께하고 있으며, 미의 여신인 아프로디테를 수행하는 일을 하였고, 목욕과 화장을 준비하기도 하고 옷을 만들어주기도 했다. 아글라에아가 슬며시 손을 뻗어 상자를 받으려는 찰나, 아프로디테는 매섭게 그 상자를 가로채더니 씩씩거렸다.

"조금 생각할 여유를 주세요."

삼미신_ 루벤스의 작품
미의 여신 아프로디테를 수행하는 일을 하는 여신들을 일컬어 부른다.

여신이라도 마음만은 인간 여인들과 똑같았다. 그녀는 남이 자기보다 더 예뻐지는 것이 싫었다. 그때 테티스는 미소를 거두고 부드럽지만 엄숙하게 이야기했다.

"내가 이 반지를 미끼로 그대를 헤파이스토스와 결혼을 시키려는 것이 아니오. 나는 자랑스러운 헤파이스토스의 대모이자 할머니요. 그리고 무엇보다도 더 중요한 것은 그대와 헤파이스토스의 출생 내력 때문이오."

테티스의 말에 그 누구도 먼저 이야기를 하려 하지 않았기에 일순간 실내는 적막함이 일었다. 아프로디테는 어머니가 없이 아버지 우라노스의 잘린 성기에서 태어난 여신이다. 그리고 헤파이스토스도 아버지가 없이 헤라가 혼자 낳은 자식이다. 헤라는 제우스가 티탄과의 전쟁 때 혼자서 아테나를 머리로 낳는 것을 보았다. 화가 난 헤라도 보란 듯이 헤파이스토스를 낳았던 것이다. 이러한 사실은 신들의 세상에서는 모두 알고 있는 일이었다. 그런데 테티스가 이 이야기를 새삼 꺼낸 것은 그들이 결합하게 되면 서로에게 부족한 점을 채워 줄 수 있으리라는 생각 때문이었다.

◀ 삼미신의 조각상

제우스의 머리에서 태어나는 아테나

아테나는 제우스와 그의 첫 번째 아내 메티스 사이에서 태어난 딸이다. 둘의 결혼식 때 크로노스의 어머니 가이아는 제우스에게 불길한 예언을 하였다. 메티스가 딸을 낳으면 그 딸은 아버지와 대등한 능력을 지니게 될 것이고, 아들을 낳으면 아버지보다 더 강력하게 자라나서 제우스가 그랬듯이 아버지를 몰아내고 왕좌를 차지하게 되리라는 것이었다. 이에 제우스는 메티스가 임신을 하자 그녀를 통째로 삼켜 버린다. 이후 메티스가 밴 아기는 제우스의 몸속에서 계속 자라났고, 제우스가 참을 수 없는 두통을 호소하자 대장장이 신 헤파이스토스가 도끼로 제우스의 이마를 찍어서 머리를 열었다. 그러자 이미 장성한 아테나 여신이 무장을 한 채로 튀어나왔다.

이 놀라운 이야기에 아프로디테는 얼음 같은 마음이 녹아버리고 말았다. 그녀는 테티스의 말대로 헤파이스토스를 남편으로 맞으면 서로에게 없는 어머니와 아버지의 존재를 채울 것만 같았다. 이로써 아프로디테는 헤파이스토스와 결혼하기로 마음먹었다.

아프로디테와 헤파이스토스의 결혼식은 올림포스 궁전에서 성대하게 치러졌다. 결혼식에는 많은 신들이 하객으로 참석하여 그들을 축하하였다. 남신들은 아프로디테의 미모를 구경할 수 있는 기회여서 모두 그녀를 잘 볼 수 있는 자리를 잡으려고 혈안이었다. 그리고 헤파이스토스를 부러워하며 질투를 하는 자까지 있었다.

헤파이스토스와 아프로디테의 결혼 축제_ 요한 게오르크 플래처의 작품

그들 중 헤파이스토스의 동생인 전쟁의 신 아레스도 있었다. 그는 형인 헤파이스토스와는 달리 키도 크고 체격도 늠름하였다. 그리고 얼굴까지 준수하여 여신들과 님프들 중 그를 연모하는 자들이 많았다.

헤라 여신도 이런 아레스를 자신의 어떤 자식들보다 아끼고 사랑했다. 그녀는 아프로디테를 아레스에게 소개하려고 했는데 그만 자신이 저지른 업보로 생각지도 않게 헤파이토스와 아프로디테의 결혼을 성사시키고 말았다.

헤파이스토스는 아프로디테와의 결혼 생활에 빠져 대장간 일을 소홀히 했다. 그는 틈만 나면 일을 멈추고 아프로디테에게 달려가 남편으로서 의무를 다하려고 노력하였다. 그런 결과 신들이 유용하게 쓰고 있는

헤파이스토스의 대장간을 찾아온 아프로디테_ 마르틴 요한 슈미트의 작품

물건들이 망가져 손질을 부탁해도 제때 고쳐 주지 못했다. 이를 기회로 신들은 헤파이스토스의 대장간에 얼굴을 자주 내밀었다.

　그들은 한 번이라도 아프로디테를 보거나 아니면 헤파이스토스에게 신혼의 달콤한 이야기를 들으려고 하였다. 특히 그곳에 많이 얼굴을 내

아프로디테와 헤파이스토스_ 바르톨로메우스 스프랑헤르의 작품
아프로디테가 헤파이스토스의 대장간을 방문한 장면을 묘사한 그림이다.

헤파이스토스의 대장간을 방문한 아프로디테_ 코라도 지아킨토의 작품

비친 신은 아폴론과 아레스였다. 그러나 시간이 지나면서 헤파이스토스는 아프로디테와의 결혼 생활은 행복했지만 모든 신들에게 주목을 받는 것이 부담스러웠다. 게다가 아프로디테의 넘쳐나는 욕정을 감당하기가 버거워졌다.

"불을 지폈으면 끌 줄도 알아야 하잖아요. 그런데 그대는 불만 지피니 앞으로 불을 끌 수 없으면 아예 불을 지필 생각을 말아요."

헤파이토스는 대장간 일이 시들하게 느껴졌다. 친하게 지내던 아폴론이 찾아왔을 때에도 예전과 달리 그리 반갑게 맞아 주지 않았다. 아폴론은 직감하였다. 그들이 사랑싸움을 하고 있다는 것을. 아폴론은 마치 모든 걸 다 알고 있다는 듯 헤파이스토스에게 조언을 하려 하였다. 헤파이스토스도 절친한 그에게 자신이 처한 일들을 소상히 알려주었다. 아폴론은 뜻하지 않게 그들의 비밀스러운 사생활을 알고는 적잖게 놀랐다.

세상에 둘도 없는 미인을 아내로 두어 마냥 행복해 보였는데, 그의 말을 들으니 어떻게 조언을 하면 좋을지 고민이 되었다.

이때 아레스는 헤파이스토스와 아폴론의 이야기를 모두 엿듣고 있었다. 곧이어 아폴론은 태양마차에 오르더니 하늘로 날아갔다.

그리고 얼마 후 헤파이스토스도 신들의 재판소인 아레오파고스를 단장하기 위해 대장간을 떠났다. 아레오파고스는 다른 말로 아레스의 언덕이라고도 불린다. 그곳은 신들의 정치 기구로 큰 사건이 생기면 다들 모여 회의를 하거나 사안에 따라 재판을 하는 등 신성한 장소였다.

이곳은 다음과 같은 사건으로 더욱 유명해졌다.

전쟁의 신인 아레스는 이글라우로스와 관계를 맺어 딸 알키페를 낳았다. 그런데 눈에 넣어도 아프지 않을 것 같았던 딸을 포세이돈의 아들 할리오티오스가 강제로 겁탈을 하였다. 화가 난 아레스는 그를 몽둥이로 때려 죽였다.

이 사건으로 아들을 잃은 포세이돈은 아레스를 고발하였고, 아레오파고스에서 재판이 열렸다. 포세이돈을 제외한 올림포스 열두 신이 배심원이 되었고 아레스는 증거불충분으로 무죄 판결을 받았다. 그런 연유로 재판이 열린 장소가 아레스의 언덕이라는 뜻의 아레오파고스라고 불리게 되었으며,

아레스 조각상 ▶

그리스 신화에 나오는 올림포스 12신 중 하나이다. 전쟁과 파괴를 주관하는 신이다. 피와 살상을 즐기고 잔인하고 야만적이다. 갑옷과 투구를 쓰고 칼이나 창과 방패를 든 모습으로 표현된다. 미의 여신 아프로디테의 연인으로도 유명하다. 로마 신화의 마르스와 동일시된다.

오늘날 행해지고 있는 재판도 아레오파고스 회의에서 유래가 되었다.

헤파이스토스가 아레오파고스로 떠나자 이때부터 아레스와 아프로디테의 불륜이 시작되었다.

"오늘 우리의 사랑을 누구도 눈치 채지 않았겠지요?"

"걱정하지 마시오. 헤파이스토스 형님은 아레오파고스에서 일을 하기 때문에 알 리가 없소. 그리고 이곳 파르나소스산의 동굴은 아무도 모르는 장소이니 마음 놓으시오."

아프로디테와 아레스의 불륜 행각은 계속되었다. 그들은 남몰래 사랑을 나눴기에 더욱 짜릿하였다.

그런 가운데 아무것도 모르는 헤파이스토스는 대장간에서 자신의 일에 몰두하였다. 그러나 아프로디테와 아레스의 불륜 행각은 아폴론에 의해서 발각되게 되었다. 아폴론은 여느 때와 마찬가지로 태양마차를 타고 하늘을 날던 중에 파르나소스산의 중턱에 있는 아프로디테와 아레스의 모습을 보았다. 한참을 주의 깊게 그들을 살펴보니 그들이 어느 동굴 속

아프로디테와 아레스_ 보티첼리의 작품
아프로디테와 아레스의 불륜으로 공포를 뜻하는 포보스와 두려움을 뜻하는 데이모스 그리고 에로스와 하르모니아를 낳았다. 에로스는 아프로디테와 에로스의 관계를 설명하기 위해 후에 추가된 것이라고도 한다.

아프로디테와 아레스_ 카를로 사라치니의 작품
아프로디테와 아레스가 사랑을 나누는 장면을 묘사한 그림이다. 아프로디테와 아레스의 불륜 사건은
올림포스 최대 스캔들로 유명하여 많은 예술가들의 주요 소재가 되었다.

으로 들어가는 것이 아닌가.

아폴론은 호기심이 발동하여 그들의 뒤를 쫓기로 하였다. 이윽고 동굴 안을 들여다본 아폴론은 경악을 금치 못했다. 그들의 밀회 장소인 동굴은 어느 별궁의 내실처럼 침대를 비롯하여 세간들이 다 있었다. 그들은 이미 침대에서 서로를 탐닉하고 있었다.

아폴론은 다음날 헤파이스토스의 대장간을 찾았다.

"나의 절친한 친구여, 이런 이야기를 내 입으로 하다니 정말 슬프구려. 그러나 그대를 위해 어쩔 수 없이 하는 것이니 놀라지 말고 이야기를 들어주게. 이야기가 끝나도 나를 탓하지도 말고 또한 절망하지도 말게나."

아폴론은 자기가 보았던 일들을 소상히 이야기했다. 이야기가 끝나

헤파이스토스 대장간에 나타난 아폴론_ 벨라스케즈의 작품
아폴론이 헤파이스토스에게 아프로디테와 아레스의 불륜 사실을 일러바치는 장면이다.

자 헤파이스토스는 의외로 담담했다. 그러나 그의 눈만은 질투와 분노로 이글거렸다.

"나는 이미 그녀가 누군가를 만난다는 느낌을 받았소. 그리고 내 마음 한구석에라도 그녀를 구속하고 싶지가 않았소. 그러나 그녀가 내 동생인 아레스를 만나다니, 그것만은 용서가 되지 않는구려. 질투심에 앞서 그들은 패륜의 사랑을 벌이는 것이오. 나는 그들에게 합당한 벌을 내릴까 하오. 그러니 그곳에 나를 데려가 주시오."

그들이 탄 태양마차는 순식간에 파르나소스산 중턱에 도착했다. 태양마차에서 내린 헤파이스토스는 동굴 집에 들어가 무언가를 설치하였

파르나소스산의 아프로디테와 아레스_ 안드레아 만테냐의 작품
아프로디테와 아레스가 사랑을 나누는 장면을 묘사한 그림이다. 이 작품은 르네상스의 여류 후원자
인 이사벨라 데스테를 위해 그려진 작품으로 파르나소스산에서 아프로디테와 아레스의 사랑을 축하
하고 독려하는 듯한 아홉 뮤즈가 춤을 추고 있다. 왼쪽에 붉은 망토를 휘날리고 절규하고 있는 인물
이 헤파이스토스다. 또한 아폴론은 뮤즈들의 춤에 맞춰 리라를 켜고 있다. 이 모든 것을 지켜보는 헤
르메스는 날개달린 페가수스를 타고 곧 소문을 낼 작정을 하고 있다.

다. 그리고 그는 동굴 안쪽에 보이지 않는 공간을 만들어 그곳에 숨었다.

이윽고 동굴 밖에서 네 마리의 말이 끄는 전차가 도착했다. 아레스가
위풍당당하게 내렸고 조금 후에는 백조가 끄는 마차가 오더니 그곳에서
아프로디테가 모습을 드러냈다.

그들은 동굴 집으로 들어와 이야기를 나눴다.

"요즘 형님께서는 그대에게 오지 않소?"

"그는 대장간 일이 바쁘다는 핑계로 나를 피하고 있어요. 나 역시 그런 그에게서 마음이 떠났답니다."

그녀의 말을 들은 헤파이스토스는 머리에 망치가 내려치는 듯 아찔하고 피는 거꾸로 솟았다. 그럼에도 그들은 헤파이스토스의 애타는 마음은 안중에도 없는 듯 사랑의 행위를 이어나갔다. 그들이 절정을 향해 치달을 순간, 헤파이스토스는 더 이상 참지 못하고 침대 위에 설치해 놓은 보이지 않는 그물을 그들에게 투척하였다.

"헉!"

"아악!"

헤파이스토스는 어둠속에서 나와 그들 앞에 몸을 드러냈다. 그리고 침상에서 꼼짝달싹 못 하고 부둥켜 있는 그들을 보고 말했다.

아프로디테와 아레스의 불륜 현장을 기습하는 헤파이스토스_ 알레산드로 바라타리의 작품
헤파이스토스가 자신의 아내인 아프로디테와 아레스와의 불륜 현장을 급습하는 장면이다.

아프로디테의 불륜 현장_ 헨드릭 드 클레르크의 작품

헤파이스토스에게 현장을 들킨 아프로디테와 아레스는 헤파이스토스가 침대에 쳐놓은 그물에 걸린
채 신들의 놀림거리가 되었다.

아프로디테와 아레스의 불륜_ 요한 하이스의 작품
아프로디테와 아레스의 불륜은 그리스 신들 세상에 최대 스캔들이 되었다.

"그대는 시동생을 유혹하였고, 아레스는 형수를 겁탈하였다. 이것은 불륜이 아니라 패륜이기에 이 장면을 모든 신들의 조롱거리로 삼을 것이다."

헤파이스토스는 문을 활짝 열고는 올림포스의 모든 신들에게 큰 소리로 외쳤다.

"여기 미의 여신과 전쟁의 신의 불륜 장면을 구경하시오."

헤파이스토스의 말 한마디에 아폴론을 비롯하여 모든 신들이 파르나소스산에 몰려들었다. 신들의 제왕인 제우스도 궁금하여 구경을 하였다. 신들은 적나라한 알몸으로 뒤엉켜 있는 그들의 모습에 실소를 금치 못했다.

아프로디테와 헤파이스토스_ 요아킴 브테바엘의 작품
헤파이스토스는 아프로디테와 아레스의 불륜 현장을 신들에게 공개하며 망신을 주었다.

어떤 신은 아프로디테의 옷을 보자 보란 듯이 그 옷을 챙겨 달아났다. 그리고 전령의 신 헤르메스는 그들을 부러워하였다. 그는 자기가 아레스처럼 창피를 당하더라도 미의 여신 아프로디테라면 얼마든지 감수하겠다고 공언을 하였다. 그의 넉살에 신들은 껄껄거리며 한바탕 웃어넘겼다.

아프로디테와 아레스는 얼굴이 새빨갛게 변했다. 그때 바다의 신 포세이돈이 나섰다.

"헤파이스토스여, 이만하면 충분하니 이제 그 그물을 풀어주게."

"저들의 불륜은 죄악입니다. 그러니 이번 기회에 단죄를 해야 합니다."

헤파이스토스는 한사코 거절하였다.

그러자 포세이돈이 많은 위자료를 보상으로 걸었다. 그리고 그 대금을 아레스가 전액 내도록 했다.

"헤파이스토스여, 아레스가 위자료를 내지 않는다면 나라도 낼 터이니, 그만 멈추시게."

결국 아프로디테와 아레스의 불륜 사건은 포세이돈의 중재로 끝이 났다. 그리고 아프로디테는 아글라에아가 준 옷을 입고 자신의 거처인 파포스섬으로 돌아갔다.

헤파이스토스의 무구

| 아이네이아스를 위해 헤파이스토스에게 무구를 주문하는 아프로디테 |

아프로디테와 헤파이스토스는 애증의 관계였다. 헤파이스토스는 자신의 절룩거리는 다리에서 신체의 아픔을 느꼈던 것처럼 아프로디테의 불륜을 통해 인생의 절룩거림을 맛보았다. 그럼에도 그는 그녀를 사랑하였고, 그녀의 부탁이라면 무엇이든 만들어 주었다. 그는 심지어 아프로디테와 아레스의 불륜으로 낳은 자식 에로스를 위하여 절대적인 무기인 황금의 활과 화살을 만들어 주기도 했다. 또한 그는 아프로디테가 누구에게도 머물지 않는 바람이라 생각하고는 그녀를 자신의 속박에서 해방시켜 주었다.

아프로디테는 아들인 아이네이아스를 위해 헤파이스토스에게 훌륭한 무기를 만들어 줄 것을 요구하였다.

"대장간의 신, 헤파이스토스여. 아이네이아스가 아무리 고난에 빠져도 지금껏 나는 당신에게 도움을 요청하지 않았어요. 지난날 당신의 마음을 아프게

헤파이스토스의 조각상 ▶
올림포스 12신 중 하나다. 야금술, 금속공예, 수공업, 조각 등을 관장하며 대장장이 신으로 불린다. 절름발이에 망치와 집게 등을 손에 든 모습으로 표현되며, 아테나 여신과 함께 기술과 장인의 수호신으로 숭배된다. 로마 신화에 나오는 불의 신 불카누스와 동일시된다.

헤파이스토스의 대장간을 방문한 아프로디테_ 티에폴로의 작품
아프로디테는 아들 아이네이아스의 무기를 만들기 위해 헤파이스토스의 대장간을 방문한다.

했기 때문에 당신을 힘들게 하고 싶지 않아서였죠."

헤파이스토스는 아프로디테가 자신의 대장간에 온 것을 은근히 좋아하였다. 그녀가 지난날 아레스와의 불륜에 대한 용서를 구했기 때문이다.

"나는 지난 일들은 모두 잊었소. 그런데 그 무기는 어디에 쓰려는 것이오?"

아프로디테는 아름다운 얼굴에 미소를 띠며 말했다.

"지금 아이네이아스는 얼마 안 되는 병사들과 함께 병력이 몇 배나 우세한 이탈리아 종족 전체에 맞서 힘겹게 대항하고 있어요. 내가 당신에게 아이네이아스를 위해 그의 생명을 보호해 줄 무구를 하나 만들어 달라고 부탁하고 싶은데, 지나친 부탁일까요?"

헤파이스토스는 아프로디테가 간곡하게 부탁하는 것을 듣고는 큰 소리로 호탕하게 웃었다.

"사랑하는 아프로디테여, 아내가 남편에게 부탁을 하면서 무슨 이유를 달고 그러오? 당신의 사랑하는 아들 아이네이아스를 위해 무구를 만들어주리다! 이곳 대장간은 협소하니 키클롭스의 대장간으로 갑시다."

헤파이스토스는 흔쾌히 대답하고는, 곧장 트리나크리아에서 북쪽으로 얼마간 떨어진 바다 위에 솟은 작은 섬으로 내려갔다.

섬은 과거 티탄과의 전쟁 때 타르타로스에 있던 눈이 하나 달린 키클롭스 삼 형제가 지상에 나와 제우스를 돕기 위해 무기를 만들던 대장간으로, 그때 그들은 제우스를 위해 번개를 만들어주었기 때문에 티탄족

헤파이스토스의 대장간_ 얀 브뤼헐의 작품
헤파이스토스는 아프로디테를 데리고 섬에 있는 키클롭스의 대장간으로 내려간다.

헤파이스토스의 대장간을 방문한 아프로디테_ 프랑스 플로리스의 작품

을 물리칠 수 있었다.

섬의 굴뚝에서는 연기가 끊임없이 솟아오르고 있었다.

키클롭스의 대장간은 온갖 무기들로 가득했다. 그리고 쇠망치를 두들기는 소리와 함께 헤파이스토스를 따르는 건장한 화부들이 열심히 일을 하고 있었다. 헤파이스토스는 그들에게 큰 소리로 외쳤다.

"잠시 일을 멈추어라! 지금부터는 아름다운 여신을 위해 가장 훌륭하고 강한 무기를 만들어야 할 것이다. 모두들 풀무질을 멈추고 불을 새로 지피고 순도가 높은 강철로 갑옷, 정강이받이, 투구, 방패 그리고 칼을 만들어라. 그러면 내 손수 무기의 마무리 손질을 할 것이다."

그의 말에 건장한 화부들은 하던 일을 멈추고 새로운 일을 하기 시작했다. 그런 모습을 본 아프로디테는 헤파이스토스의 늠름한 태도에 놀라며 그동안 그를 못생긴 절름발이로만 보았던 시선을 거두고 그를 다시 보게 되었다. 무기가 만들어질 동안 아프로디테와 헤파이스토스는 오랜만에 사랑을 나눴다. 아프로디테는 진심으로 헤파이스토스를 받아들였다.

밤새 회포를 푼 그들은 다음 날이 되어서야 대장간을 나섰다. 그때까지 화부들은 밤을 새워 훌륭한 무기들을 만들어 놓았다. 헤파이스토스는 무기 하나하나마다 꼼꼼히 살펴보며 다시 손질을 하였다. 그리고 제우스가 하늘에서 땅 위로 가차 없이 내리꽂는 번개, 전쟁의 군신 아레스가 땅 위를 내달릴 때 타고 다니는 청동 바퀴가 달린 마차, 메두사의 끔찍한 얼굴이 그려진 아테나의 황금 방패에 대항해도 손색이 없는 강철 무구들을 만들어냈다.

"자, 이만하면 어떤 무기라도 이 강철 무구를 깨거나 뚫지 못할 것이오."

아프로디테와 헤파이스토스_ 안 브뤼헐의 작품
헤파이스토스는 아프로디테에게 훌륭한 무기들을 만들어준다.

아프로디테와 헤파이스토스_ 헨드릭 반 발렌의 작품

아프로디테는 마음을 열어 헤파이스토스를 받아들이며 그의 대장간에서 하룻밤을 보낸다.

헤파이스토스는 만면에 웃음을 지으며 아프로디테에게 말했다. 이에 아프로디테는 훌륭한 무기들을 보고는 만족하였다.

"과연, 당신은 진정한 불의 신이자 대장간의 신이군요. 이 훌륭한 무기들은 내 아들, 아이네이아스가 새로운 나라를 건국하는 데에 큰 힘이 되겠어요."

한편 팔란티움의 에반드로스왕은 밤이 깊었는 데도 좀처럼 잠을 이룰 수가 없었다. 그는 아이네이아스와 동맹을 맺은 것 때문에 앞으로 벌어지게 될 전쟁의 그림자가 눈앞에 서리는 듯했다. 이런저런 생각에 뜬눈으로 밤을 세운 에반드로스왕은 아침이 되어 아들 팔라스를 데리고 밖으로 나왔다.

아이네이아스도 일찍 일어나 내실 밖으로 나와 있었다. 에반드로스왕은 아이네이아스를 보고는 기다렸다는 듯 말했다.

"간밤에 잘 주무셨소? 나는 그대를 만나려고 한숨도 잠을 이루지 못했소."

아이네이아스는 에반드로스왕의 말에 정색을 하고 물었다.

"아니, 왕께서 어찌 저 때문에 잠을 이루지 못했습니까?"

에반드로스왕은 주위를 둘러보고는 아이네이아스에게 말했다.

"잠시 나와 함께 성 밖으로 나갔으면 하오. 내 그대와 의논해야 할 일들이 너무 많은데, 조용한 숲이라면 아무도 우리를 방해하지 않을 것이오."

아이네이아스는 두말 않고 에반드로스왕을 뒤따랐다. 에반드로스왕과 아이네이아스와 팔라스는 성 밖으로 나와 성곽으로 둘러진 숲의 길로 들어섰다. 마침내 에반드로스는 아이네이아스를 향해 입을 열었다.

"우리 팔란티움이 그대에게 도움을 줄 수 있는 힘은 너무 미약하오. 그러니 내 말을 잘 들으시오. 여기서 그리 멀리 떨어지지 않은 곳에 아길라라는 도시가 있소. 그 도시에는 싸움 잘하기로 유명한 리디아 출신 사람들이 에트루리아 지방 산등성이에 도시를 건설했소."

에반드로스왕은 이야기가 길어질 것 같아 나지막한 바위에 앉아 이야기를 이었다.

"그들의 도시는 여러 해 동안 번성했소. 그러던 중 신을 경멸하는 폭군으로 이름난 메젠티우스가 그 도시를 다스리게 되었소. 그가 얼마나 야만적으로 백성을 탄압하고 살인을 저질렀는지는 더 이상 생각하기도 싫소. 심지어 산 사람들을 시신과 함께 묶어 손과 손, 입과 입이 포개진 채 공포에 떨다가 천천히 죽어가게 만들었소. 그의 변태적인 폭정에 시달린 백성들은 합심하여 그에게 대항했소. 백성들의 민란이 성공하자 메젠티우스는 루툴리인들에게로 도망쳤소. 지금은 그자의 친구인 투르누스가

메젠티우스의 만행
폭군 메젠티우스가 죄없는 백성들을 죽은 자와 함께 묶어 고문하는 장면의 목판화 그림이다.

그를 받아들였소. 아직도 메젠티우스를 향한 원한에 가득 차 있는 아길라 백성들뿐 아니라 전 에트루리아의 도시들이 메젠티우스를 넘겨주지 않으면 공격하겠다고 으름장을 놓고 있다오. 그래서 에트루리아인들은 그들을 이끄는 타르콘의 지휘 아래 메젠티우스를 끌고 오기 위해, 그들이 가진 모든 병력을 이끌고 원정을 떠났소. 그런데 그들은 지금 망설이고

있소. 그것은 어느 예언자가 다음과 같이 말했기 때문이오.

'리디아의 용감한 젊은이들이여, 당신들이 복수를 하려는 소망은 정당하다. 그러나 당신들을 이끌 지도자는 타르콘이 아니다. 어떤 이탈리아 인도 너희와 같이 강한 종족을 지배할 수 없기 때문이다. 당신들은 먼 나라에서 온 이방인 중에서 지도자를 선택해야 한다!'

타르콘은 예언에 순응하여 나에게로 와 리디아군을 맡아달라고 했소. 그러나 나는 이미 늙은 몸이기 때문에 아들 팔라스를 생각했지만 그의 어머니는 사비니인이었기 때문에 리디아의 지도자가 될 수 없었소. 그러나 여신의 아들인 그대는 낯선 곳에서 이곳으로 온 완벽한 이방인이오. 자, 그러니 이 과업을 그대가 맡도록 하시오."

그때였다. 맑은 하늘에 느닷없이 번개가 번쩍이더니 천둥소리가 울렸다. 아이네이아스는 벌떡 일어나 말했다.

"오, 여신이신 어머니께서 전에 내게 말씀하셨습니다. 전쟁이 일어나면 이런 신호를 내게 보내실 것이며, 헤파이스토스께서 만드신 갑옷과 무기들을 내게 가져다주시겠다고. 이제 어머니께서 이런 신호를 보내시는데 더 이상 왕의 말씀을 거절할 수가 없습니다."

에반드로스왕은 자신의 말에 따르는 아이네이아스가 믿음직스러웠다.

"나는 그대와의 동맹을 지키기 위해 힘닿는 대로 모든 것을 다 할 것이오. 그리고 내 아들인 팔라스가 그대와 함께 전쟁에 참가할 것이오. 그대에게 부탁하건대, 내 아들을 잘 돌봐주시오. 내 병사들 중 싸움에 뛰어난 200명을 그대에게 주겠소. 그리고 팔라스 역시 같은 수의 병력을 이끌게 될 것이오."

에반드로스왕이 말을 마치자 아이네이아스는 곧장 동료들이 기다리는 함선으로 갔다. 그리고 자신과 동행할 가장 용맹스러운 전사들을 가

ACHATES ENEAS EVANDER PALAS

아프로디테의 신호
아프로디테가 하늘에서 번개를 내려 아이네이아스에게 전쟁을 독려하는 모습이다.

팔라스와 이별하는 에반드로스
에반드로스왕이 전쟁에 나가는 아들 팔라스와 이별하는 장면이다.

려 뽑았다. 나머지 병사들은 아스카니오스가 있는 막사로 돌려보냈다.

이윽고 아이네이아스의 전사들과 팔라스의 전사들이 말을 타고 에트루리아를 향해 떠났다. 그들이 떠날 때 모든 사람들이 다 같은 마음으로 신들에게 기도를 올리며 전사들의 승리를 기원했다.

400명의 전사들은 성을 벗어나자 숲이 무성한 산등성이를 넘었다. 곧 얕은 강을 건너 또 다른 산등성이를 넘어설 때 해가 서산에 걸렸다. 아이네이아스는 진군을 멈추게 하고는 말에서 내려 전사들에게 말했다.

"전사들이여, 오늘은 이곳에서 밤을 지새우고 내일 아침에 다시 진군할 것이다."

전사들은 막사를 세우고 가져온 식량으로 식사를 하고 취침을 취했다. 그러나 아이네이아스는 그동안의 일들을 생각하며 좀처럼 잠을 이루지 못했다. 트로이아를 떠나 아버지 안키세스를 잃고 디도 여왕과의 만남에

아이네이아스의 출정
에반드로스가 전쟁터로 떠나는 아들 팔라스에게 작별 인사를 하고 있다. 아이네이아스는 뒤편 숲속
에서 타르초와 에트루리아인들을 만나고 있다.

서부터 비극적인 헤어짐에 이르기까지 참으로 많은 일들이 그를 가슴 아프게 했다. 아이네이아스는 잠자리에서 일어나 막사 밖으로 나왔다. 그러다 그는 숲의 떡갈나무 아래에 서 있는 여인의 실루엣과 빛나는 금속의 섬광을 목격하였다. 어머니인 여신 아프로디테였다.

"아! 어머니."

아이네이아스는 곧바로 아프로디테에게 갔다. 아프로디테는 아이네이아스를 보고 웃으며 말했다.

"이제 전쟁이 시작되었다. 그래서 너에게 이 무기들을 주려고 가져온 것이다. 이 무기들은 대장간의 신인 헤파이스토스께서 만든 훌륭한 무기란다."

아프로디테가 건네준 무기들은 매우 정교하고도 단단하게 만들어져 아이네이아스는 여신이 사라진 것도 모른 채 무기를 감상하느라 잠시 황홀감에 빠졌다. 황금으로 빛나는 방패와 삼중으로 된 깃털 장식이 달

아이네이아스의 무기_ 루카 조르다노의 작품
아프로디테가 아이네이아스에게 무기를 주는 장면이다.

린 투구 등은 과연 헤파이스토스가 왜 '신의 대장장이'인지를 충분히 증명하고도 남는 뛰어난 무기들이었다. 특히 방패에 새겨진 그림들을 본 순간 아이네이아스는 한동안 넋을 잃고 바라볼 수밖에 없었다. 금과 은으로 정교하게 장식된 부조는 앞으로 그의 자손들과 로마와 이탈리아가 겪게 될 운명을 보여주고 있었다. 그러나 아이네이아스는

아이네이아스에게 무기를 주는 아프로디테_ 폼페오 바토니의 작품
아프로디테가 헤파이스토스에게서 얻은 무기를 아이네이아스에게 건네는 장면을 묘사한 그림이다.

아이네이아스에게 무기를 주는 아프로디테_ 니콜라 푸생의 작품

그 그림들이 무엇을 의미하는지 알지 못했다. 그는 인간이기에 미래를 내다보는 능력이 없었기 때문이다.

얼마 후 아이네이아스는 갑옷을 챙겨 입었다. 갑옷은 마치 잰 것처럼 자신의 몸에 꼭 맞았다. 그는 이어 허리에 칼을 찼다. 그리고 방패와 창을 집어 들고 어머니 아프로디테를 찾았으나 여신은 언제나처럼 이미 그 자리에서 사라지고 없었다.

"아! 어머니, 기필코 승리하여 어머니의 신전을 지어 모든 사람들의 추앙을 받으시도록 하겠습니다."

이 모든 사실을 하늘에서 내려다본 헤라 여신은 분노하지 않을 수 없었다.

이리스를 투르누스에게 보내는 헤라_ 안토니오 팔로미니의 작품
헤라 여신이 자신의 전령인 이리스를 투르누스에게 보내는 장면을 묘사한 그림이다.

"이제 내 아들인 헤파이스토스까지 아이네이아스 편을 들다니. 이게
다 저 요망한 아프로디테 때문이다. 못난 헤파이스토스는 그녀의 유혹을
견디지 못했을 테니까. 그러나 이번만큼은 소용이 없을 것이다."

헤라 여신은 자신의 전령이자 무지개의 여신 이리스를 투르누스에게
보냈다.

니수스와 에우알루스

| 트로이아의 소년병 니수스와 에우알루스의 용기 |

아이네이아스가 에트루리아를 향하고 있을 때 투르누스는 트로이아인들을 공격하는 것을 망설이고 있었다. 그는 트로이아인들이 지난 10년간 그리스와의 전쟁으로 단련된 무장들이라는 사실을 잘 알고 있었다. 비록 트로이아인들이 그 전쟁에서 패하긴 했지만 힘이 없어서가 아니라 오디세우스의 간계에 넘어갔기 때문이었다. 또한 자신의 진영에 많은 종족들이 돕겠다고 지원해 왔지만, 그들은 아직 전쟁 경험이 없었다.

투르누스는 동료인 베눌루스를 외교 사절단으로 디오메데스에게 보냈다. 디오메데스는 트로이아 전쟁에서 아킬레우스 다음으로 용맹을 떨친 영웅 중 한 사람이었다. 그는 아테나 여신의 도움으로 아이네이아스와의 결전 때 우위를 점하자 아이네

◀ **아테나 여신과 디오메데스 조각상**
디오메데스는 여신 아테나의 도움으로 트로이아군대를 격파하고, 트로이아 편인 여신 아프로디테와 군신 아레스에게까지 상처를 입히고 트로이아의 팔라스상을 훔쳐내어 목마 속으로 숨었다. 전쟁이 끝나고 아르고스로 돌아오자 아프로디테의 복수로 아내 아에기아레아의 부정을 알게 되었다. 이탈리아로 건너간 그는 다우니아의 왕이 되어, 남이탈리아에 많은 도시를 건설하였다.

투르누스와 전령 이리스_ 이아임마르트의 판화
이리스가 투르누스에게 헤라의 메시지를 전달하고 있다.

이아스를 도우려는 아프로디테에게 상처를 내는가 하면, 여신을 구하려
는 전쟁의 군신 아레스까지 물리치는 용맹함을 떨쳤다.

투르누스는 디오메데스의 원정군이 오기를 학수고대하고 있었다. 베
눌루스 사절단이 디오메데스의 원정군과 함께 온다면 아이네이아스와의
전쟁은 이미 끝난 것이라 생각하고는 하루하루를 보내고 있었다.

그때 헤라 여신의 전령인 무지개의 여신 이리스가 투르누스 앞에 나
타났다.

"지금 한가하게 시간이나 보낼 때가 아니오. 이제 싸워야 할 시간이란
말이오. 아이네이아스가 트로이아 최고의 병사들을 이끌고 막사를 떠나
에트루리아로 갔소. 그들이 지원군을 이끌고 오기 전에 남아 있는 막사
의 병력을 괴멸시켜야 앞으로의 행보에 도움이 될 것이오."

투르누스는 이리스 여신의
말을 듣고는 흥분되었다.

"오! 그것은 매우 좋은 정보
입니다. 그런데 당신은 누구
십니까? 누구시길래 이런 정
보를 저에게 주시는 겁니까?"

이리스는 아무 말 없이 사라
지면서 주변에 오색의 무지개
를 펼쳤다. 그 모습을 본 투르
누스는 그가 전령의 신이자 무

투르누스와 전령 이리스 _ 바티카누스의 고전기 삽화집
이리스가 투르누스에게 헤라의 메시지를 전달하고 있다.

지개의 여신이라는 것을 알아차렸다. 이리스의 전령을 만난 투르누스는
디오메데스의 지원군보다 더 큰 힘이 생겼다. 그는 헤라 여신의 가호를
받고 있다는 사실에 용기를 얻고 즉시 자리에서 일어나 무장을 하고 병
사들을 이끌고 성을 나섰다.

헤라 여신은 그 모습을 보고 만면에 미소를 띠며 전쟁의 문을 열기 위
해 야누스의 문으로 내려갔다. 여신이 전쟁의 문을 열자 투르누스가 이
끄는 병사들은 전쟁을 알리는 나팔을 불기 시작했다. 전쟁을 재촉하는
진군 나팔 소리는 도시와 투르누스의 동맹군들의 막사에 장엄하게 울려
퍼졌다. 투르누스는 아직 에오스 여신이 새벽을 열지 않았는데도 군사들
을 이끌고 트로이아 진영으로 진군하였다.

한편 트로이아 진영의 아스카니오스는 아버지 아이네이아스가 무사히
돌아오기를 기원하고 있었다. 그는 망루에 직접 나와 경계를 서며 자신
의 임무에 충실하였다. 그때 한 무리의 병사들이 다가오는 것이 보였다.
그들은 팔란티움에 갔던 트로이아의 병사들이었다.

헤라, 전쟁의 문을 열다_ 17세기 목판화

라티누스왕이 전쟁의 문 앞 권좌에 앉아 있고, 그 왼쪽에 헤라 여신이 전쟁의 문을 열고 있다. 오른쪽의 두 사람은 전쟁을 알리는 나팔을 불고 있다.

아스카니오스는 망루에서 내려와 그들을 맞았다.

"아버님은 무사하신가요?"

트로이아 진영으로 돌아온 병사들이 말했다.

"아이네이아스님은 팔란티움에서 성공적으로 동맹을 맺었습니다. 그리고 지금 에트루리아로 향하고 있습니다. 저희들은 아이네이아스 님의 명령을 받고 진영을 지키기 위해 돌아온 것입니다."

트로이아 진영은 오랜만에 활기를 되찾았다. 머지않아 아이네이아스가 동맹군을 이끌고 돌아오기 때문이었다. 그러나 그들의 기대는 한순간에 무너지고 말았다. 트로이아 진영의 망루를 경계하던 보초병들이 적의 침입을 알렸다.

"적들이 오고 있다. 모두 무기를 들어라!"

트로이아 병사들은 경계병의 외침에 일사분란하게 움직였다. 그들은 10년간의 트로이아 전쟁에서 숙달된 전사들이었다.

아이네이아스는 팔란티움으로 떠날 당시 적들이 침입해 온다면 절대로 나가 대항하지 말고 방벽만 지키라고 지시했기 때문에 그들은 눈 깜짝할 사이에 방벽과 탑 위에 포진해 있었다. 방벽 바깥에 쌓아둔 둑 위로 나가 있던 병사들은 신속하게 방벽 안으로 들어왔다. 그들은 이미 정해두었던 자신의 자리로 가서 방어 태세를 취했다. 적들이 아무리 비난과 욕을 퍼부어도 완전 무장 한 채 방벽 문에 빗장을 굳건히 지르고 자신의 자리들을 지키고 있을 뿐이었다. 오랜 수성전에서 터득한 트로이라 군사들의 자연스러운 행동이었다.

투르누스는 기민한 기마병 20명과 함께 전차를 달려 트로이아 방벽 앞의 참호까지 맹렬히 돌진해 왔다. 투르누스는 고함과 함께 트로이아 진영을 향해 힘차게 투창을 던졌다. 그것은 전투를 알리는 신호였다.

라티움 도시 앞의 두 전령 _ 17세기 목판화

투르누스가 다스리는 라티움 앞에 두 전령이 전쟁이 임박함을 알리는 나팔을 불고 있고 도시 안에는 전쟁을 알리는 깃발이 게양되어 있다. 오른쪽에 베넬루스가 이끄는 병사들이 디오메데스 도시 아르지리파를 향하고 있다.

전차에 탄 채 앞장서서 전투를 개시하는 투르누스

　그의 신호에 따라 투르누스의 보병대는 물밀듯이 트로이아 방벽으로 돌진하기 시작했다. 그들은 무시무시한 함성을 내질렀다. 트로이아군이 대응해 올 줄 알았으나 트로이아 진영은 너무나 조용했다.

　성벽과 망루에서 화살이 빗발처럼 쏟아져 내리고 투창과 돌 들이 우박처럼 날아왔지만, 트로이아 병사들은 나오지 않고 요새를 더욱 강화하였다.

　투르누스는 요새 둘레를 돌아다니며 취약한 곳이 있는지 살폈으나 끝내 찾지 못했다. 그는 트로이아 진영의 방어선에서 어떠한 약점도 찾아내지 못하자 분노하였다. 그런데 그의 눈에 트로이아 방벽 뒤편 강둑에 정박해 있던 함선들이 보였다. 순간 그의 머릿속에서 묘안이 떠올랐다.

　'저 배들을 불태워 버린다면 바다로 도망가지 못할 것이다. 그리고 식량이 떨어지면 언제까지 성안에서 버티지는 못할 것이다.'

불타는 트로이아 함선_ 17세기 목판화 그림
투르누스에 의해 트로이아 진영의 함선들이 불에 타는 장면이다. 불타는 연기 위에 레아 여신이 두 마리의 사자가 이끄는 마차를 타고 나타나고 있다.

투르누스는 해안에 무방비 상태로 정박되어 있는 트로이아인들의 배에 불을 질렀다. 횃불이 배로 날아들자 갑자기 강둑에 있던 나무들 사이에서 돌풍이 일면서, 마치 급작스러운 폭풍이 몰려올 듯 강물이 사납게 물결치기 시작했다.

일부 배들은 불에 타고 있었지만 대부분의 배들은 결박되어 있는 밧줄이 풀리면서 마치 고삐 풀린 말처럼 사납게 물결치는 강물을 따라 점점 멀어져 갔다. 투르누스와 그의 병사들은 마치 살아 있는 것처럼 일사분란하게 움직이는 배들을 보고 커다란 충격에 빠졌다.

아이네이아스가 처음 트로이아를 떠날 때, 제우스의 어머니 레아(로마신 키벨레) 여신은 제우스에게 아이네이아스의 배가 영원토록 무사하게 해달라고 요청하였다. 그리고 레아 여신은 자신이 매우 소중하게 여기는 여신의 숲에서 자란 전나무를 아이네이아스에게 내주며 그 신의 나무로 배를 건조하게 하였다. 이는 여신이 아이네이아스에게 자신의 성스러운 나무로 배를 건조하는 데 사용하도록 주었다는 건국 신화에 바탕을 두고 있는 것으로 전나무는 아티스(레아 여신의 아들이자 애인)의 죽음과 부활을 상징한다.

투르누스는 배들이 마치 살아있는 것처럼 스스로 움직이는 현상을 보고 도저히 이해할 수가 없었다. 그는 배들의 놀라운 움직임에 충격을 받아 넋이 반쯤 나간 병사들을 보고는 말을 몰아 강으로 들어가 고함을 치며 병사들을 독려했다.

"이것은 신께서 우리가 해야 할 일을 대신 해주신 것이다. 봐라! 나는 이렇게 안전하지 않느냐. 시간은 이제 우리 편이다. 그러니 너희들은 오늘 푹 쉬면서 술과 음식을 충분히 먹고 마시며 즐기도록 하라! 우리는 내일 저 트로이아 방벽을 짓밟아 버릴 것이다."

투르누스의 외침에 겁을 먹었던 그의 병사들은 다시 사기가 충천했다. 투르누스는 강에서 나와 다시 한번 외쳤다.

◀ 레아 여신상
로마 신화의 키벨레 여신으로, 모든 신들의 어머니로 일컬어지고 있다.

트로이아군의 함선_ 루벤스의 소묘 작품
투르누스는 트로이아군의 함선에 불을 질러 수장시키려 했으나 레아 여신의 신목으로 만들어진 함선은 포세이돈의 도움으로 화마로부터 벗어날 수 있었다.

　"자, 이제 트로이아인들은 바닷길이 막혀서 도망칠 구멍도 없다. 저자들이 어떤 신탁을 받았다고 해도 나는 두렵지 않다. 신께서 마련해 주신 운명은 저자들에게만 있는 것이 아니라 내게도 있다. 내 신부 라비니아를 빼앗은 저자들을 벌주는 것, 그게 바로 나의 운명이다. 트로이아의 파리스가 헬레네를 납치해 가서 혹독한 전쟁을 치른 것을 잘 알 것이다. 저 트로이아인들은 이미 그런 죄를 저질러 징벌을 받았는데 또다시 같은 짓을 벌이고 있다. 나는 기필코 저들의 무모한 짓을 벌하여 그리스군처럼 승리로 이끌 것이다. 우리는 오디세이아의 목마도 필요 없다. 그

헬레네의 납치_ 프란체스코 프리마티초의 작품
트로이아 왕자 파리스에 의해 트로이아로 납치되는 헬레네를 묘사한 그림이다. 헬레네의 납치로 그리스 연합군과 트로이아군 간에 벌어진 10년 전쟁이 트로이아 전쟁이다. 투르누스는 자신의 처지를 트로이아 전쟁에 비유하여 승리를 다졌다.

냥 저들의 방벽만 에워싸고 있으면 굶어 죽든지, 아니면 백기를 들고 투항하든지 할 것이다."

한편 트로이아 진영은 아이네이아스의 명령대로 꼼짝 않고 방벽 위에서 적들을 내려다보고 있었다. 그들 중 니수스와 에우알루스는 중앙에 있는 문 옆에서 경계를 서고 있었다. 그들은 가장 친한 친구 사이로 이제 막 청춘을 꽃피우기 시작한 소년이었다.

에우알루스는 니수스에게 말을 늘어놓았다.

"니수스, 이렇게 편안하게 쉬고 있으려니까 도무지 마음이 편치 않아.

싸움터에 뛰어들거나 뭔가 큰일을 해야만 직성이 풀릴 것 같아."

에우알루스의 말에도 니수스는 침묵을 지키고 있었다. 그는 마치 중대한 결심을 한 사람처럼 보였다.

"에우알루스, 내 말 좀 들어봐."

니수스는 침묵을 깨고 에우알루스에게 말했다.

"이대로 있다가는 투르누스 군에 점령당할지 몰라. 원로들께서 이 사태를 아이네이아스님께 알려야 한다고 말씀하셨잖아? 그렇다면 내가 그 일을 할 거야. 저기 저 언덕을 살펴보니 팔란티움으로 가는 길을 찾을 수도 있을 것 같아. 내가 적들의 포위망을 뚫고 아이네이아스님께 달려가 지금 상황을 알릴 거야."

그러자 에우알루스가 말했다.

"아니, 나를 두고 혼자 가려고 했어? 나도 너와 함께 명예를 위해 목숨을 바칠 준비가 되어 있다고."

두 사람은 의기투합했다. 그들은 회의를 하고 있던 원로들을 찾아 갔다. 그곳에서는 과연 누구를 아이네이아스에게 전령으로 보낼 것인지 밤새 회의를 진행하던 중이었다. 그 자리에는 아이네이아스의 아들 아스카니오스도 있었다. 회의장 안으로 들어선 니수스와 에우알루스는 원로들에게 말했다.

◀ **니수스와 에우알루스**
니수스와 에우알루스는 《일리아스》에 나오는 아킬레우스와 파트로클로스의 관계와 비슷하다. 서로 사랑하면서도 절친한 친구 사이였다.

니수스와 에우알루스
니수스와 에우알루스가 원로원에 자신들이 전령으로 가겠다고 자원하는 장면이다.

"고매하신 원로님들, 저희들의 무례함을 용서하시기 바랍니다. 저희 둘은 팔란티움으로 가서 아이네이아스님을 만나 이곳 소식을 전하겠습니다."

순간 회의장은 물을 끼얹은 듯 조용해졌다. 잠시 후 아스카니오스가 자리에서 일어났다. 그들의 용기에 감동을 받은 것이다. 아스카니오스는 그들을 위해 선물을 주겠다며 이것저것 값진 물건들을 늘어놓았다.

"제가 바라는 것은 값진 선물이 아닙니다. 제게는 유서 깊은 프리아모스 가문 출신의 어머니가 계십니다. 만약 제가 돌아오지 못하게 되면, 아스카니오스님께서 내 어머님을 돌봐주십시오. 그렇게만 해주신다면 그 어떤 일을 당한다 해도 견딜 수 있을 것입니다."

아스카니오스는 눈물을 흘리며 자신의 칼을 주었다. 그리고 트로이아의 뛰어난 두 장군 므네스테우스와 알레테스도 자신들이 입고 있던 모피와 투구를 벗어서 니수스와 에우알루스에게 주었다. 그렇게 무장을 갖춘

트로이아 성문 앞의 니수스와 에우알루스_ 제바스티안 브란트의 목판화 작품
니수스와 에우알루스가 위험을 무릅쓰고 전령이 되기로 결심하고 이를 실행에 옮긴다.

니수스와 에우알루스
니수스와 에우알루스가 적진으로 잠입해 팔란티움으로 가는 길을 열기 위해 술에 취한 적들을 제압하는 장면의 그림이다.

니수스와 에우알루스는 방벽을 빠져나갔다.

방벽 밖으로 나간 그들은 미리 봐두었던 적진으로 잠입하였다. 그들은 바닥에 엎드려 뱀처럼 둑 위를 기어 올라가 다시 건너편 참호 아래로 민첩하게 기어 내려갔다. 적진은 모두들 잠과 술에 곯아떨어져 있었다. 두 사람은 길을 트기 위해 술에 취한 적들을 하나씩 죽이기 시작했다.

두 사람은 너무나 손쉽게 술에 취한 병사들을 하나하나 칼로 찔러가자 마치 죽음의 사신이라도 된 것 같았다. 그들은 적군을 찌를수록 더욱 흥분되었다. 얼마 안 있어 적진 주변은 시체들로 즐비하였다. 그러다 갑자기 니수스는 자신이 어떤 끔찍한 감정에 사로잡혀 있다는 것을 깨달았다. 그것은 살인에 대한 광기였다. 그는 지금 당장 살인 행위를 멈춰야 한다고 생각했다.

적진으로 잠입하는 니수스와 에우알루스_ 16세기 에나멜 기법의 동판화
적진에서 루툴리인들을 기습 공격 하는 니수스와 에우알루스를 묘사한 그림이다.

"자, 이제 이쯤에서 그만하자. 조금 있으면 새벽의 여신이 날을 밝힐 거야. 적들은 충분히 혼내주었고 길도 뚫렸어. 우리는 넓은 들판으로 나가야 돼."

그러나 에우알루스는 아직 어린 소년이었다. 그는 적장이 쓰고 있던 멋진 투구가 탐이 나서 그것을 벗겨 머리에 썼다. 그들은 야생의 고양이처럼 적진을 빠져나왔다. 그들 앞에는 넓은 들판이 펼쳐졌다. 들판만 지나면 우거진 숲이 나오기 때문에 그곳까지 간다면 무사할 것 같았다.

그들은 넓은 들판을 바싹 엎드려 낮은 포복으로 앞으로 나갔다. 그런데 그들의 귀에 들판을 울리는 요란한 소리가 들려왔다. 그것은 말발굽 소리로 한두 마리의 말이 아니었다.

"우리의 정체가 탄로난 것이 아닐까?"

에우알루스는 불안한 마음에 니수스에게 말했다.

"이건 적의 기병대가 오는 소리다. 어서 저 숲속으로 달려가 몸을 숨기자."

두 사람은 몸을 반쯤 일으켜 숲을 향해 달렸다. 그들은 트로이아에서 달리기로 둘째가라면 서러운 소년들이었다. 그러나 그들의 발걸음으로는 뒤쫓아오는 말들의 걸음을 뿌리칠 수 없었다.

숲에 이르자 그들은 각자 흩어져 몸을 숨겼다.

이때 적의 기병대의 소리가 들려왔다.

"거기 서라, 이놈들아!"

그들은 먼저 에우알루스를 포위했다. 에우알루스가 쓴 투구가 새벽빛에 반짝여 틀키고 말았던 것이다. 니수스가 간신히 숲을 빠져나와 보니 에우알루스가 보이지 않았다.

"아, 친구도 잊고 나 혼자만 도망쳐 오다니. 부끄럽구나. 에우알루스, 너 어디에 있는 거야!"

니수스는 오던 길로 발길을 돌려 걸음을 옮겼다.

잠시 뒤 기병대의 요란한 고함 소리가 들려왔다. 니수스가 숨어서 보니 에우알루스가 적의 포로가 되어 끌려가고 있었다. 니수스는 숲의 어둠에 숨어 투창을 날렸다. 그가 던진 투창은 보기좋게 에우알루스를 모

니수스와 에우알루스가 루툴리 진영에서 벌인 대학살_ 제바스티안 브란트의 목판화 작품

시신이 넘치는 루툴리 진영_ 제바스티안 브란트의 목판화 작품
니수스와 에우알루스에 의해 죽어간 시신들이 즐비한 가운데 그들을 쫓는 기병대가 수색하는 장면
이다.

에우알루스 조각상
이상적인 우정의 대명사로 여겨지는 니수스와 에우알루스는 루툴리족과의 전투에서 목숨을 잃는다.

질게 끌고가는 적군의 목을 관통시키고 그 자리에 쓰러뜨렸다.

한 병사가 쓰러지자 그의 동료들은 혼비백산하였다. 그들은 놀라 우왕좌왕하며 투창이 날아온 쪽을 돌아보았다. 그 순간 니수스의 손에서 두 번째 투창이 날아갔다.

두번째 투창도 보기 좋게 기마병의 몸통을 꿰뚫었다. 사태가 심각해지자 기마병의 수장은 에우알루스의 목에 칼을 겨누었다. 그리고 어두운 숲을 향해 큰 소리로 외쳤다.

"당장 정체를 드러내지 않는다면 이놈의 목이 달아날 것이다."

니수스는 당황하였다. 그러나 생각할 겨를도 없이 방패로 몸을 보호하고 숲을 나왔다.

"멈춰라! 그는 아무 죄가 없다. 그는 아무 짓도 하지 않았고 모든 것은 내가 했다. 그러니 나와 겨루자."

니수스와 에우알루스의 죽음_ 이아임마르트의 동판화 작품

하지만 볼켄스의 칼은 이미 에우알루스의 가슴을 꿰뚫은 후였다. 그 모습을 본 니수스는 분노하여 눈에 불을 켜고 적들 사이로 뛰어들었다. 그의 날렵한 행동은 누구도 제지할 수 없었다. 니수스의 칼은 그대로 기병대장의 입을 꿰뚫었다. 하지만 니수스는 곧 적들의 쏟아지는 창에 찔려 숨을 거두었다.

루툴리 기병대는 이 두 소년병의 머리를 창끝에 걸고 자신의 진영으로 돌아갔다.

새벽의 여신 에오스가 여명을 훤히 밝힌 후 투르누스 진영에서는 힘찬 나팔 소리가 울려 퍼졌다. 완전 무장을 마친 병사들은 곧이어 있을 전투 준비에 만전을 기했다. 높은 방벽을 오를 수 있는 사다리와 방벽을 부수는 장치, 참호 위에 얹어 병사들이 건너갈 수 있는 다리 등 공격에 필요한 무기들을 준비하였다.

한편 투르누스는 확실한 동맹군인 디오메데스로부터 소식이 오기를 기다렸다. 그는 어제 벌어진 전투에서 트로이아인들의 함선을 불태웠지만 그들의 방벽은 조금도 뚫지 못했다. 더군다나 밤사이 트로이아의 전령으로 보이는 두 소년에게 기습을 당해 많은 루툴리인들이 죽임을 당했다.

니수스와 에우알루스 조각상 ▶
니수스는 에우알루스의 죽음 앞에 분노해 목숨을 걸고 적진에 뛰어들지만 역시 죽임을 당하고 만다.

트로이아 요새를 공격하는 모습을 담은 부조
니수스와 에우알루스의 잘린 목이 창끝에 걸려 있다.

더 이상 디오메데스의 동맹군을 기다리는 것을 포기한 투르누스는 니수스와 에우알루스의 목을 긴 창에 꽂고는 트로이아군의 방벽으로 돌진하였다.

한편 방벽을 굳게 지키고 있던 트로이아 병사들은 창끝에 꽂혀 있는 니수스와 에우알루스를 발견하고는 큰 충격을 받았다. 소문의 여신 페메는 이 끔찍한 소식을 에우알루스의 어머니에게 전했다. 아들을 잃은 불행한 여인은 곧장 방벽으로 달려갔다.

"에우알루스야, 어째서 어미에게 마지막 작별 인사 할 기회도 없이 이렇게 간단 말이냐! 루툴리족아, 너희가 인간이라면 당장 나와 무릎을 꿇고 사죄해라! 오, 신이시여, 저자들을 타르타로스의 심연으로 인도하십시오!"

그녀의 절규는 트로이아 병사들을 비탄에 빠져 전의를 상실케 했다.

트로이아 요새 공격_ 제바스티안 브란트의 목판화 작품
니수스와 에우알루스의 잘린 목을 창끝에 꽂고, 트로이아 방벽을 공격하는 트루누스 군.

트로이아군의 사기가 떨어진 것을 본 투르누스는 총공격을 개시했다. 그들은 방벽에 달라붙어 공략하기 시작했다. 이들은 테스투도 진형을 이루었는데, 테스투도 진형은 아테네를 제압하여 그리스 세계의 패권을 쥔 스파르타 중장보병의 밀집방진으로 팔랑크스와 더불어 로마군의 방패벽 전술을 대표하는 전투 대형이었다. 이 전투 대형은 귀갑진형(거북 형태의 진형)이라고도 하는데, 사각형의 방패를 촘촘히 쌓아 올려 방패벽을 만들면 마치 거북이가 단단한 등껍질 속에 숨은 것처럼 보이기 때문이다. 앞열의 병사가 한쪽 무릎을 꿇고 방패를 앞으로 세우면, 두 번째 열의 병사가 자신의 방패를 앞 사람 머리에 씌운다. 그리고 세 번째 열의 병사는 두 번째 열의 병사에게 또 방패를 씌운다. 이후 첫 번째 열의 병사가 일어나면서 전진해 나간다. 경우에 따라서는 측면과 후면에도 방패를 세우

트라야누스 기념주에 나타난 데스투도 진형 부조
로마 황제 트라야누스(재위 98~117)가 다키아 전쟁(101~102, 105~106)에서 승리한 사실을 기념하기 위해 113년에 원기둥을 세웠는데, 이를 트라야누스 기념주라고 한다. 높이 30미터의 기둥에 원정 장면들이 나선 모양으로 조각되어 있다.

테스투도 진영_ 루툴리군이 테스투도 진영을 펼치는 목판화

는데, 가장자리나 전면에 있는 열에서는 방패 사이로 창을 나오게 했다. 대형을 이루는 병사 중 일부가 틈 사이로 들어온 창이나 화살을 맞아 대형을 유지할 수 없게 되면 그 병사를 안쪽으로 옮기거나 빼버리고 다른 안쪽에 있던 병사들이 빈 틈을 메웠다.

이 귀갑진형은 주로 공성전에서 방벽으로 전진할 때 쓰던 전술 대형으로 적의 투석, 창, 화살 공격 등을 막을 때 매우 효율적이었다.

루툴리군의 테스투도 대형은 트로이아인들의 요새를 둘러싸고 있는 참호를 가로질러, 방벽 위에서 내리 퍼붓는 창의 공세를 막아내며 성벽의 취약한 부분을 찾아내고자 혼신의 노력을 다했다.

방벽의 문 바로 위에는 밑에서 쳐다보기에도 어마어마한 크기의 탑이 세워져 있었다. 루툴리군은 혼신의 힘을 다해 공격하며, 온갖 수단을 다해 이 탑을 쓰러뜨리려 했다. 그러나 트로이아인들은 위에서 돌을 퍼부으며 이를 저지하고, 창을 비오듯 내리 퍼부었다. 그러자 투르누스는 탑에 불을 질러 결국 무너뜨렸다.

탑 안에 있던 많은 트로이아인들은 오직 두 명의 생존자만 남기고 모두 죽고 말았다. 트로이아에서부터 아이네이아스와 함께 행동을 한 리디아의 왕자 헬레노르는 적진에 몸을 날렸으나 즉시 살해되고 말았다. 루툴리군의 장수 리코스가 성벽을 타고 기어오르려 애쓰자, 투르누스가 그를 끌어 내리는 과정에서 벽의 일부가 무너져 내렸으나 트로이아인들은 당황하지 않고 방벽을 수비하여 전투는 계속되었다.

투르누스는 흥분하여 분노하였다.

'저들은 트로이아 전쟁 10년 동안 성안에 들어앉아 방벽을 지키는 데 이골이 난 군대로다. 도대체 어떻게 해야 저들을 방벽 바깥으로 유인해 너른 들판에서 전투를 벌일 수 있단 말인가?'

바로 그때였다. 루툴리 병사들의 진영에서 한 무리의 병사들이 진영을 벗어나 트로이아 방벽을 향해 달려나가는 것이었다. 그 무리의 선봉에 선 장수는 화려한 갑옷으로 치장하고 있었는데 그는 투르누스의 여동생과 결혼한 레물루스였다. 그는 허풍이 심했지만 아직 젊은 나이였다.

레물루스는 트로이아 방벽 가까이 다가서더니 모든 트로이아인들을 향해 외쳤다.

"여자들만 약탈하는 종족들아, 도대체 어떤 신이 너희들을 우리에게 보냈느냐? 그 신은 겁쟁이 신으로 너희들을 방벽 뒤에 숨겨 놓았구나. 너희가 지금이라도 나와서 당당하게 맞선다면 전사로 예우할 것이지만, 그러지 않으면 여자 치맛자락 속에 몸을 숨기는 어린아이일 것이다."

레물루스의 조롱에 아이네이아스의 아들 아스카니오스는 분노로 얼굴

루툴리군과 트로이아군의 격전_ 제바스티안 브란트의 목판화 작품
아이네이아스의 아들 아스카니오스가 활로 레물루스를 쏘는 장면이다.

이 붉게 달아올랐다. 그는 더 이상 수모를 당하는 것을 용납하지 않고 활을 들어 레뮬루스를 향해 겨누었다. 아스카니우스는 제우스 신께 기도한 뒤 빛을 발하는 화살을 쏘았다.

순간 화살이 레뮬루스의 머리를 관통했고 레뮬루스는 말 위에서 썩은 나무가 쓰러지듯 고꾸라지고 말았다. 이를 본 아폴론 신은 아스카니오스를 칭찬하였다. 그는 하늘에서 내려와 트로이아인 부트로 변신하여 아스카니오스 옆에 서 있었던 것이다. 아폴론의 칭찬을 들은 아스카니오스는 전쟁에서 처음 적장을 쏘아 죽인 승리에 취했다. 그는 이제 자신감으로 충만한 어른이 되어 있었던 것이다.

아폴론은 아스카니오스에게 말했다.

"지금부터는 싸움을 마무리 지어야 한다."

그 말을 남기고 아폴론은 사라져 버렸다. 모든 이들은 신이 아스카니오스에게 한 말이라는 것을 알아차리고는 여전히 맹위를 떨치고 있는 아스카니오스를 보호하기 위해 물러날 것을 요청하였다.

한편 방벽을 포위하고 있던 루툴리 병사들은 레뮬루스가 허무하게 쓰러져 죽자, 점점 더 포악해졌다. 그들은 불붙은 투창과 화살을 트로이아 방벽 안으로 날려 보냈다. 그럴수록 트로이아 병사들의 대열은 날아오는 불을 끄기에 바빠 전열이 흐트러졌다.

방벽 중앙의 문에는 쌍둥이 형제인 판다루스와 비티아스가 굳건하게 수비를 하고 있었다. 그들은 몸집이 건장한 체격의 용맹한 전사였다. 그들은 이렇게 방어만 하느니 차라리 나가 싸우는 것이 낫다고 판단했다. 두 사람은 창을 든 채 문을 열었다. 루툴리 병사들은 문이 열리자 모두 그쪽으로 공격해 들어갔다. 하지만 앞장서서 문으로 향하던 루툴리의 장수들은 판다루스와 비티아스의 창에 도륙되고 말았다. 기세가 꺾인 루툴

성문을 방어하는 판다루스와 비티아스_ 제바스티안 브란트의 목판화 작품
트로이아 성문을 방어하는 판다루스와 비티아스가 루툴리군과 결투를 벌이는장면이다.

리 병사들은 조금 전과는 다르게 후퇴하기에 바빴다. 사기가 오른 트로
이아 병사들은 방벽 밖으로 나와 도망치는 루툴리 병사들을 뒤쫓았다.

이 한 번의 공격으로 루툴리군은 상당한 타격을 받았다. 이때 다른 곳
에서 지휘를 하고 있던 투르누스는 트로이아군이 방벽의 문을 열어젖히
고 반격을 하고 있다는 전갈을 받았다. 그는 분개하여 곧장 그곳을 향
해 달려나갔다.

비티아스가 투르누스의 길을 막아섰다. 그러나 투르누스가 비티아스보다 한발 빨랐다. 투르누스는 비티아스를 비롯한 여럿을 순식간에 창으로 찔러 죽였다. 순간, 판다루스는 얼마나 무모한 짓을 저질렀는지 그제야 정신이 번쩍 들었다. 판다루스는 밖으로 나갔던 트로이아 병사들이 채 들어오기도 전에 방벽 문을 닫아 버리고 말았다. 그는 자신이 얼마나 경솔했는지 깨달았으나 만회하기에는 이미 너무 늦었다.

많은 트로이아 병사들이 방벽 밖에 있었고, 동시에 많은 루툴리 병사들이 방벽 안에 들어온 꼴이 되었다. 그리고 그들 가운데 투르누스도 있었다. 수많은 적군을 마주하고 선 투르누스는 양 떼들 속의 한 마리 사자가 되어 트로이아 병사들을 무참하게 죽여나갔다. 이때 동생 비티아스를 잃은 판다루스가 투르누스의 앞에 나섰다.

판다루스의 죽음
투르누스가 트로이아 성문을 지키는 판다루스의 머리를 칼로 쪼개는 장면이다.

"너는 적진 안에 갇혀 있다는 것을 모르느냐! 이곳은 너의 안마당이 아니다."

그러자 투르누스는 이를 악물고 판다루스를 노려보고는 외쳤다.

"너는 나의 머리털 하나 건들리지 못할 것이다. 용기가 있다면 덤벼보아라. 네 동생의 뒤를 따르게 해 줄 것이다."

판다루스는 투르누스를 향해 창을 던졌다. 그러나 투르누스는 가볍게 몸을 돌려 창을 피하더니 쏜살같이 달려들어 판다루스의 머리를 쪼개버렸다. 기세등등한 투르누스의 모습에 트로이아 병사들은 겁을 집어먹고 뒤로 물러났다. 이때 투르누스와 그의 병사들이 닫혔던 문을 열었다면 트로이아 방벽은 무너졌을 것이다. 그러나 물러나는 트로이아 병사들을 죽이기에 정신이 없었던 투르누스는 자신의 위용에 취해 트로이아 병사들을 도륙하는 데만 정신이 팔려 있었다.

투르누스는 헤라 여신이 그에게 끊임없이 힘과 용기를 불어넣어주었기 때문에 트로이아 병사들을 죽이면 죽일수록 더욱 힘이 솟아났다. 그는 순식간에 수십 명의 트로이아 병사들을 해치워 버렸다. 허겁지겁 도망치기에 바쁜 트로이아 병사들을 향해 트로이아의 원로인 므네스테우스가 나타나 일갈하였다.

"투르누스가 제 아무리 날고뛰어 봤자 독 안에 든 쥐와 같다. 그런 그에게 뒤를 보인다는 것은 트로이아의 수치다. 모두 정신을 차리고 협공한다면 저자 역시 기력이 다해 무릎을 꿇을 것이다."

므네스테우스의 말대로 정신을 차린 트로이아 병사들은 죽기 아니면 살기로 덤벼들었다. 투르누스는 홀로 날뛰는 사자였다. 그는 칼을 휘두르고 또 휘둘렀다. 그의 방패는 이미 오래전에 산산조각이 났으며, 검은색 깃털 장식은 힘없이 아래로 축 늘어졌다. 그는 가쁜 숨을 몰아쉬었고 빛나던 눈빛도 점점 더 흐려졌다.

'이것이 나의 최후란 말인가?'

투르누스는 자신의 만용을 후회했다. 투르누스는 천천히 뒷걸음질하기 시작했다. 한 번 밀리기 시작한 투르누스에 대한 트로이아 병사들의 공격은 집요하였다.

투르누스는 강둑 가까이까지 몰렸다. 그는 더 이상 뒤로 물러날 곳이 없었다. 헤라 여신도 투르누스에게 더 이상 용기와 힘을 주지 못했다.

트로이아 진영에서 탈출하는 투르누스_ 제바스티안 브란트의 판화
투르누스가 트로이아 진영에서 탈출한 후 적진을 바라보는 장면이다.

제우스가 이리스를 헤라에게 보내 투르누스가 트로이아군 방벽에서 물러서지 않으면 그가 위험에 처할 것이라고 경고했기 때문이다.

투르누스는 마지막으로 다시 한번 남은 힘을 끌어 모아 칼을 후려쳤다. 그의 마지막 반격에 트로이아 병사들은 뒤로 물러났다. 이때를 놓치지 않고 그는 등을 돌려 강물로 뛰어들었다.

그를 뒤쫓던 트로이아 병사들은 당황하여 발만 동동 굴렀다. 그사이

투르누스는 트로이아 진영을 벗어날 때까지 강물에 몸을 맡겼다. 가까스로 트로이아 진영을 벗어나 뭍에 오른 그는 천신만고 끝에 자기 진영으로 돌아갔다.

루툴리 진영에서는 투르누스를 잃었다고 낙심하여 사기가 떨어져 있었다. 그러나 그가 다시 돌아오자 루툴리 병사들은 열렬한 함성을 지르며 그를 맞이했다.

팔라스의 죽음

| 아이네이아스의 동맹군 에반드로스왕의 아들 팔라스가 죽다 |

한편 올림포스의 제우스 신은 마음이 몹시 불편했다. 그것은 라티움 땅에서 벌어진 인간들의 참혹한 전쟁으로 신들 사이에서도 분쟁이 끊이지 않았기 때문이다. 이를 더 이상 보다 못한 제우스 신은 모든 신들을 소집하여 회의를 열었다.

"불사의 신들이여, 나는 라티움에서 일어나고 있는 루툴리인과 트로이아인들이 벌이는 참혹한 전쟁을 더는 두고 볼 수 없소. 일찍이 나는 그들이 싸우는 것을 금한 바 있소. 그런데 그대들은 도대체 무엇 때문에 내 명령을 어기고 이토록 싸움을 부추기는 것이오. 진짜 전쟁을 할 때는 따로 정해져 있소. 훗날 카르타고의 한니발이 알프스를 넘어 로마로 침공하는 그때 진정한 전쟁이 있을 것이오. 그런데 그대들은 무엇 때문에 이렇게 전쟁을 앞당기는 거요?"

제우스 신이 말을 마치자 기다렸다는 듯 아프로디테가 나서서 말했다. 그녀는 애원하듯 목소리가 호소에 차 있었다.

"천상의 주인이자 만물의 아버지이신 제우스 주신이여, 아이네이아스를 라티움으로 부른 것은 주신께서 허락하지 않으셨나요? 그런데 지금 저 아래를 내려다보세요. 트로이아인들은 그들의 도시를 건설하기도 전에 또다시 멸망의 구렁텅이로 빠져들고 있습니다. 그들은 나라를 잃고

구름 속에서 열린 신들의 회의_ 주세페 마리아 크레스피의 작품
평화로운 라티움의 땅에 벌어지는 참상에 제우스가 신들의 회의를 벌이는 장면이다.

지금까지 온갖 고초를 겪으면서도 눈물 나게도 잘 극복해 왔습니다. 그런데 헤라 여신은 정말 너무하세요. 그들의 뱃길을 그렇게 방해하시더니 심지어는 저 지하세계의 알렉토까지 불러내어 이탈리아인들을 광란에 빠지게 하시다니! 만일 제우스 주신께서 트로이아인들을 멸망시키겠다면, 그리하시면 됩니다. 그러나 저의 사랑하는 아들 아이네이아스의 아들인 아스카니오스만은 살려주세요. 설사 그 아이가 자기 생의 나머지를 수치스럽게 사는 한이 있더라도 말이지요."

아프로디테의 말이 끝나자 헤라 여신이 분노에 가득 찬 목소리로 아프로디테를 노려보며 말했다.

"나에 대한 험담은 멈추거라. 내가 아이네이아스를 강제로 라티움에 보냈단 말이냐? 그리고 말은 바른대로 하라고, 애초에 파리스가 스파르타의 헬레네를 납치하지 않았다면 그리스와 트로이아는 전쟁을 하지도 않았을 것이고, 트로이아도 멸망하지 않았을 것이다. 그런데 너는 황금사과가 탐이 나 파리스를 부추겼고 헬레네를 납치하게 했으니 이 전쟁의 발단은 다 네게서 시작되었다. 그리고 지금 저 아래 루툴리인들을 지도하고 있는 투르누스는 자기 땅을 지키겠다고 버티고 있는 것이다. 그 모습이 부당하단 말이냐? 아니면 아이네이아스가 그들의 땅을 빼앗으려는 것이 정당하단 말이냐? 총기가 흐린 노인네를 꼬여서 남의 약혼녀를 가로채려는 게 정당한가 말이다."

헤라와 아프로디테가 다투자 그곳에 모인 신들도 두 편으로 나뉘어 다투기 시작했다. 먼저 아테나 여신이 헤라 여신을 거들며 나섰다.

파리스의 심판_ 루벤스의 작품
불화의 여신 에리스가 던진 황금 사과로 인해 헤라, 아테나, 아프로디테가 파리스에게 황금 사과의 주인을 가리게 하는 장면을 묘사한 그림이다.

구름 속에서 열린 신들의 회의_ 제바스티안 브란트의 판화 작품

"맞아요. 헤라 여신께서는 트로이아의 유민인 아이네이아스와 훌륭한
디도 여왕을 맺어주려고 했어요. 그런데도 아이네이아스는 그녀를 떠나
끝내 디도 여왕을 자결하게 만들었지요."

아테나의 말에 이번에는 아레스 군신이 나서서 말했다.

"아이네이아스에게는 죄가 없소. 그는 디도 여왕을 진정으로 사랑했으

구름 속에서 열린 신들의 회의_ 코르넬리스 반 푸렌뷔르흐의 작품

며, 만약 죄가 있다면 운명에 순응했던 것뿐일 것이오. 스스로 목숨을 버
린다는 것은 크나큰 죄악이기에 디도 여왕의 행위는 누구를 탓할 수 없
소. 모두가 어리석은 그녀의 판단 때문이오."

올림포스에 모인 신들은 또다시 아테나와 아레스의 격론에 가세하여
자신들이 옳다고 주장하며 자신의 생각과 맞는 여신의 주장에 맞장구를
치거나 반대 의견을 말했다.

회의가 점점 고조되며 열띤 분위기를 띠자 올림포스에 모인 신들은 평
화로운 방법으로 해결하는 데 실패했고, 끝내 제우스 신이 나섰다.

"그렇게 끝없는 논쟁만 할 작정이오? 그대들은 내 말을 명심하고 듣도
록 하시오. 그대들의 불화는 끝이 없으니, 오늘 각자에게 어떤 행운이 주
어졌든, 각자가 어떤 희망을 추구하든, 그가 루툴리인이든, 트로이아인
이든, 진영이 포위된 것이 이탈리아인들의 운명 탓이든 아니면 트로이아

구름 속에서의 신들의 회의_ 코르넬리스 반 푸렌뷔르흐의 작품

인들의 치명적인 실수 탓이든, 나는 일체 불문에 부칠 것이오. 나는 루툴리족도 예외로 인정하지 않을 것이오. 각자가 시작한 대로 노고에 맞는 대가나 행운을 거두게 될 것이오. 나는 이들 모두에게 똑같은 왕이오. 운명이 길을 찾아내게 될 것이오."

그것으로 제우스 신은 회의를 끝내버렸다.

아이네이아스가 없는 트로이아 진영은 루툴리군의 포위로 고전을 면치 못했다. 적들이 공격해 오면 그저 죽기 살기로 방어만 하고 있을 뿐이었다. 그들은 어서 빨리 그들의 지도자 아이네이아스가 동맹군을 이끌고 돌아오기만을 간절히 기다렸다.

그즈음 아이네이아스는 루툴리의 투르누스와 경쟁 관계에 있던 에트루리아 티레니아의 타르콘왕을 설득하여 동맹을 맺었다. 그리스인들은 에트루리아인들을 티레니안이라고 불렀으며, 이들이 활동하던 이탈리아

트로이아 진영의 동맹군_ 제바스티안 브란트의 목판화 작품
에트루니아 왕 타르콘이 트로이아 방벽에 도착한다.

서부 해안을 티레니아해라고 불렀다. 로마인들은 또 로마인들대로 에트
루리아인을 투스키라 불렀고, 이들의 땅을 투스키아라 불렀는데, 여기서
오늘날 토스카나라는 말이 생겨났다.

　당시 타르콘은 에트루리아 전역에 큰 영향력을 행사하고 있었기 때문
에 오시니우스를 비롯한 에트루리아의 여러 군주들도 그를 따라 아이네

이아스의 군대에 합류하였다.

아이네이아스는 타르콘이 이끄는 30척의 함선과 티레니안 전사들과 함께 전선을 향해 밤새 항해해 나갔다. 아이네이아스는 직접 배의 키를 잡았다. 아이네이아스 옆에는 에반드로스왕의 아들 팔라스가 있었다.

바다 위는 아폴론의 태양마차가 서쪽 하늘을 붉게 물들였다. 그때, 한 무리의 님프들이 파도 위로 몸을 드러냈다. 님프들은 아이네이아스에게 말했다.

"여신의 아들이여, 우리를 따라 오세요. 자칫 뱃길을 잘못 들어서다가 무시무시한 암초에 걸릴 수 있어요."

아이네이아스가 이끄는 함선들은 님프들의 도움 덕분에 안전하고 빠른 뱃길을 찾아 항해할 수 있었다. 아침이 되어 트로이아 진영의 방벽이 보이는 해안으로 들어섰다. 아이네이아스는 왼손으로 방패를 들어 올렸다. 방패는 햇빛을 받아 섬광을 번뜩였다. 루툴리군의 투르누스는 고개를 돌려 빛이 나는 곳을 바라보았다. 그곳에는 아이네이아스와 타르콘이 이끄는 30척의 배가 위풍당당하게 위용을 드러내고 있었다.

투르누스는 혹시 디오메데스의 구원군이 함선을 이끌고 온 게 아닌가 하는 희망을 가져 보았다. 그러나 그것은 불가능한 일이었다. 디오메데

출항하는 아이네이아스 동맹군을 묘사한 모자이크 작품

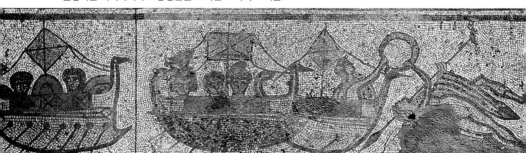

스 군대가 온다 해도 바다가 아
니라 산을 타고 올 것이기 때문
이다.

이때 투르누스 옆에 나타난 자
가 말했다.

"저건 에트루리안인들의 함선
이오."

그는 한때 에트루리안을 폭정
으로 다스렸던 잔인한 폭군인
메젠티우스였다. 투르누스는 볼
멘소리로 메젠티우스를 향해 말
했다.

아이네이아스 배 밑의 세 명의 님프_ 제바스티안 브란트
물의 님프들이 아이네이아스를 안전한 뱃길로 인도하고 있
는 장면을 묘사한 채색 판화.

"저들은 당신이 다스렸던 병사들이 아니오. 그런데 지금 저 트로이아
인인 아이네이아스가 지휘하고 있으니 내 심사가 매우 불편하오."

투르누스와 메젠티우스는 굳게 입을 다물고 다시 해변 쪽을 바라보았
다. 벌써 아이네이아스가 이끄는 에트루리안의 함선들은 닻을 내리기 시
작했다. 배에서 내리는 병사들의 모습은 사기가 충만해 보였다.

투르누스는 흥분하였다. 그는 그들을 물리칠 수 있다고 굳게 믿고 있
었다. 그가 자신의 병사들의 사기를 높이려고 큰 소리로 외쳤다.

"자, 드디어 우리가 바라던 일이 벌어졌다. 모든 병사들은 한 사람도
빠짐없이 해변으로 모이도록 하라. 저들이 상륙하여 진영을 갖추기 전
에 공격할 것이다."

투르누스의 병사들은 명령에 따라 분주히 움직였다. 그때 투르누스를
향해 누군가가 말했다.

"우리 모두가 해변에 상륙하는 병사들을 향해 공격했을 때, 방벽 안의 트로이아 군사들이 문을 열고 우리 등 뒤를 공격해 온다면 어찌할 것이오."

투르누스는 그 소리에 움찔하였다. 그 소리는 여자의 목소리로 백마를 타고 나타난 볼스키족의 여전사 카밀라였다. 그녀는 투르누스가 걱정하던 바를 예리하게 지적하였다.

투르누스는 카밀라를 바라보며 말했다.

"그대가 염려했던 것을 나도 생각했소. 그러나 지금은 이것저것 재가면서 공격할 수가 없소. 모든 병력을 동원하여 상륙해 오는 적들을 막아내지 못하면 이 자리가 우리의 무덤이 될 것이오. 그러나 저들이 진영을 갖추기 전에 기습한다면 성공할 수 있소. 한 번의 총공격으로 밀어붙여야 승산이 있소."

여전사 카밀라는 짧게 말했다.

"어쩔 수 없군요."

그녀는 더 이상 아무 말도 하지 않았다. 그녀는 무엇인가 직감하고는 투르누스를 바라보았다. 그녀가 바라보는 시선은 연민의 시선이었다. 카밀라는 검고 긴 머리를 휘날리며 말을 돌려 자신을 따르고 있는 기병대가 있는 곳으로 되돌아갔다.

카밀라가 사라진 넓은 들판에는 천지를 뒤흔든 것처럼 나팔 소리가 크게 울려 퍼졌다. 그 소리는 참혹한 전쟁을 알리는 소리였다.

투르누스는 병사들을 이끌고 아이네이아스와 그를 돕는 에트루리안 동맹군이 상륙하는 해안을 기습하였다. 그러나 그가 해안에 다다랐을 때 이미 모든 것이 늦고 말았다. 아이네이아스의 지휘를 받는 병사들은 민첩하게 상륙하여 넓은 해안을 가득 메웠다.

아이네이아스와 투르누스의 결전_ 도메니코 디 미켈리노의 작품
아이네이아스가 이끄는 에트루리안 병사들이 상륙하는 모습과 투르누스 진영의 카밀라가 말을 타고
내달리는 모습을 묘사한 장면이다.

드디어 아이네이아스의 병사들과 투르누스의 병사들 사이에 사활을
건 격렬한 전투가 시작되었다. 진군의 나팔 소리가 울려퍼지는 가운데
아이네이아스의 트로이아인들은 지체없이 해안가로 달려가 한 무리의
루툴리군을 쳤다.

다른 곳에서는 팔란티움의 왕자 팔라스가 이끄는 군대와 루툴리족 군
대 사이에 전투가 벌어졌다. 팔란티움의 아르카디안군은 전투를 할 때
주로 말을 타고 말 등에서 싸우며 적들을 달아나게 했는데 팔라스는 선
봉에 서서 외쳤다.

"계속 밀어붙여라. 적들은 바다를 등지고 있어 더 이상 도망칠 곳이
없다!"

　팔라스의 당당한 외침에 사기가 오른 아르카디안 병사들은 더욱 기세
가 올랐다. 아르카디아인들은 트로이아인들의 운명을 바꾸어 놓을 만큼
용감하고 맹렬하게 전장을 누볐다. 팔라스는 에트루리안의 폭군이었던
메젠티우스의 아들 라우수스와 대결하게 되었다. 라우수스는 아직 어린
티가 벗어나지 않은 팔라스를 가볍게 보았다. 그러나 막상 격투가 벌어
지자 수세에 몰리기 시작했다.

　한편 팔라스와 라우수스가 벌이는 전투 가까이에 있던 투르누스의 앞
에 그의 누이인 유투르나가 나타나 말했다.

　"어서 라우수스를 도우세요."

　투르누스는 시선을 돌려 팔라스와 라우수스의 대결이 벌어지고 있는
장면을 목격하였다. 그는 옆에 있던 메젠티우스에게 물었다.

　"저기 애송이 같은 자가 날뛰고 있는데, 저자는 누구요?"

팔라스와 라우수스의 결투_ 이아임마르트의 판화
에반드로스왕의 아들 팔라스와 메젠티우스의 아들 라우수스와의 결투 장면을 묘사한 그림이다.

메젠티우스도 자신의 아들 라우수스가 상대하고 있는 팔라스를 알아
보았다.

"저자는 에반드로스의 아들 팔라스요. 저자가 입은 흉갑은 에반드로
스왕의 황금 흉갑이요."

메젠티우스의 말에 투르누스의 눈은 빛났다. 그는 팔라스의 흉갑이 탐
났던 것이다.

"에반드로스왕은 우리와 적대 관계인 사이인데 그의 아들이 내 시야에
들어온 이상 가만히 있을 수는 없다."

투르누스는 말을 몰아 팔라스와 라우수스가 벌이는 싸움 속에 뛰어
들었다.

"라우수스는 물렀거라. 내가 팔라스와 대적하겠다."

팔라스는 투르누스가 끼어들자 흥분하여 소리쳤다.

"나는 투르누스 따위는 두렵지 않으니 어디 한번 붙어보자. 내가 그대에게 죽임을 당한다 해도 모두 명예로운 일이다."

팔라스는 아르카디아인들의 수호신 헤라클레스에게 도와달라는 간청의 기도를 올렸다. 헤라클레스는 이 간청을 들었으나 어떤 것을 할 만한 힘이 없었다. 헤라클레스는 아버지 제우스 신에게 도움을 청했다. 그러자 제우스는 헤라클레스에게 말했다.

"아무도 운명을 피해갈 수 없다."

제우스 신은 트로이아 전쟁에서 죽은 자신의 아들, 헤라클

사르페돈의 죽음_ 요한 하인리히 휘슬리의 작품
제우스와 라오다메이아의 아들이다. 글라우코스와 함께 리키아군을 이끌고 트로이아 전쟁에 참가하여 그리스군에 맞서 용감히 싸웠으나 그리스군의 파트로클로스의 손에 죽었다. 아폴론은 자식의 죽음을 슬퍼하는 제우스의 명령에 따라, 쌍둥이 신 히프노스(잠의 신)와 타나토스(죽음의 신)를 붙여, 사르페돈의 시체를 그의 고향인 리키아로 옮겨 매장하였다.

레스 이전에는 세상에서 가장 용감한 용사였다는 사르페돈처럼 모두 죽을 운명이라 말했다.

헤라클레스에게 기도를 마친 팔라스는 투르누스를 바라보며 온 힘을 다해 창을 던졌다. 그러자 투르누스도 동시에 창을 던졌다. 팔라스의 창은 투르누스의 방패를 뚫고 가슴을 맞혔으나 갑옷 때문에 미미한 상처만 주었다. 그러나 투르누스의 창은 팔라스의 흉갑을 뚫고 그의 가슴에 깊숙이 박혔다.

팔라스의 죽음_ 제바스티안 브란트의 목판화 작품
투르누스가 팔라스를 창으로 찌르는 장면이다.

   팔라스는 재빨리 창을 뽑아냈으나 이미 깊게 파인 상처에서 피가 솟구치고 있었다. 그는 상처를 이기지 못하고 그 자리에 쓰러지고 말았다.
   병사들이 쓰러진 팔라스를 들어 올려 방패 위에 올려놨을 때는 이미 숨이 끊어진 뒤였다. 쓰러진 팔라스 곁에 선 투르누스는 득의에 찬 웃음을 짓고는 팔라스의 흉갑을 전리품으로 챙기며 말했다.

팔라스의 죽음_ 쟈크 앙리 사블렛의 작품

팔라스의 죽음을 묘사한 그림으로 투르누스가 전리품으로 팔라스의 흉갑을 벗기는 장면이다.

팔라스의 죽음을 슬퍼하는 에반드로스_ 안젤리카 카우프만의 작품
투르누스에 의해 죽임을 당한 팔라스의 시신을 보고 슬퍼하는 에반드로스왕과 누이들.

"그 아이를 에반드로스왕에게 데려다주어라."

투르누스가 뒤로 물러나자 팔라스의 병사들이 와서 그의 시신을 수습
해 갔다. 투르누스는 팔라스의 병사들에게 외쳤다.

"자, 보았느냐! 이것이 바로 너희들의 왕이 트로이아인과 동맹을 맺
은 대가이다. 그리고 이 아이가 차고 있던 흉갑은 승자의 전리품이다."

에반드로스왕의 금쪽같은 아들인 팔라스는 처음으로 전쟁에 나서 투
르누스에게 죽임을 당했다. 팔라스의 죽음은 아이네이아스에게도 전해
졌다. 순간 그는 눈앞이 캄캄해졌다. 그는 곧장 병사들을 이끌고 투르누

스에게 복수하고자 그를 찾아 적들의 방어선을 뚫고 들어가 주위의 적들을 닥치는 대로 죽였다.

적장들을 무자비하게 베어 넘기는 그의 모습은 마치 굶주린 한 마리의 맹수와 같았다. 살아남은 자 4명은 포로로 잡아 그들을 팔라스의 장례식에 제물로 바치라 명했다. 겁에 질린 마구스란 자가 무릎을 꿇고 아이네이아스에게 자비를 구하였으나 아이네이아스는 이를 거절하고 창으로 목을 찔러 죽였다.

그때 트로이아 방벽을 수성하고 있던 아이네이아스의 아들 아스카니오스가 이끄는 트로이아 병사들이 문을 열고 투르누스 군을 공격하기 시작했다.

한편 아이네이아스가 투르누스 군을 무참히 도륙하는 장면을 하늘에서 지켜본 제우스 신은 옆에 있는 헤라 여신에게 말했다.

"내가 한때는 저 인간들을 멸망시키고자 대홍수를 일으켰소. 그러나 끈질기게 살아남은 인간들이기에, 나는 그들의 의지대로 살아가게 내버려 둔 것이오. 그런데 지금 저들의 행동이 어떻소?"

헤라 여신은 조용히 제우스의 말을 듣고 있었다. 여신은 말은 안 했지만 내심 불편한 기색이 뚜렷했다. 그 모습을 본 제우스는 여신을 달래려는 투로 말했다.

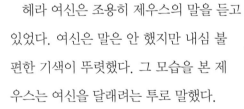

제우스와 헤라 조각상 ▶
제우스와 헤라는 크로노스와 레아 사이에 태어난 남매 관계이다. 헤라는 연상인 누이이지만 제우스의 아내가 되었다.

제우스와 헤라_ 루벤스의 작품
제우스와 헤라가 아이네이아스와 투르누스가 벌이는 전쟁 장면을 내려다보는 장면이다.

"이 전쟁은 끝이 없을 것 같지만 곧 승자와 패자가 가려질 것이오. 아이네이아스는 그의 운명에 순응하고자 하고 있고, 투르누스는 이방인들을 막아내는 것이 자신의 정당한 권리라고 여기고 있소. 따라서 그들은 같은 하늘 아래에서 함께할 수 없을 거요."

제우스의 말에 헤라는 약간 토라진 말투로 말했다.

"보세요. 아이네이아스가 저렇게 용감할 수 있는 것은 그의 뒤에서 아프로디테가 도와주기 때문이지요. 당신께서도 이제 아이네이아스가 투르누스를 죽이려는 것을 허락할 거잖아요. 아이네이아스가 투르누스를 제거하면 지도자를 잃은 루툴리인들은 곧 항복하고 말 거예요. 그러니 당신께 청이 하나 있어요. 투르누스를 잠깐 동안이라도 안전한 곳으로 데려다 놓을 수 있게 해주세요. 그의 운명을 바꿀 수 있는 힘이 내게 없다는 걸 잘 알고 있어요. 그의 죽음을 잠시 유예시켜 그의 아버지 다우누스를 다시 볼 수 있게 해주세요."

헤라는 어떻게 해서라도 투르누스의 목숨을 지켜 주고 싶었다. 그사이 디오메데스가 군사들을 이끌고 나타난다면 상황은 역전될 것이기 때문이다. 그러자 제우스가 대답했다.

"그대의 소원대로 투르누스의 목숨은 잠시 살려두도록 하겠소. 그런데 저 아래 벌어지는 일에 대해 끼어들 생각은 마시오. 그가 목숨을 부지할 수 있는 시간은 오늘뿐이오."

헤라 여신은 올림포스를 떠나 라티움의 땅으로 내려왔다. 여신은 전장에 있는 투르누스를 구출하기 위한 생각에 골몰하다가 안개와 구름을 이용해 아이네이아스의 형상을 만들었다. 그리고 투르누스가 볼 수 있도록 말에 태워 달리도록 했다.

투르누스는 헤라 여신이 만든 아이네이아스의 형상을 발견하고는 창을 들어 던졌다. 그러나 아이네이아스의 형상은 창을 피하더니 말을 몰아 달아났다. 투르누스는 아이네이아스가 도망간다 생각하고는 뒤를 추격하였다.

헤라 여신은 아이네이아스의 형상을 아이네이아스의 에트루리안 동맹군 중 하나인 오시니우스왕의 배가 정박해 있는 강으로 인도했다. 투르누스가 배에 올라타자, 헤라 여신은 즉시 닻을 올려 배가 바다로 흘러가게 했다.

투르누스는 헤라 여신 덕에 목숨을 건졌지만 그 자신은 몰랐다.

"아, 제우스 신이시여. 어찌하여 저를 비겁한 자로 만드십니까? 이렇게 살아 되돌아간다고 해도 산 것이 아닙니다. 차라리 이 수모를 당하기보다 스스로 목숨을 끊는 것이 나을 것 같습니다."

투르누스는 곧 자신의 칼로 목숨을 끊으려 했다. 그러나 헤라 여신의 강력한 제지로 꼼짝할 수 없었다.

투르누스가 탄 배는 마침내 어떤 해안에 도착하였다. 그곳은 투르누스

투르누스를 구하는 헤라_ 제바스티안 브란트의 채색 판화

의 아버지 다우누스가 다스리는 도시였다.

투르누스는 이곳이 자신의 도시라는 것을 알아보고는 앞뒤 생각할 것 없이 곧장 배에서 내려 성으로 달려갔다. 그는 성문 안으로 들어서자 아버지를 만나려던 생각을 버리고 가장 빠른 말을 가져오라고 명령했다.

투르누스를 알아본 병사들은 그의 앞에 튼튼한 말을 대령했다.

투르누스는 말 등에 올라타더니 지체없이 곧장 다시 라티움으로 향했다. 가능한 한 빨리 전쟁터로 되돌아가기 위해서였다.

하늘에서 이 모습을 본 헤라 여신은 미간을 찡그리며 한숨을 쉬었다.

"불사의 몸을 허락받지 못한 인간들이 어찌하여 하나뿐인 목숨을 아끼지 않는 것인가? 그들은 왜 자신의 파멸을 향해 저토록 안간힘을 쓴단 말인가? 하데스의 궁전이 그토록 가고 싶다는 것인가?"

한편 투르누스가 사라진 라티움의 전쟁터에서는 투르누스를 대신하여 메젠티우스가 루툴리군을 지휘하고 있었다. 그는 한때 에트루리안의 통치자였으나 폭정을 일삼다가 주민들의 봉기로 쫓겨나 투르누스의 궁전에 피신했다. 그런데 투르누스가 사라진 전쟁터에서 그는 에트루리안군을 맞아 일전을 치를 준비를 하고 있었다.

메젠티우스의 모습을 본 에트루리안 병사들은 분노의 함성을 지르며 달려들었다. 그러나 메젠티우스는 자신에게 달려드는 에트루리안의 병사들을 보기 좋게 물리쳤다.

에트루리안의 병사들은 메젠티우스의 활약에 주춤거리며 뒤로 물러났다. 그러나 곧 에트루리안군의 용장 오로데스가 나섰다. 그는 메젠티우스와 원한이 깊은 자로 에트루리안의 예언자이기도 했다.

"그대의 폭정으로 수많은 에트루리안의 영령들이 지하에서 울고 있다. 내 오늘 그대를 참하여 죄없는 영령들의 원한을 갚겠다."

그러나 오로데스 역시 메젠티우스의 적수가 되지 못했다. 그는 용기를 내어 메젠티우스에게 달려들었으나 메젠티우스의 칼에 치명상을 당하여 그 자리에 고꾸라지고 말았다.

"메젠티우스여, 나는 죽어가며 예언한다. 그대도 곧 나의 뒤를 따를 것이다."

오로데스의 저주에 가까운 예언에도 메젠티우스는 눈 한 번 꿈쩍이지 않았다.

"죽음의 신이 나를 데려가도 상관없다."

메젠티우스가 당당하게 말하자 에트루리안의 진영에서 무장 한 사람이 나왔다. 그는 헤파이스토스의 갑옷을 입고 있는 아이네이아스였다. 메젠티우스는 그의 앞에 나타난 자가 아이네이아스임을 알아보고는 본능적으로 방어 자세를 취했다.

전투를 지휘하는 메젠티우스_ 이아임마르트의 판화
투르누스가 전장에서 사라지자 메젠티우스가 루툴리군을 지휘하는 장면이다.

메젠티우스와의 결투 장면_ 제바스티안 브란트의 목판화 작품

    그때였다. 메젠티우스의 아들 라우수스가 한 무리의 기병대를 이끌고 아버지를 돕기 위해 달려왔다.

    라우수스가 도착하여 아버지를 도우려 했으나 이미 아이네이아스와 메젠티우스의 싸움은 시작되었다. 먼저 메젠티우스가 아이네이아스를 향해 창을 던졌으나 아이네이아스의 방패를 비껴나 다른 병사의 사타구니를 관통했다. 그러자 이번에는 아이네이아스가 메젠티우스를 향해 창

아이네이아스와 라우수스의 결투_ 바츨라브 홀라르의 판화
라우수스는 부상당한 아버지 메젠티우스를 대신해 싸우다 아이네이아스에게 죽임을 당한다.

을 던졌다. 그 창은 메젠티우스의 방패를 뚫고 그의 사타구니를 관통하
였다.

아이네이아스는 피를 흘리며 쓰러지는 메젠티우스를 향해 칼을 빼들
고 다가갔다. 그때 메젠티우스의 아들 라우수스가 아버지를 구하려고
아이네이아스 앞을 가로 막았다. 아이네이아스는 그를 향해 꾸짖었다.

"그대는 죽지 못해 안달이 났는가! 어서 물러서라."

하지만 라우수스는 물러나지 않았다. 그사이 라우수스의 기병대가 재빨리 메젠티우스를 구하여 달아났다. 이에 분노한 아이네이아스는 라우수스에게 말했다.

"네가 효도를 하려는 모양이나 아비보다 먼저 죽는다면 불효를 저지를 것이니, 지금이라도 늦지 않았으니 길을 비켜라."

하지만 라우수스는 아이네이아스의 말을 무시하고 칼을 뽑아 덤벼들었다. 그러나 아이네이아스는 가볍게 몸을 돌려 달려들던 라우수스의 방패를 향해 창을 겨눴다. 창은 방패를 지나 라우수스의 가슴을 그대로 뚫고 나갔다.

아이네이아스는 더 이상 그의 시신에 아무런 손상을 가하지 않았다. 그는 라우수스 병사들에게 소리쳤다.

"자, 너희들의 어린 수장인 라우수스를 데려가 장례를 치러라."

강 건너에서 상처를 치료하고 있던 메젠티우스는 아들이 방패에 실려 오고 있는 것을 보았다. 크게 낙담한 메젠티우스는 아들의 뒤를 따르기로 결심하고는 말에 올라 아이네이아스에게 외치며 달려나갔다.

"나의 사랑하는 아들을 죽인 아이네이아스는 어서 나와 내 창을 받아라."

메젠티우스의 말을 들은 아이네이아스는 서슴지 않고 말을 타고 달려나왔다.

"아들의 죽음을 슬퍼하는 자가 어찌 자신의 백성들을 가혹하고 잔인하게 죽일 수 있었단 말인가?"

메젠티우스는 아이네이아스의 말이 들리지 않았다. 그는 오직 아들의 원수를 갚고자 팔에 힘을 쥐어 들고 있던 창을 던졌다. 그러나 아이네이

아이네이아스와 메젠티우스의 마상 대결_ 제바스티안 브란트의 목판화 작품

아스는 방패로 가볍게 창을 막아냈다.

메젠티우스가 또다시 창을 던졌지만 아이네이아스를 해하기에는 무리가 있었다. 메젠티우스의 공격은 세 번에 걸쳐 이어졌으나 모두 수포로 돌아갔다.

아이네이아스는 메젠티우스가 말에서 내리지 않고 창을 던지자 곧 그를 말에서 끌어내리기로 작정하였다.

"메젠티우스여, 말에서 내려 내 칼을 받아라."

아이네이아스는 창을 든 팔을 높이 들었다. 그러나 그것은 메젠티우스를 겨냥한 것이 아니었다. 창은 곧장 말의 이마 한가운데로 날아가 꽂혔다. 말은 앞발을 들어 허둥거리다가 이내 앞으로 고꾸라지고 말았다.

메젠티우스를 공격하는 아이네이아스_ 살바토레 피우메의 석판화 작품
아이네이아스는 메젠티우스가 타고 있는 말에 창을 던져 메젠티우스를 떨어뜨린다.

메젠티우스는 졸지에 말의 무거운 덩치에 깔려 버렸다.

아이네이아스는 말에 깔린 메젠티우스를 끌어냈다. 메젠티우스는 아이네이아스에게 헐떡이는 소리로 말했다.

"패자는 할 말이 없는 법이오. 그러나 한 가지 부탁이 있소. 에트루리안의 병사들로부터 내 시신을 보호해 주시오. 그래서 내 아들과 함께 땅에 묻어주시오……."

신을 부정한 폭군 메젠티우스는 그렇게 눈을 감았다. 메젠티우스가 숨을 거둘 때 트로이아 진영에서 나팔 소리가 울려 퍼졌다. 아이네이아스는 트로이아 방벽의 문을 열고 달려나오는 병사들을 보았다.

트로이아 병사들 앞에는 아스카니오스와 므네스테우스 그리고 세르게스투스가 서 있었다. 아이네이아스는 그들을 반갑게 맞이하고는 메젠티우스의 무구를 승리의 트로피로 세우도록 명했다.

아이네이아스의 승리_ 바츨라브 홀라르의 판화
아이네이아스가 메젠티우스를 죽인 후 그의 무구로 승리를 기념하는 트로피를 만드는 장면이다.

　메젠티우스의 무구들로 트로피가 세워지자 트로이아 병사들은 사기가
충천되어 함성을 질렀다. 반면 메젠티우스의 진영은 사기가 떨어져 침
묵의 강이 흘렀다.

전사자들의 장례

| 트로이아와 라티움은 휴전을 하여 전사자의 장례를 치르다 |

　다음 날 아이네이아스는 에반드로스왕의 아들 팔라스의 주검을 보며 가슴이 에는 듯한 비통함에 젖어 눈물을 흘렸다.

　"그대의 죽음은 나의 심장을 잃은 것과 같구나. 그대 아버지와 약속한 것은 결코 이것이 아니었는데! 에반드로스왕께서 낙심할 생각을 하니 아들을 가진 나로서도 비탄하지 않을 수가 없구나."

　아이네이아스는 팔라스의 장례식을 정중하게 치를 것을 명령하였다. 그리고 그의 죽음에 동요했지만, 전쟁의 승리에 대한 감사의 표시로 신들에게 공물을 바쳤다.

팔라스 장례식에 대한 습작_ 앙투안 코와펠리 작품

팔라스 시신의 운송_ 제바스티안 브란트의 목판화 작품
팔라스의 시신이 에반드로스왕에게 운반되는 장면이다.

아이네이스

약 1,000여 명으로 이루어진 팔라스의 장례 행렬이 아카디아에 도착하였다. 아들의 시신이 안치된 움막에서 죽은 아들을 보자, 에반드로스왕은 아들의 시신에 몸을 던져 오랫동안 깊고 깊은 통한의 아픔을 토해냈다. 에반드로스왕의 비통한 모습을 지켜보는 아이네이아스도 가슴이 미어지는 슬픔에 젖어 침통한 어조로 말했다.

"왕이시여, 팔라스의 안전을 지켜드리겠노라던 약속을 지키지 못한 것에 대해 어떤 벌이라도 내려주십시오. 저는 기꺼이 벌을 달게 받겠습니다."

아이네이아스는 스스로 벌을 자처하여 에반드로스왕의 앞에 무릎을 꿇었다.

에반드로스왕은 아들의 죽음에 관한 소식을 들었을 때, 거의 폐인이 될 지경에 이르렀으나 아들이 적장인 투르누스와 대적하여 영광스럽게 죽었다는 소식에 위안을 삼았다. 그러나 정작 팔라스의 시신을 보자 잠

장례식에 대한 부조

팔라스에 대한 애도_ 안 루이 지로데 드 루시의 펜화 소묘
아이네이아스와 아스카니오스가 팔라스의 죽음을 슬퍼하는 가운데 에반드로스왕이 아들의 시신을
끌어안고 있다.

시 정신을 잃었다. 그는 아이네이아스의 말을 듣고는 눈물을 훔치며 말했다.

"아들은 용맹하게 싸우다 죽었소. 그것은 전사의 명예로운 죽음이오. 다만 아들을 죽인 투르누스를 그대의 손으로 죽여주시오. 그대만이 팔라스의 원한을 갚아줄 수 있는 사람이오."

에반드로스왕은 아이네이아스의 손을 잡고는 진심으로 용서했다. 그리고 아들을 죽인 투르누스의 죽음을 고대하였다.

그사이 새벽의 여신 에오스가 가련한 인간들을 위해 생명을 주는 빛을 끌어올리며 또다시 일과 노고를 가져다주었다.

아이네이아스와 에트루리안의 왕 타르콘은 구부러진 해안을 따라 화장용 장작더미를 쌓게 했다. 그러자 사람들은 각자 조상대대로 내려오는 관습에 따라 친지들의 시신을 그곳으로 날랐다. 장작더미 주위를 걸어서 세 번이나 돌았고, 세 번이나 통곡하며 화염 주위를 말을 타고 돌았다.

대지에도 눈물이 뿌려지고 무구들에도 눈물이 뿌려졌으며, 사람들의 소음과 요란한 나팔 소리가 하늘에 울려퍼졌다. 더러는 죽은 루툴리인에게서 빼앗은 투구와 훌륭하게 장식한 칼과 말고삐와 수레바퀴 같은 전리품들을

전사자의 화장_ 구루닝게르 공방 장인의 작품
트로이아와 라티움이 휴전을 맺고 전사자들의 장례를 치루는 장면이다.

전사자들의 운송_ 제바스티안 브란트의 목판화 작품
휴전을 맞아 전사자들의 장례를 위해 시신을 운송하는 장면이다.

불 속에 던졌고, 더러는 남들에게 잘 알려진 선물들을, 더러는 고인들이
쓰던 방패와 축복받지 못한 창을 던졌다.

아이네이아스가 팔라스의 장례식을 치르고 있을 때 라티움의 사절단
이 그에게 왔다. 사절단은 전투에서 죽은 병사들의 시신을 교환해 장례

를 치러주자고 요청했다. 아이네이아스는 그들을 향해 말했다.

"라틴의 여러분! 우리가 무슨 나쁜 운명을 만나 이렇게 서로 죽이고 있는 것이오? 우리는 지금 죽은 이들의 시신을 교환하면서 죽은 이들 간에 화친을 도모하고 있소. 그렇다면 우리 산 사람들도 화친을 맺지 않을 이유가 없소. 이렇게 죄 없는 백성들끼리 끝없는 싸움을 계속하기보다는 나와 투르누스가 일대일로 맞서는 것이 나았겠소. 그랬다면 이 많은 사람들이 목숨을 잃을 필요가 없지 않았겠소. 그와 나 둘 중에 한 명만 죽으면 될 일이었소."

아이네이아스의 말에 라티움의 사절단은 놀라면서도 반가웠다. 그들은 진정으로 전쟁을 원하고 있는 것이 아니었다. 단지 투르누스 때문에 억지로 전장에 나선 것뿐이었다.

아이네이아스와 사절단은 12일 동안 휴전하기로 합의했다. 그들은 죽음의 신에게 수많은 황소를 제물로 바쳤고, 털이 센 돼지들과 들판의 양들을 잡아 불타는 장작더미 위에 얹었다. 그들은 해안을 따라 전우들이 불타는 것을 지켜보며 반쯤 탄 장작더미 옆에서 망을 보았고, 마침내 늦

휴전을 기념하여 제물을 신께 올리는 모습을 묘사한 부조

전사자들의 장례_ 제바스티안 브란트의 목판화 작품
휴전을 맞아 전사자들의 장례를 치르는 장면으로, 라티누스왕이 슬퍼하는 여인들 앞에 앉아 있다.

눅한 밤이 불타는 별들을 하늘로 올려놓을 때까지는 그곳을 떠날 수가
없었다.

　마찬가지로 라티움의 진영에서도 죽은 병사들의 장례를 치르는 불길이
솟았다. 그들은 수많은 전사들의 시신을 더러는 땅에 묻고, 더러는 화장

을 하였다. 휴전 3일째 되는 날, 라틴인들의 도시에서는 아들을 잃은 슬픔에 빠진 어머니들이 투르누스왕과 맺은 동맹을 파기해야 한다고 주장하였다.

전부터 투르누스를 미워하던 드랑케스는 이들의 주장을 지지하였다. 그러나 여전히 자신의 사위가 아이네이아스가 아닌, 투르누스가 되어야 한다고 고집피우는 아마타 왕비는 받아들이지 않았다.

한편 투르누스는 말을 몰고 라티움의 전쟁터로 달리고 또 달렸다. 쉴 틈을 주지 않고 내몰자 말들이 입에 거품을 내쉬면서 비틀거렸다. 그럼에도 투르누스는 사정을 두지 않고 말들에게 가혹한 채찍질을 가했다. 그렇게 하루를 꼬빡 달리고 다음 날 아침이 되어서야 라티움의 성벽이 눈 앞에 들어왔다.

성문이 열리기를 기다리는 동안 말들은 기진맥진하여 그 자리에 쓰러져 죽고 말았다. 투르누스는 아랑곳 하지 않고 걸어서 성문을 들어섰다. 그가 왕궁의 홀 안으로 들어섰을 때, 그곳에는 이미 라티누스왕과 많은 귀족들이 회의를 하고 있었다.

그들은 한동안 전쟁터에서 사라졌다 돌아온 투르누스를 보고는 적개심이 가득한 얼굴로 한참을 바라보았다.

"이제야 돌아왔구려."

라티누스왕은 투르누스가 왔음에도 개의치 않고 회의를 이어나갔다. 회의의 분위기는 아이네이아스와 화친하자는 측과 맞서 싸우자는 측으로 양분되어 입씨름을 벌이고 있었다.

"라틴족 여러분, 적들이 우리를 이렇게 둘러싸고 있는 지경이 되어서야 대책을 세우겠다고 할 것이 아니라 미리 현명한 결정을 내렸어야 했소.

회의를 관장하고 있는 라티누스왕_ 제바스티안 브란트의 목판화 작품

우리는 지금 신들의 자손들과, 그 영웅들과 해서는 안 될 싸움을 하고 있
소. 그러니 그들과 화친을 맺어 그들이 정착할 땅을 내줍시다."

왕이 말을 마치자 화친파였던 드랑케스가 일어나 말했다.

"선하신 왕이시여, 당신의 제안에 더 덧붙일 것도 뺄 것도 없습니다.
우리 라틴족들은 모두 당신의 생각과 같지만 저 투르누스가 두려워서 말을 못 하고 있을 뿐입니다. 그러니 어서 공주를 트로이아의 위대한 사윗 감에게 보내셔서 영원한 동맹을 맺으십시오. 이제 더 이상 죄 없는 백성들이 전쟁터에서 무의미한 죽음을 당하는 것을 용납할 수 없습니다."

드랑케스의 말에 투르누스는 화를 내며 말했다.

"왕이시여, 우리가 정말로 패했다고 여기십니까? 만일 그렇다면 나도 기꺼이 그들과 화친하겠습니다. 하지만 우리에게는 아직 용맹한 젊은이들이 남아 있습니다. 그리고 우리를 도울 동맹군들이 곳곳에 많이 있습니다. 저 유명한 그리스군의 디오메데스가 곧 참여한다면 전세는 역전이 될 것입니다. 또한 볼스키족의 여걸 카밀라가 기병대를 끌고 왔습니다. 그런데 싸우기도 전에 왜 스스로 패배를 인정하려는 것입니까? 나는 나가 싸우겠습니다."

이때 디오메데스 왕에게 보냈던 사절단이 돌아왔다. 라틴인들은 자신들과 트로이아인들의 전쟁에 디오메데스의 원조를 요청했으나 그가 거절했다는 소식을 전했다. 사절들은 라티누스왕에게 디오메데스 왕이 자신들에게 했던 말을 있는 그대로 전했다.

디오메데스 왕은 이미 자신들은 트로이아 전쟁에서 아이네이아스와 싸울 만큼 싸웠기 때문에 이젠 어떤 의미에서는 친구지간으로 여겨진다며, 트로이아인들은 자신에게 줄 선물을 자기 대신 아이네이아스에게 주었다고 말했다는 것이었다. 사절단의 이야기를 들은 라티누스왕은 아이네이아스와 화친할 것을 주장하였다. 그러나 투르누스의 강렬한 반발에 드랑케스가 입을 열었다.

"라비니아의 진정한 신랑이 되고 싶다면 남자답게 전쟁터에서 아이네이아스와 승부를 겨루도록 하시오."

그의 말에 투르누스는 지지 않고 말했다.

라우렌툼 사원에서의 아마타와 라비니아_ 제바스티안 브란트의 목판화 작품

"말 잘했다. 그러나 나는 당신과 싸우고 싶지 않다. 나는 헤아릴 수 없이 많은 트로이아인들을 죽였고, 설사 내가 홀로 그들의 요새에 들어가 적들에 둘러싸인다고 해도 나는 무엇 하나 두렵지 않다."

투르누스는 라티누스왕에게 돌아서서 말했다.

"비록 디오메데스가 돕지 않는다 해도 나에게는 동맹군이 남아 있습니다. 만일 내가 아이네이아스와 일대일로 싸우길 원한다면 나는 언제든 준비가 되어 있습니다."

한편 아이네이아스와 그의 전사들은 튼튼한 방벽을 나와 평원의 전쟁터로 향하고 있었다. 그 모습을 본 정찰병은 곧 회의가 벌어지는 라티움의 성으로 달려가 이 사실을 알렸다. 그 소식을 들은 라티움의 궁전에서는 또다시 전쟁의 그림자가 드리워지고 사람들은 공포에 몸을 떨었다.

투르누스는 이 기회를 포착하여 자신의 장수들에게 전쟁을 준비하라 명령하였다.

"이제 더 이상 평화 따위는 필요 없다는 것이 증명되었다."

도시는 순식간에 요새로 변하였다. 이와 동시에 아마타 왕비와 라비니아 공주를 비롯한 성의 귀족 여인들은 아테나 여신의 사원으로 향하였다. 사원에 도착한 귀족 여인들은 도시의 안녕을 기원하였다.

여전사 카밀라

| 카밀라의 생애와 전쟁 참여 |

투르누스는 무장을 하고 전쟁 채비를 한 뒤, 행렬을 뒤따르다 자신의 부대를 이탈시켜 라티움의 볼스키족의 여전사 카밀라 여왕에게 갔다.

여전사 카밀라는 이탈리아 라티움 지방에 살던 볼스키족의 왕이었던 메타부스의 딸이었다. 메타부스는 아내 카스밀라가 죽은 뒤 점점 성격이 거칠고 포악해져 급기야는 정적들에 의해 나라에서 쫓겨나는 신세가 되었다. 도망치는 메타부스의 뒤로는 병사들이 매몰차게 쫓아오고 있었고 앞에는 강이 흐르는 사면초가의 상황에 직면하였다.

메타부스가 살 길은 단 하나밖에 없었다. 바로 거세게 흐르는 강물로 뛰어들어 헤엄을 쳐 가는 길뿐이었다. 그러나 그것은 혼자일 때 가능한 일이었다. 그에게는 이 같은 사실을 모르고 그의 품에 안겨 있는 어린 카밀라가 있었다.

일촉즉발의 위기 앞에서 메타부스는 한 가지 묘안을 생각해 냈다.

어린 카밀라를 안고 있는 메타부스 조각상 ▶

어린 카밀라를 안고 있는 메타부스_ 레옹 코니에의 작품
어린 카밀라를 안고 있는 메타부스가 거세게 흐르는 강물 앞에서 숲의 여신 아르테미스에게 기원
을 하는 장면이다.

메타부스와 카밀라_ 장 밥티스트 페이타빈의 작품

어린 카밀라를 창에 묶어 던지는 메타부스.

카밀라와 메타부스가 탈출하는 모습을 묘사한 삽화

메타부스는 곧 주변에 있는 코르크나무 껍질을 벗겨내 아기를 싼 다음, 그 아기를 창 자루에 단단히 묶었다. 그러고는 천을 여러 번 둘러 아기를 꽁꽁 싸맸다. 메타부스를 발견한 병사들이 쏜 화살이 빗발치듯 쏟아지는 와중에도 메타부스는 아기를 묶은 창을 온 힘을 다해 강 건너로 던졌다.

"오, 숲의 여신 아르테미스여, 저 아이의 목숨을 살려주소서. 아이를 살려주시면 앞으로 저 아이의 삶을 오로지 당신께 바치겠나이다."

메타부스는 숲의 여신이자 처녀 신인 아르테미스에게 간절히 기도했다. 여신의 도움 덕분인지 메타부스가 던진 창은 강물을 넘어 건너편 강둑의 부드러운 풀밭 위로 떨어졌다. 아기는 어느 한 군데도 다친 곳이 없이 잠든 모습이었다.

그러자 메타부스는 강으로 뛰어들어 병사들을 따돌리고 무사히 강을

사슴의 젖을 먹는 카밀라

건넜다. 그날부터 메타부스는 어린 카밀라와 함께 숲속에서 살았다. 그는 어린 카밀라에게 사슴의 젖을 먹이고, 말을 키워 말의 젖을 먹여 키웠다.

카밀라가 자라자 메타부스는 딸에게 활을 쏘는 법을 가르쳤고 창을 다루는 법을 가르쳤다. 그렇게 하여 카밀라는 날아가는 두루미도 활로 쏘아 맞히는 신기에 가까운 솜씨를 지니게 되었다.

카밀라는 처녀들이 입는 화려한 옷 대신에 거친 짐승의 가죽으로 몸을 두르고 다녔다. 그러나 그녀의 미모는 여신의 아름다움을 능가할 정도로 아름다웠다. 하지만 그녀는 아버지 메타부스가 처녀 신인 아르테미스에게 봉납했음으로 처녀성을 지켜야 했기에 결혼을 할 수 없었다. 아르테미스는 처녀의 신이자 순결의 여신으로 숲과 짐승들을 보호하는 여신이었다. 여신을 존경하고 따르는 님프들도 처녀성을 지켜야 했고 만일 순결을 잃는다면 아르테미스로부터 가혹한 벌을 받기도 했다.

어린 카밀라에게 활 쏘는 법을 가르치는 메타부스 ▶

아르테미스와 숲의 님프들_ 카미유 코로의 작품

아르테미스를 추종하는 님프들이 숲의 물에서 목욕하는 장면으로, 사냥꾼 악타이온이 이를 훔쳐보다 아르테미스에 의해 죽임을 당한다. 카밀라는 아르테미스와 숲의 님프들로부터 보호를 받아 처녀로 성장한다.

아르테미스 조각상

그리스 신화에 나오는 올림포스 12신 중 한 명으로 사냥, 숲, 달, 처녀성 등과 관련된 여신이다. 아르
테미스는 또한 여성의 출산을 돕고 어린아이를 돌보는 여신이기도 하다. 그리스 신화에서 아르테미
스는 은 활과 은 화살을 들고 숲에서 사슴이나 곰 같은 짐승을 사냥하는 활기찬 처녀 신의 모습으
로 등장한다. 로마 신화의 디아나 여신과 동일시된다. 헬레니즘 시대의 조각상으로 베르사유 박물관
에 소장되어 있다.

아름다운 처녀로 성장한 카밀라는 활과 화살을 들고 산속을 혼자서 다니곤 했는데, 이를 본 사냥꾼들은 누구나 그녀의 아름다움에 넋이 빠지곤 했다.

그뿐만이 아니었다. 카밀라는 아르테미스 여신의 총애를 받아 여신 못지않게 빠른 걸음으로 숲을 달리며 사냥할 수 있었다. 그녀는 밭 위를 달려도 곡식이 망가지지 않았고, 발을 적시지 않고 바다 위를 달릴 수 있었다.

그러던 어느 날, 용맹스러운 볼스키족의 기병대가 카밀라의 위용을 발견하고는 그녀를 자신들의 지도자로 추대하였다. 그들은 카밀라를 위해서라면 물불 가리지 않고 어디든 뛰어들 기세였고, 그녀와 함께라면 죽음도 불사하고 전투에 출정하여 용맹하게 싸웠다.

투르누스는 카밀라에 대한 이야기를 잘 알고 있었다. 그리고 그녀를 가까이에서 본 순간 아름다운 미모에 빠져들었다. 그는 자신의 약혼녀 라비니아를 잊을 만큼 건강미가 넘치는 그녀의 몸매에 자신도 그녀의 용감한 기병대 병사들과 똑같이 되어버릴 것만 같았다. 그가 잠시 머뭇거리고 말을 잇지 못하자 카밀라가 투르누스를 향해 말했다.

"투르누스, 자신감은 용감한 자에게만 찾아오지요. 내가 앞장서서 저들의 기병대와 싸우겠소. 그대는 보병을 이끌고 성벽을 지키도록 해요."

투르누스는 조금 전 그녀의 명령이라면 죽음을 향해 돌진하는 말이라도 탈 것 같았다. 그러나 그녀의 말을 듣는 순간 깜짝 놀라고 말았다.

'도대체 지금 내가 무슨 생각을 하고 있는 것인가? 그녀는 연약한 여인에 불과하지 않은가.'

투르누스는 짧은 탄성과도 같은 말을 내뱉었다.

"아니요. 나는 이곳 성 앞에서 적군을 기다리지 않을 것이오. 나는 그

카밀라와 투르누스_ 프란체스코 데 무라의 작품
카밀라가 전투에 나서기에 앞서 무장을 갖추는 장면이다.

아르테미스와 오피스_ 페르난드 르 쿠스네의 작품
아르테미스가 그녀의 전령 오피스에게 임무를 부여하는 장면이다.

들이 어떤 길을 따라 산을 넘어올지 잘 알고 있소. 골짜기 양쪽에 매복해
있다가 적들을 기습하겠소."

한편 카밀라를 아끼던 아르테미스 여신은 자신을 수행하는 님프 중 한
명인 오피스에게 말했다.

"기어코 카밀라가 전쟁터로 향하는구나. 내가 저 아이를 얼마나 아끼
고 사랑했는지 너도 알 것이다. 저 아이는 무수한 남자들에게 청혼을 받
았지만 오로지 나를 섬기며 처녀성을 지켰다. 그런데 그 아이의 운명이
다다랐구나. 내 저 아이의 수호신이 되어 주겠다 허락했지만 운명의 여
신 모이라이의 결정에는 간섭할 수가 없구나. 너에게 이 활과 화살을 주
마. 그러니 가서 누구든지 카밀라를 죽이면, 이 활로 그를 죽여라."

아르테미스의 지시를 받은 오피스는 활과 화살을 받아 들고 라티움으
로 내려와 산 위에 몸을 숨겼다.

그사이 트로이아와 에트루리안의 기병대가 대오를 유지하여 전진하고 있었다. 이때 카밀라의 기병대가 언덕 위로 모습을 드러냈다. 아스카니오스와 함께 기병대 선두에 선 에트루리안의 지도자 타르콘이 카밀라를 알아보았다.

"저 적장은 볼스키족의 여전사 카밀라요. 그녀는 메타부스의 딸로 투르누스를 돕고자 출전한 것이오."

아스카니오스는 타르콘의 말을 듣고 말에 올라탄 그녀를 보았다. 그녀는 마치 아마존의 여전사처럼 한쪽 가슴을 드러낸 채 우뚝 서 있었다. 드디어 양군 사이에 맹렬한 전투가 벌어지기 시작했다.

아마존 조각상

카밀라는 그리스 신화에 등장하는 아마존의 여왕 펜테실레이아와 비슷하다. 펜테실레이아는 그리스 신화에 등장하는 아마존의 여왕으로 군신 아레스와 아마존 여왕 오트레아의 딸이자 히폴리테, 안티오페, 멜라니페와는 자매간이다. 여신 아프로디테의 저주를 받아 모든 남성으로부터 욕정의 대상이 되자, 온몸을 갑옷으로 감싸 자신의 아름다움을 드러내지 않게 하였다.

아킬레우스가 트로이아 최고의 장수 헥토르를 죽이고 전세가 급격히 그리스군 쪽으로 기울 무렵, 펜테실레이아가 아마조네스 여전사들을 이끌고 트로이아의 왕 프리아모스를 도우러 왔다. 트로이아와 그다지 사이가 좋지 않았던 아마조네스가 트로이아를 도우러 온 데에는 그럴만한 이유가 있었다. 펜테실레이아는 숲에서 사슴 사냥을 하다가 그만 실수로 자신의 동생 히폴리테를 창으로 찔러 죽이고 자책감에 몹시 괴로워하였는데, 프리아모스가 그녀의 죄를 씻어주었던 것이다.

전투에 나선 펜테실레이아는 아킬레우스를 제 손으로 죽이겠다고 호언장담을 하며 무서운 용맹을 과시하였다. 수많은 그리스 병사들이 그녀의 창에 추풍낙엽처럼 쓰러졌다. 그리스군의 맹장 대(大)아이아스도 그녀의 기세를 꺾지 못했다. 아이아스는 아킬레우스에게 도움을 청했다. 아킬레우스가 나타나자 펜테실레이아는 곧장 그를 향해 달려갔지만 그녀는 아킬레우스의 상대가 아니었다. 아킬레우스가 던진 창은 단박에 그녀의 오른쪽 젖가슴을 꿰뚫어 버렸다. 펜테실레이아는 그 자리에서 즉사하였다.

관습대로 패장의 투구와 갑옷을 벗긴 아킬레우스는 깜짝 놀라고 말았다. 죽은 펜테실레이아의 모습이 너무나 아름다웠던 것이다(심지어 아킬레우스가 죽은 펜테실레이아에게 사랑을 느껴 시간(屍姦)을 했다는 주장도 있다). 자신의 희생자에게 애틋한 연정을 느낀 아킬레우스는 달아나는 트로이아군을 더 이상 추격하지 않고 그녀의 시신을 수습하여 트로이아 성으로 보내주었다. 프리아모스왕은 자신을 돕기 위해 왔다가 죽은 펜테실레이아에게 성대한 장례식을 치러주었다.

카밀라의 전투 장면_ 제바스티안 브란트의 목판화 작품

기마병들이 서로를 향해 폭풍처럼 달려들자 말의 울음소리와 병사들의 함성으로 대지는 가득 찼다. 처음에는 트로이아군이 우세하게 싸움을 펼쳐나갔다. 각 진영의 장수들은 각각 상대 장수와 맞서 목숨을 건 결투를 벌이기도 했다. 트로이아 병사들과 에트루리안 병사들은 시간이 지날수록 더 용기백배하여 전투를 이어 나갔다.

카밀라의 무용_ 지아코모 델 포의 작품
카밀라가 트로이아 병사들을 죽이는 가운데 화려한 갑옷으로 치장한 아룬스를 보고 그를 뒤쫓는다.

　그러나 용맹한 카밀라의 활약으로 전세는 순식간에 뒤집어졌다. 카밀
라는 그녀 주변의 트로이아 병사들을 모조리 쓰러뜨렸다. 그럼에도 트로
이아 병사들은 무조건 도망치지만은 않았다. 그들은 저마다 이를 악물고
카밀라 가까이로 다가가려고 애썼다.

　그러나 카밀라는 어느 누구라도 자신의 시야에 들어오면 빗자루로 쓸
어내듯 가차 없이 활과 창으로 도륙해 무수한 트로이아 병사와 장수 들
이 죽음을 맞았다. 카밀라의 눈에 멋지고 화려한 갑옷을 입은 장수가 들
어왔다. 그는 에트루리안의 용사 아룬스였다.

카밀라의 죽음_ 제바스티안 브란트의 목판화 작품

　카밀라는 곧 그를 향해 달려나갔다. 아룬스는 죽음이 엄습해 옴을 느끼며 온 힘을 다하여 말을 몰아 달아나기 시작했다. 카밀라는 활을 쏘아대며 그를 뒤쫓았다.

　아룬스는 달아나다 뒤를 돌아보며 카밀라를 향해 창을 던졌다. 그는 창을 던지기 전 아폴론 신에게 기도를 했다.

"여자를 죽이고서 고향으로 돌아가는 영광을 원치 않습니다. 저는 그저 그녀가 우리 아군을 모두 죽이는 것을 원치 않을 따름입니다."

그의 기도에 아폴론 신은 카밀라의 죽음을 허락했지만, 아룬스가 무사히 집으로 돌아가는 것은 허용하지 않았다. 아룬스가 던진 창은 카밀라의 노출된 가슴을 관통하였다. 그리고 아룬스가 달아나자 카밀라의 친구인 아카가 그녀를 안장에서 끌어내렸으나 이미 그녀는 숨을 거둔 뒤였다. 그녀의 죽음에 님프 오피스가 아르테미스의 지시대로 화살을 쏘아 아룬스를 죽였다.

카밀라가 죽자, 라틴족은 성안으로 달아나기 시작하며 이내 성문에 한꺼번에 몰려들어 혼잡을 이루었다. 트로이아군과 에트루리안군은 뒤에서 진격해 오며 처참한 학살이 일어났다. 라틴족은 성문을 굳게 닫아걸고 도시를 폐쇄했다.

이 소식은 산의 골짜기에 매복해 있던 투르누스에게 전해졌다. 이에 당황한 그는 매복해 있던 자신의 병사들에게 즉시 성으로 향하라 명령하였다. 그들이 철수하자 아이네이아스와 아직 전투에 참가하지 못한 그의 분견대가 아무런 방해도 받지 않고 산골짜기를 지나 진주하고 있는 기병대와 합류하였다.

투르누스와 그를 따르는 병사들은 가까스로 성안으로 들어올 수 있었다. 투르누스는 자신의 유일한 동맹군인 아름다운 여전사 카밀라의 시신 앞에 엎드려 눈물로 애도하였다.

마지막 결전

| 아이네이아스와 투르누스의 승패 |

　다음 날 아침이 되었다. 에오스가 새벽을 열고 자연은 태양빛으로 싱그러움을 나타냈지만, 라티움의 성내에서는 라티누스왕을 비롯한 많은 귀족들이 불안 속에 회의를 하고 있었다.

　한편 투르누스는 카밀라의 죽음으로 밤새 눈물로 지새다 자리에서 일어났다. 그는 자기 진영을 한 바퀴 돌아보며 병력이 눈에 띄게 줄어든 것을 확인하고는 놀라움을 금치 못했다. 또한 남아 있던 병사들도 사기가 극도로 떨어져 불만이 많았다. 그는 성 밖의 아이네이아스 진영을 바라보았다. 그들은 사기가 하늘을 찌를 듯이 높고 질서정연했다. 투르누스는 결심을 하고 라티누스 궁전으로 들어섰다.

　투르누스가 회의장에 들어서자 많은 귀족들은 싸늘한 시선을 보냈다. 라티누스왕은 투르누스를 보고 말문을 열었다.

　"이제 그만 종전을 고할까 하오. 그대에게 다른 여인을 신붓감으로 줄 터이니 라비니아 공주는 이제 그만 아이네이아스에게 보냈으면 하오."

　그러나 투르누스는 왕의 탄원을 거절하고 자신의 삶이 영광스럽게 자리매김하길 원했다.

　"왕께서는 아이네이아스와 협상을 하십시오. 나 때문에 협상을 지연시킬 필요는 없습니다. 하지만 나는 아이네이아스와 일대일로 결전을 벌

회의를 주관하는 라티움의 왕 라티누스_ 벤체슬라우스 홀라의 작품
라티움 종족의 이름은 라티누스왕의 이름에서 유래한다. 그리스 전설에서는 리투누스가 영웅 오디세
우스와 마녀 키르케의 아들이라고 한다.

이겠습니다. 그를 저승으로 보내면 이 모든 치욕은 눈 녹듯이 사라질 것입니다. 만약 제가 그자의 손에 죽는다면 그때 라비니아를 그에게 보내 주십시오."

투르누스를 도와주고 있는 왕비 아마타는 투르누스에게 말했다.

"아이네이아스에게 딸을 보낸다면 나는 자결을 할 거예요. 그러니 그대가 아이네이아스를 처단하고 라비니아의 신랑이 되어 주시오."

투르누스는 모든 사람들이 자신을 경멸하는 상황에서도 한결같이 자신을 믿어주는 아마타 왕비가 고마웠다.

"여왕이시여, 저에게는 두려움이 없습니다. 아이네이아스를 물리치고 당당하게 돌아오겠습니다."

투르누스는 아이네이아스와의 결투를 위해 자신의 마차 부대와 마구들을 준비시켰다.

다음 날 아침 라티누스의 병사들은 성 밖으로 나와 두 사람의 결투가 벌어질 평원에 대기하였다. 투르누스는 아이네이아스와 협의하에 일대일로 싸우겠다는 약정을 맺었다.

한편 하늘에서는 헤라 여신이 라티움의 현장을 하나도 빠짐없이 바라보고 있었다. 그녀는 아이네이아스가 투르누스보다 더 강하다는 것을 잘 알고 있었다. 그래서 투르누스의 여동생이자 샘물의 여신인 유투르나를 불러 말했다.

"나는 내가 할 수 있는 만큼 오랫동안 네 오빠를 도와왔다. 그러나 운명은 그를 등지고 있구나. 만일 그대가 오빠를 구하고자 한다면, 아이네이아스와의 결투를 막아라. 아니면 전쟁의 기운을 다시 일으켜 협약을 파기하게 하라."

고대 로마 신화와 고대 종교에서 유투르나는 샘물과 우물, 분수의 여

샘의 여신 유투르나_ 존 윌리엄 위터하우스의 작품

헤라 여신은 투르누스의 여동생인 샘의 여신 유투르나를 불러 투르누스를 돕기 위해 마지막 지혜
를 발휘한다.

샘의 여신 유투르나_ 자크 로렌트 아가세의 작품

신이며. 야누스와 사이에서 우물과 샘물의 신 폰투스를 낳았다. 유투르
나는 이탈리아 남부에 있던 아풀리아 왕국의 다우누스왕과 님프 베닐리
아 사이에서 태어났다. 그녀는 제우스의 구애를 받았으나 거절하고 피
해 다니다가 강제로 순결을 잃었으며, 그에 대한 보상으로 제우스는 그
녀를 물의 님프 나이아드로 바꾸고는 라티움의 해안 도시 라비움의 신성
한 우물과 포로 로마노의 베스타 사원 근처의 신성한 우물, 루카스 유투

르나에도 그녀에게 주었다. 보통은 지역마다 물의 님프나 강의 신이 있어서 자신이 관할하는 강이나 물을 다스리나, 유투르나는 광범위한 지역의 샘과 우물 그리고 분수 등을 다스린다. 이는 여신을 존중하는 라티움 특유의 정서가 반영된 것으로 보인다. 로마와 라티움 지역의 항구 도시 라빈티움에 여신의 사원이 있으며, 라지오 아르테아에서는 치유의 물 같은 컬트적 요소가 나타나기도 한다.

라티누스왕도 아이네이아스와 투르누스 두 사람의 결투가 벌어지는 장소로 갔다. 아이네이아스는 라티누스왕에게 말했다.

"이 결투에서 투르누스가 이긴다면 트로이아인들은 짐을 싸서 떠날 것이오. 그러나 내가 이긴다면 우리가 살아갈 땅을 내 주시오. 하지만 이탈

루카스 유투르나에
유투르나의 샘이라 불리우는 이 우물은 포로 로마노에 있는 샘의 사원으로서 유투르나 여신에게 헌정되었는데, 루카스 유투르나에라는 이름 또한 우물과 사원 이름으로 같이 쓰였다. 가뭄이 들면 로마의 다른 우물들은 모두 말랐으나, 이 우물만은 늘 물이 차 있었다고 한다.

리아인들을 노예로 삼지 않겠소. 만일 우리가 세운 새로운 나라에서 우리와 동등한 시민이 되길 원한다면 받아들이겠소."

라티누스왕은 아이네이아스의 말에 동의하고 희생 제물을 신에게 바치며 협약을 체결하였다. 그러나 루툴리인들은 자신들의 지도자 투르누스가 강하지 않다는 것을 알기에 이 일대일 결투가 이루어지게 된 것에 화를 냈다.

투르누스가 위험한 결투를 하는 것을 원치 않던 유투르나 여신이 이를 보고 카메그스라는 라티니족 장군으로 변신해서는 불만을 토로하는 병사들에게 협약을 파기하라고 부추기면서 트로이아인들의 감시병이 없는 지금 공격해야 한다고 선동하였다.

이때 이들은 제우스의 새라 여기는 독수리 한 마리가 하늘에서 백조를 잡아채는 것을 보았다. 그런데 다른 바닷새들이 무리를 지어 독수리를 공격하자 독수리는 잡았던 백조를 놓아주고는 날아가 버렸다. 이 모습을 본 새의 점을 치는 루툴리의 예언자 톨룸니우스가 외쳤다.

"저것은 우리들이 투르누스를 지원해야 한다는 징조이다."

그의 말에 루툴리 병사들은 트로이아인들을 향해 창을 던졌다. 창은 트로이아 전열에 서 있던 아홉 형제 중 한 명을 맞히었다. 다른 형제들의 복수를 불러일으킬 만한 무모한 도발이었다. 이는 양쪽 진영에 불을 붙였다.

아이네이아스는 싸움을 중지하라 소리쳤으나, 그만 화살 하나가 날아와 그의 다리에 명중하였다. 졸지에 부상을 입은 아이네이아스가 결투장에서 빠져나가자 이를 본 투르누스는 새로운 희망이 솟는 것을 느꼈다. 그는 자신의 말에 채찍질을 가하며, 이내 싸움터로 뛰어들어 전후좌우 닥치는 대로 트로이아 병사들을 마구 죽였다.

협약의 파기_ 제바스티안 브란트의 목판화 작품
샘의 여신 유투르나의 방해로 아이네이아스와 투르누스의 결투 협약은 깨지고 만다. 그리고 아이네이아스는 다리에 활을 맞는다.

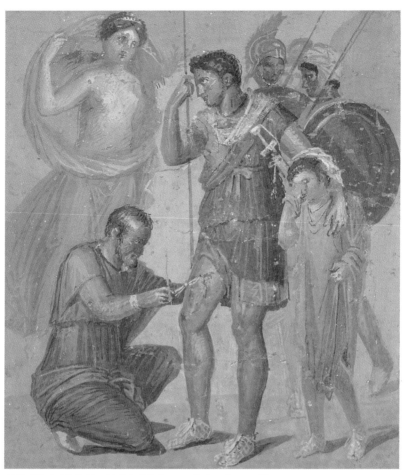

부상당한 아이네이아스_ 폼페이 멜레아그로스의 집 프레스코 벽화
치유사인 이아픽스가 아이네이아스 다리에 박힌 화살을 제거하려는 장면이다. 그 뒤로 아프로디테
가 아들을 도우려고 달려오고 있다. 울고 있는 아들 아스카니오스에게 아이네이아스가 기대고 있다.

한편 아이네이아스는 상처를 치료하러 진영으로 돌아왔으나, 아폴론
신에게서 의술을 배운 치유사인 이아픽스도 아이네이아스의 다리에서
화살을 제거하지 못했다.

고통스러워하는 아들을 본 아프로디테는 크레타의 이다산에서 가져온
특수한 약초 꽃박하를 신들의 음식 암브로시아와 섞은 후 약즙을 내서

아이네이아스를 돕는 아프로디테_ 지오반니 프란체스코 로마넬리의 작품
아프로디테가 아이네이아스의 상처를 치료하기 위해 치료약을 상처에 붓고 있다.

아이픽스가 곁에 둔 대야 속 물에 탔다. 이런 사실을 모르는 치유사 이아
픽스는 그 물로 아이네이아스의 상처를 씻었다. 그러자 거짓말처럼 피가
멈추고 상처가 아물었다. 또한 화살에 손을 대니 화살이 미끄러지듯 빠
져나왔다. 이아픽스는 아이네이아스에게 말했다.

"당신의 상처는 의술이나 인간의 힘으로 나은 것이 아니라 신께서 당
신이 다시 큰일을 하도록 힘을 주신 겁니다."

이아픽스는 아이네이아스가 완쾌되자 사람들에게 그의 무구를 챙기
라 이르고 다시 군사들의 살기가 완연한 싸움터로 나서게 하였다. 아이
네이아스는 전장에 나갈 준비를 마친 후, 아들 아스카니오스에게 돌아

아이네이아스의 상처를 치유하는 아프로디테_ 메리 조제프 블롱델의 작품

서며 말했다.

"이 싸움터에서 내가 어떻게 하는지를 잘 보아라. 너는 앞으로 일을 어떻게 하는지를 잘 배워두어야 한다."

아이네이아스는 위풍당당하게 트로이아인들을 이끌고 다시 전쟁터로 나섰다. 그는 오로지 투르누스만을 찾고 있었다.

한편 샘의 여신 유투르나는 투르누스의 마차를 모는 메티스투스를 가격하여 땅에 떨어뜨린 후, 그로 변신하여 난폭하게 투르누스의 마차를 몰아 싸움터로 나섰다. 그때 아이네이아스가 투르누스의 전차를 발견하고 맹렬히 뒤쫓았다.

아이네이아스가 무서운 기세로 달려들자 유투르나 여신은 재빨리 전차를 돌려 도망쳤다. 바로 그때, 다른 쪽에서 전차 한 대가 아이네이아스를 향해 달려들었다. 전차에는 메사푸스가 타고 있었는데, 그는 전차를 몰고 지나가면서 아이네이아스를 향해 창을 던졌다.

아이네이아스는 방패를 들어 막았지만 창은 방패를 스치더니 투구를 맞히며 깃털 장식을 잘라버렸다. 마침내 아이네이아스의 분노가 폭발하였다. 그는 그동안 투르누스만을 상대하여 싸움을 벌였으나 이 일로 자제력을 잃고 적진 사이로 뛰어들었다. 그가 적진 가운데서 용맹을 펼치자, 여러 루툴리의 장수들이 아이네이아스의 말발굽 아래 무참히 밟혀 죽어나갔다.

아이네이아스가 무참한 살육을 저지르는 것을 본 유투르나 여신은 전차를 돌려 전쟁터로 향해 달렸다. 투르누스는 온 힘을 다해 트로이아 병사들에게 창을 날렸고, 수많은 병사들이 창에 쓰러졌다.

아이네이아스도 투르누스의 전차를 향해 달려갔다. 그러나 마차병으로 변신한 유투르나 여신은 투르누스의 마차를 돌려 달아나기에 바빴다.

아이네이아스는 번번이 자신을 피하는 투르누스의 전차를 바라보며 화가 치밀어 올랐다.

'투르누스는 이제 더 이상 나와의 결투를 원하지 않는 것이 분명하다. 그렇다면 이제부터 전쟁의 방식을 바꾸어야 한다.'

이때 아이네이아스에게 더없이 아름다운 어머니 아프로디테가 한 가지 생각을 불어넣어 주었다. 그는 잠시 갈등을 느꼈다. 그것은 자신이 진정으로 바라지 않는 방식이었다. 왜냐하면 그 방식의 전략은 많은 사람들을 다치게 할 것이 뻔하기 때문이었다.

아이네이아스는 깊은 생각에 잠겨 라티움의 성벽을 바라보았다. 도시는 조용했다. 성벽과 망루에는 보초병들이 한가롭게 경계를 서고 있었다. 아이네이아스는 트로이아 진영으로 돌아와 므네스테우스와 세르게스투스 등의 장수들에게 명령했다.

"모두 내 말을 들으시오. 우리는 저들과 평화조약을 맺었소. 그런데 저들이 먼저 조약을 깨뜨렸소. 투르누스는 나와의 대결을 회피하고 있소. 그러나 이 전쟁은 반드시 끝이 나야 하오. 그렇기에 우리는 라티움의 도시를 점령해야 하오. 아르카디아 병사들과 에트루리안 병사들은 여기 남아서 전투를 계속하며 적들을 저지하시오. 그대들은 트로이아 병사들을 이끌고 라티움성을 점령하여 도시를 장악하시오."

아이네이아스의 명령이 떨어지자 모두들 다투어 열성을 보이며 쐐기 모양의 대열을 이루고는 라티움의 성벽으로 진격했다. 병사들의 맨 앞줄에서 아이네이아스가 전차를 몰고 성벽 가까이 다가갔다.

"나는 두 번이나 라티누스왕의 약속을 믿어주었다. 그런데 두 번 다 약속은 지켜지지 않았다. 이 모든 업보는 너희들의 왕 라티누스와 투르누스에게 있다."

아마타의 분노_ 살바토레 피우메의 석판화 작품
아마타 왕비는 투르누스가 죽은 줄 알고 놀라서 달려나가 자결한다.

아이네이아스는 큰 소리로 라티누스를 나무라며 신들을 증인으로 불렀다. 그러자 불안해진 시민들 사이에서 불화가 일기 시작했다. 그들 중 용감하게 맞서 싸우자는 자들도 여럿 있었지만 성문을 열고 항복하자는 자들이 더 많았다. 그런 중에 아마타 왕비는 트로이아군이 몰려오자 투르누스가 죽은 줄 알고 스스로 칼을 들어 가슴을 찔러 목숨을 끊었다.

왕비가 자살하자 정신이 나간 라티누스왕은 입고 있던 옷을 찢으며 괴로워했다. 그는 아이네이아스를 사위로 맞아들이지 않은 것을 후회했지만 이미 때는 늦고 말았다.

한편 투르누스는 라티움성과 멀리 떨어진 들판에서 소수의 낙오병들을 추격하면서 격렬한 전장으로부터는 점점 멀어지고 있었다. 하지만 투르누스는 이런 사실을 한동안 몰랐다. 그의 창은 언제나 적군을 찾아 쓰러뜨리는 반면, 적병들이 말을 타고 달려와 그를 전투로 끌어들일라치면 슬쩍 비켜나 전투장 밖으로 달아났다.

그때 도시 쪽에서 요란한 함성이 들려왔다. 투르누스는 불길한 마음에 큰 소리로 외쳤다.

"아아! 슬프도다. 어찌하여 이토록 요란한 함성이 멀리 떨어져 있는 도시에서 들려오는 것인가?"

그의 외침에 마차병으로 변신한 유투르나 여신이 말했다.

"투르누스여, 그대는 우리의 마지막 희망이오. 그대의 백성을 불쌍히 여기시오. 아이네이아스가 무구를 번쩍이며 이탈리아인들의 가장 높은 성채들을 파괴하겠다고 위협하고 있소. 벌써 횃불이 지붕으로 날아오고 있소. 라티누스왕은 누구를 사위로 삼고, 어떤 동맹에 기대야 할지 여전히 망설이고 있소. 게다가 그대를 가장 신뢰하던 왕비는 두려움을 이기지 못하고 스스로 목숨을 끊은 채 햇빛을 떠나고 말았소. 오직 메사푸스와 용맹스러운 아티나스만이 성문 앞에서 대열을 유지하고 있소. 그들 주위에는 양쪽으로 적군이 밀집대열을 이루고 있는데, 그들이 빼어든 칼은 무쇠 곡식인 양 곤두서 있소. 한데 그대는 외딴 풀밭에서 전차를 몰고 다니는구려!"

투르누스는 마차병으로 변신한 유투르나에게 말했다.

"누이여, 나는 이전에 네가 평화조약을 깨뜨리고 나타났을 때부터 너인 줄 알고 있었다. 그러니 이제 여신이 아닌 척해도 아무 소용이 없어. 올림포스에서 너를 보내 이렇게 수많은 내 동료들이 또다시 죽어가게 만든 건 누구냐? 나는 아이네이아스와 싸우기로, 그리고 죽음이 아무리 쓰라려도 그것을 견뎌내기로 결심했으니, 누이여, 불명예스러운 나의 모습을 더 이상 보지 않게 될 것이다. 나는 도시로 돌아가 아이네이아스와 결투를 벌일 것이다."

투르누스의 말에 유투르나가 말했다.

"도시에서 무슨 일이 있건 상관 말고 낙오병들의 뒤를 쫓아요. 아이네이아스가 우리 편을 괴롭히는 만큼 오빠도 저들을 괴롭혀야 하지 않겠어요?"

유투르나는 말을 홱 돌리더니 전장과 도시에서 점점 더 멀리 전차를 몰기 시작했다. 순간, 투르누스는 전차에서 뛰어내렸다.

"사랑하는 누이여, 잘 가오. 내 운명이 날 부르고 있소."

투르누스는 여동생인 유투르나 여신과 헤어져 라티움의 성으로 달려 갔다. 그곳에는 이미 전쟁이 한창 벌어져 창이 날아들고 땅에는 무수한 시신들로 넘쳐났다. 투르누스는 팔을 휘저으며 큰 소리로 외쳤다.

"루툴리 병사들이여, 이제 그만 싸움을 멈추시오. 라틴족이여, 이제 이 전쟁의 승패는 모두 나 혼자 감당하겠다. 아침에 합의한 조약대로 나 투르누스 혼자 아이네이아스와 일대일로 맞서겠다. 그러니 어서 대결을 펼칠 수 있는 결투 장소를 만들어라!"

아이네이아스는 투르누스가 대결을 원하자 전투를 중지시키고 병사들을 뒤로 물렸다. 그리고 성안에 있는 넓은 정원에 결투장을 만들었다. 마침내 양 진영의 모든 병사들이 둘러선 가운데 두 영웅의 결투가 시작되었다. 대지의 서로 다른 부분에서 태어난 위대한 전사들이 칼로 결판을 내기 위해 서로 만나는 것을 보고 모두들 놀라움을 금치 못했다.

정원의 탁 트인 공간이 열리자마자 두 사람은 앞으로 내달으며 서로를 향해 창을 던졌다. 아이네이아스가 던진 창은 투르누스를 빗나가 그의 옆에 있던 나무의 그루터기에 꽂혀 요란한 떨림의 소리를 내며 주변을 흔들었다. 투르누스가 던진 창은 아이네이아스의 방패를 맞혔으나 불의 신 헤파이스토스가 만들어 준 방패를 뚫지 못하고 튕겨나갔다.

결투를 준비하는 아이네이아스와 투르누스_ 제바스티안 브란트의 목판화 작품

　이어서 두 사람은 칼로 서로를 내리치니, 요행과 용기가 하나로 섞여 구별되지 않았다. 그 모습은 마치 거대한 황소 두 마리가 서로 뿔로 떠받으며 사생결단의 싸움을 할 때와 같았다.

　목동들은 겁이 나서 뒤로 물러서고, 가축 떼는 모두 두려워서 우두커니 서 있고, 암송아지들은 어느 쪽이 숲을 호령하게 될지, 전 가축 떼가 어느 쪽을 따르게 될지 보려고 잠자코 기다리고 있다. 황소들은 있는 힘을 다해 서로 부상을 입히며 뿔로 떠받아 목과 어깨에는 피가 줄줄 흘러내린다. 황소들이 울부짖는 소리가 온 숲에 메아리친다. 이들이 싸우는 동안, 제우스 신은 저울을 집어 들어 저울의 양쪽 접시가 평형을 이루자, 두 사람 중 누가 죽을지, 이 둘의 운명을 헤아려 보다가 옆에 있던 헤라를 향해 말했다.

"그대는 두 사람 중 누가 죽을 거라고 생각하오? 그대는 당연히 투르누스가 승리하길 바라겠지만 아이네이아스는 조국의 영웅으로 하늘의 부름을 받았고 운명에 의해 하늘의 별로 올라올 것이오. 그러니 투르누스에 대한 집착을 그만 거두어 주시오."

그러자 헤라는 정색을 하며 제우스에게 말했다.

"신들의 제왕이자 위대한 나의 부군이시여, 저는 당신의 뜻을 잘 알고 있었기에 언제나 참으며 인내하고 자제를 했답니다. 이제 그만 물러나 저 싸움터에서 떠나겠어요. 하지만 한 가지 부탁이 있어요. 저 두 종족이 결합하더라도 라틴족의 이름은 남기고, 트로이아인들의 이름을 버려주세요.

제우스와 헤라_ 조반니 란프란코의 작품
제우스는 헤라에게 투르누스를 더 이상 돕지 말 것을 요구한다.

투르누스와 아이네이아스의 결투
아이네이아스와 투르누스가 서로 창던지기로 결투를 시작하는 그림이다.

이 나라의 토박이인 라틴족이 자기네 이름과 언어와 옷차림을 유지하게
해 주세요. 비록 트로이아인에 의해 제국의 영광을 떨치게 되더라도 이
미 트로이아는 멸망했으니 말입니다."

헤라의 이야기를 들은 제우스가 말했다.

"그대는 끝까지 자신의 주장을 펼치고 있으니, 과연 크로노스의 딸답
소. 내 그대의 말대로 약속하리다. 라틴족은 자기 조상의 언어와 풍습
을 유지할 것이오. 트로이아인들은 핏줄로만 그들과 섞여 함께 살아갈
것이오."

그때 라티움의 결투장에서는 트로이아인들과 라틴족의 병사들이 흥분
하여 함성을 질렀다. 투르누스가 칼을 쳐들더니 체중을 실어 아이네이아
스를 향해 힘껏 내리치는 것이었다.

아이네이아스는 투르누스의 칼을 칼로 막았다. 그러자 투르누스의 칼
이 두 동강이 나고 말았다. 그의 칼은 헤파이스토스가 만들어 준 아이네

아이네이아스와 투르누스의 결투_ 제바스티안 브란트의 목판화 작품

이아스의 칼을 당할 수 없었다. 투르누스도 아버지에게서 물려받은 헤파이스토스가 만든 칼이 있었지만, 지금은 그 칼이 아니었다. 투르누스는 유투르나가 몰던 전차에서 내릴 때 너무 서두른 나머지 자신의 칼이 아닌 마차병의 칼을 집어 든 것이다. 투르누스는 도망치는 수 밖에 없었다.

신이 만든 무기와 인간이 만든 무기가 마주치자, 인간의 손으로 만든 칼은 치는 순간 깨지기 쉬운 얼음처럼 박살 나, 그 파편이 황갈색 모래 위에 번쩍였다. 결국 투르누스는 정신없이 들판 위를 도망쳤고 때로는 원을 그리며 헤맸다. 아이네이아스도 비록 화살에 부상당한 무릎이 욱신거려 뛰기 힘들었지만 당황한 투르누스를 바짝 추격했다. 그 모습은 마치 놀라 뒷걸음질하는 수사슴을 사냥개가 따라잡아 덤벼들 때와도 같았다.

투르누스를 추격하던 아이네이아스는 참나무 밑동에 자기 창이 꽂혀 있는 것을 보았다. 창을 뽑기 위해 오랫동안 단단한 밑동과 씨름을 해보았지만 아무리 용을 써도 꽉 다문 참나무의 입은 벌어지지 않았다. 그가 안간힘을 쓰며 분전하고 있는 동안 투르누스의 여동생 유투르나 여신이 메티스쿠스의 모습을 하고 나타나 오빠에게 칼을 되돌려 주었다.

투르누스는 유투르나 여신의 도움에 용기를 되찾고 우뚝 섰다. 그러자 아이네이아스가 소리쳤다.

"투르누스여, 이것은 경주가 아니라 무시무시한 무기로 싸우는 것이다. 그대는 용기와 재주를 다 동원하도록 해라!"

칼이 부러진 투르누스
아이네이아스의 칼에 두 동강이 난 투르누스 칼을 묘사한 그림이다.

투르누스의 죽음_ 지아코모 델 포의 작품

그러자 투르누스가 머리를 저으며 대답했다.

"가혹한 자여, 나를 놀라게 하는 것은 그대의 격렬한 말이 아니라 신들이다."

투르누스는 자신의 옆에 놓인 바윗돌을 들어 올려 아이네이아스를 향해 던졌다. 그러나 그는 이미 기운이 빠져 있었다. 바위는 아이네이아스 근처에도 이르지 못하고 힘없이 떨어져 버렸다. 그러자 투르누스는 또다시 달리기 시작했다.

아프로디테의 도움으로 창을 뽑아낸 아이네이아스는 도망치는 투르누스를 향해 창을 던졌다. 창은 끔찍한 파멸을 일으킬 듯 검은 회오리바람처럼 날아갔다. 창은 일곱 겹으로 된 방패의 가장자리를 뚫고 지나가 흉갑의 아랫부분을 찢어놓더니, 쇳소리를 내며 넓적다리의 한가운데

투르누스의 죽음_ 아우렐아노 밀라니의 작품
아이네이아스는 새로운 칼을 든 투르누스를 쓰러뜨린다.

투르누스의 죽음을 묘사한 프레스코 천장화_ 자코포 아미고니의 작품

를 꿰뚫었다.

투르누스는 더 이상 달아나지 못하고 그 자리에 쓰러졌다. 그는 아이네이아스에게 간청했다.

"이것은 나의 자업자득이니, 그대에게 관용을 빌지는 않겠소. 그대의 행운을 이용하도록 하시오. 하지만 내 불행한 아버지를 배려해 줄 마음이 조금이라도 있다면 청컨대 부디 나를 아버지에게 돌려 보내 주시오. 정녕 날 죽여야겠다면 시신이라도 돌려 보내 장사 지낼 수 있게 해 주시오. 이미 내가 패하여 손을 내미는 것을 모든 사람들이 보았고 라비니아도 그대의 아내요. 이제 증오를 거두고 승자의 아량을 보여주시오!"

아이네이아스는 승자로서 망설이고 있었다. 그는 투르누스의 목숨을 살려주려고 했다. 그때 투르누스의 가슴에 달고 있는 황금 허리띠를 보았다. 그것은 젊은 팔라스의 것으로, 투르누스가 그를 죽여 전리품으로

투르누스의 패배_ 루카 조르다노의 작품
투르누스가 아이네이아스의 발밑에 깔리자 그의 여동생 유투르나는 슬퍼하며 전쟁터를 떠난다.

아이네이아스와 **투르누스**_ 루카 조르다노의 작품

챙긴 것이었다.

아이네이아스는 팔라스의 물건을 보자 분통을 터트리며 말했다.

"그대는 내가 가장 아끼던 사람인 팔라스의 전리품을 두르고서 여기서 벗어나기를 바라는가? 지금 이 칼은 팔라스가 그대를 죽이는 것이며, 팔라스가 살해자인 그대에게 피의 복수를 하는 것이다."

아이네이아스는 분기등등하여 투르누스의 가슴 깊숙이 칼을 찔렀다. 그러자 투르누스의 사지가 싸늘하게 풀리며 그의 목숨은 신음 소리와 함께, 그의 넋은 한맺힌 절규와 함께 어둠 속으로 달아났다.

그날 저녁, 드디어 모든 것이 끝이 났다. 라티움의 성문이 활짝 열렸고, 도시를 활활 태우던 불길은 이미 오래전에 모두 꺼졌다. 태양이 지평

투르누스의 죽음_ 피에트로 다 코르토나의 작품
아이네이아스는 투르누스를 살려 주려고 했으나 그가 팔라스의 무구를 걸친 것을 보고 흥분하여 죽인다.

선 너머로 넘어갔을 때, 아이네이아스는 아스카니오스와 다른 트로이아의 지도자들과 함께 라티움으로 들어갔다.

로물루스 신화

| 로물루스가 로마를 건국하다 |

투르누스와 벌인 전쟁에서 승리한 아이네이아스는 라비니아와 결혼하였다. 그리고 이미 라티누스왕으로부터 라티움의 통치권을 물려받았다. 그는 트로이아 유민과 라틴족을 아울러서 새로운 나라를 건설하고, 라비니아의 이름을 따서 나라 이름을 라비니움이라고 명명하였다.

라비니아와 아이네이아스 사이에서는 아들 실비우스가 태어났다. 하지만 아이네이아스는 실비우스의 탄생을 보지 못하고 그 전에 숨을 거두었다. 실비우스는 유복자로 태어난 것이다. 아이네이아스가 죽은 뒤 라비니움의 왕위에 오른 사람은 아이네이아스와 전장에서 생사를 넘나들며 고투했던 아들 아스카니오스였다. 그러자 실비우스를 임신 중이었던 라비니아는 아스카니오스가 자신의 아이를 해칠까 두려워 숲으로 피신하여 티루스라는 목동의 집에서 아이를 낳았다.

아이네이아스와 라비니아_ 티에폴로의 작품
아이네이아스는 투르누스를 제압하고 승자가 되어 라비니아와 결혼한다. 그녀와의 사이에서 아들인 실비우스가 생겼으나 아이가 태어나기도 전에 눈을 감는다.

아폴론 신에게 제물을 바치는 아이네이아스_ 코라도 지아갱토의 작품
아이네이아스는 라비니아와 결혼 후 나라의 이름을 라비니움이라 명명하고 아폴론에게 제물을 바친다.

　라비니아는 티루스와 모의하여 아스카니오스에 대한 라티움 원주민들의 미움을 부추기면서 자신의 아들인 실비우스의 세력을 키웠다. 이에 아스카니오스는 이복형제 실비우스에게 라비니움을 양보하고 로마의 남동쪽에 위치한 알바산 기슭으로 옮겨 새로운 나라를 건설한다.

　이 나라가 훗날 로마 제국의 모태가 되는 알바 롱가였다. 그 후 아스카니오스가 후손을 남기지 못하고 눈을 감게 될 처지에 이르자 이복형제인 실비우스를 불러들여 자신의 뒤를 이어 알바 롱가의 왕에 오르게 하였다.

　실비우스는 알바 롱가를 29년 동안 지배했다. 그 뒤를 아이네이아스 실비우스가 이었는데, 이 이름은 할아버지 아이네이아스와 아버지 실비우스에서 따온 것이다. 실비우스 이후로 알바 롱가의 왕들은 모두 실비우스라는 이름도 함께 물려받았다. 알바 롱가 왕조는 실비우스의 혈통이 계속 이어져서 누미토르의 대에 이르게 된다.

누미토르는 알바 롱가 왕국의 13대 왕 프로카스의 맏아들로 부왕이 죽은 뒤 왕위를 물려받았지만 동생 아물리우스가 형 누미토르에게 모든 것을 똑같이 나누자고 제안하면서 왕국을 선택하겠느냐 아니면 트로이아에서 가져온 황금과 보물을 갖겠느냐고 물었다. 그러자 누미토르는 왕위를 선택했다.

하지만 그 후 아물리우스가 재물을 이용해 손쉽게 왕위를 찬탈했다. 그는 누미토르의 딸이 아들을 낳게 되면 자신에게 복수하리라 생각하고 그녀를 베스타 여신의 신녀로 만들어버렸다. 그녀의 이름은 레아 실비아였다.

베스타 신전의 신녀_ 세바스티아노 리치의 작품
누미토르의 딸 레아 실비아는 숙부인 아물리우스에 의해 베스타 신전의 신녀가 된다.

베스타 여신_ 장 라우의 작품
베스타는 그리스 신화의 헤스티아 여신으로 불과 화덕을 관장하는 여신이다.

레아 실비아와 아레스_ 루벤스의 작품
군신 아레스는 레아 실비아를 사랑하여 그들 사이에 쌍둥이 아들인 로물루스와 레무스를 낳는다.

어느 날, 신을 섬기는 레아 실비아는 강가에서 잠깐 잠이 들었는데 이 모습을 본 군신 아레스가 그녀를 보고는 한눈에 반하고 말았다. 아레스는 하늘에서 내려와 그녀를 겁탈하였다. 그러나 레아 실비아는 자신이 겁탈당하는지 몰랐다. 그녀가 잠에서 깨어나기 전에 모든 일이 이루어졌기 때문이다. 그 결과 레아 실비아는 임신하였다.

이 사실을 안 아물리우스는 레아 실비아를 극형에 처하려고 했다. 그러나 아물리우스의 딸 안토가 탄원해 왕은 레아 실비아의 목숨을 살려주고 몰래 해산하는 것을 방지하기 위해 감금시켰다.

이윽고 레아 실비아는 몸집이 크고 잘생긴 두 아들을 낳았다. 그러자 아물리우스는 사람을 시켜 아이들을 갖다 버리게 했다. 쌍둥이 형제를 바구니에 담아 강으로 데려간 사람은 강이 세차고 사납게 흐르는 것을 보자 가까이 가기가 두려워 바구니를 그냥 강둑에 내려놓고 돌아갔다.

그 후 강물이 점점 불어나자 마침내 바구니가 흘러내려가 팔라티누스 언덕 기슭에 있는 무화과나무 아래까지 밀려 내려가면서 웅덩이에 걸렸다. 전설에 따르면 두 아이는 이때 방금 새끼를 낳은 암늑대에게 발견되었다고 한다. 암늑대는 두 아이를 자기 새끼들과 함께 젖을 먹여 돌보았다. 또 딱따구리도 날아와 암늑대와 함께 아이들을 돌보았다. 일설에 따르면 이 늑대와 딱따구리는 아레스가 자기 자식을 위해 보낸 것이라고 한다.

또 다른 일설에 의하면 아이를 갖다 버리라는 명을 받은 파우스툴루스가 아물리우스의 명을 거역하고 루파(암늑대)라는 별명을 지닌 아내와 함께 두 아이를 거둬 길렀다고 한다. 그래서 어떤 사람들은 늑대 전설이 아이들의 양어머니 이름에서 나온 것이라고 여긴다. 루파라는 라틴어는

암늑대의 젖을 먹는 로물루스와 레무스 청동상

늑대와 함께 있는 로물루스와 레무스_ 샤를 에밀 칼랑드의 작품

로물루스와 레무스_ 니콜라 미냐르의 작품
파우스툴루스는 아물리우스의 명을 거역하고 두 아이를 집으로 데려와 키운다.

늑대뿐만 아니라 몸가짐이 헤픈 여자를 의미하기도 하는데, 쌍둥이를 기른 파우스툴루스의 아내 아카라렌티아가 바로 그런 여자였기 때문이다.

두 아이는 늑대의 젖을 먹고 컸기 때문에 각각 로물루스와 레무스(젖꼭지를 뜻하는 '루마'에서 유래되었다)라 불렸다. 두 형제는 모두 자라면서 불굴의 용기와 남자다운 면모를 보여 주었지만, 로물루스 쪽이 더 총명하고 지략이 뛰어났다. 두 사람은 친구나 후배 들로부터 사랑을 받았지만, 아물리우스의 신하들은 두 형제를 무시하고 얕보았다. 그러나 그들은 개의치 않고 사냥이나 달리기, 도적 잡기 등에 몰두하며 억압받는 사람들을 도와주었다. 이리하여 쌍둥이 형제는 점차 유명해져 갔다.

어느 날 누미토르와 아물리우스의 소치기들 사이에 다툼이 일어나, 누미토르의 목동들이 아물리우스의 소들을 끌고 달아나 버렸다. 그러자 이에 분개한 아물리우스의 목동들이 쫓아가 도로 빼앗고 다른 것들도 많이 약탈해 갔다. 이 소식을 들은 누미토르는 크게 분노했지만, 아물리우스는 조금도 신경 쓰지 않았다.

로물루스와 가축 도둑을 묘사한 마그나니 궁전의 프레스코화_ 안니발리 카라치의 작품

그 후 누미토르의 목동들이 친구들과 길을 가고 있는 레무스를 사로잡아 누미토르 앞으로 데려왔다. 누미토르는 레무스가 자신의 손자인 줄 모르고 아물리우스가 두려워 그를 찾아가서 정당하게 판결을 내려줄 것을 요구했지만, 아물리우스는 민심이 두려워 누미토르에게 레무스의 처벌을 맡기기로 했다. 그리하여 레무스를 데리고 돌아온 누미토르는 그의 늠름한 체격과 품위, 얼굴에서 풍기는 용기와 드높은 기상을 보고 어떤 신성한 힘이 작용하고 있다고 느꼈다. 그래서 네가 누구이며 어떻게 성장했느냐고 물었다. 그러자 레무스는 이렇게 대답했다.

"저희는 길러주신 분들의 자식들로 생각해 왔습니다만, 들리는 소문에 따르면 저희 형제의 출생은 비밀에 싸여 있다고 합니다. 그리고 젖을 먹고 자란 이야기는 더욱 신기합니다. 늑대가 와서 젖을 먹여주고 딱따구리가 먹을 것을 물어다 주며 길렀다고 합니다. 저희를 담아 강에 버렸던

아물리우스왕 앞에 끌려간 레무스를 묘사한 마그나니 궁전의 프레스코화_ 안니발리 카라치의 작품

바구니가 지금도 남아 있고, 그것을 묶었던 놋쇠 띠에는 글자가 새겨져 있습니다. 그것이 부모를 알아낼 수 있는 단서가 될지도 모르지만, 지금 죽게 된다면 그게 무슨 소용이 있겠습니까?"

그 말을 들은 누미토르는 뭔가 짚이는 것이 있어 아직도 감금되어 있는 딸을 어떻게든 만나야겠다고 생각했다.

한편 레무스가 잡혀갔다는 소식을 들은 파우스툴루스가 로물루스에게 출생의 비밀을 이야기해 주고는 바구니를 들고 즉시 누미토르를 찾아갔다. 이때 성문을 지키던 왕의 보초들이 그를 수상하게 여기고 체포한 뒤 몸을 수색하다가 바구니를 발견했는데, 우연히도 그들 가운데 쌍둥이를 내다 버린 사람이 있었다. 그 보초가 바구니를 알아보고 곧 이 사실을 아물리우스에게 알려 진상 조사가 시작되었다.

그래서 파우스툴루스는 어쩔 수 없이 아이들이 살아 있다고 자백하긴 했지만, 그들은 평범한 양치기로 아주 멀리 떨어진 곳에서 살고 있고, 또 자신은 누미토르의 딸 레아 실비아가 아이들이 잘 있으리라는 희망을 간직하기 위해 종종 그 바구니를 만져보고 싶어 해서 그것을 갖고 가던 중이라고 말했다.

그러자 아물리우스는 황급히 누미토르에게 전령을 보내 아이들로부터 무슨 소식을 듣고 있는지 알아보게 했다. 누미토르와 가까웠던 그 신하는 레무스와 누미토르를 만나자 그들이 할아버지와 손자 관계라는 확신을 심어주고, 자신도 도와줄 테니 어서 빨리 행동에 나서라고 충고했다. 게다가 사태가 더 이상 망설일 수 없는 지경에 이르고 있었다. 로물루스가 이미 아물리우스를 증오하는 많은 사람들을 이끌고 다가오고 있었기 때문이다. 결국 이 사태는 걷잡을 수 없이 커져 레무스는 성안에서 폭동을 일으키고, 로물루스는 성 밖에서 공격을 가해, 폭군 아물리우스

아물리우스의 죽음을 묘사한 마그나니 궁전의 프레스코화_ 안니발리 카라치의 작품

는 어떻게 손을 써볼 사이도 없이 우왕좌왕하다가 붙잡혀 죽임을 당하고 말았다.

그 후 모든 문제가 처리되자, 두 형제는 더 이상 평민으로 알바 롱가에 머무르고 싶지도 않았고, 또 살아 있는 외할아버지에게서 왕위를 물려받고 싶지도 않아서 통치권을 외할아버지에게 넘겨주고 어머니의 명예를 회복시켜 준 뒤에 자신들이 어릴 때 지냈던 곳에 도시를 세우기로 결심했다.

새 도시의 기반을 닦은 뒤에 쌍둥이 형제는 도망자들을 위한 성소를 개방하고, 그곳을 아실레우스 신의 신전이라고 불렀다. 그들은 어떤 사람이든 환영하고, 노예도 주인에게 돌려보내지 않으며, 채무자도 채권자에게 넘기지 않고, 살인자도 판관에게 인도하지 않겠다고 선언했다. 그리하여 그곳에 사람들이 몰려들기 시작해 도시가 짧은 시간에 크게 번성했다. 초기에 이미 1천 가구가 넘었다고 한다.

그런데 이 무렵에 도시를 건설할 장소를 둘러싸고 두 형제가 의견 차이를 보이게 되었다. 로물루스는 자신들이 늑대젖을 먹고 자란 팔란티움 언덕을, 레무스는 아벤티눔 언덕에 있는 평평한 땅을 고집했다. 그래서 두 사람은 새들이 날아오는 것을 보고 점을 쳐 결정하기로 하고 로물루스는 팔란티움 언덕에서, 레무스는 아벤티눔 언덕에서 징조를 기다렸다. 그러자 곧 레무스가 있는 쪽으로 여섯 마리의 독수리가 날아오고, 조금 뒤에 로물루스가 있는 쪽으로 열두 마리의 독수리가 날아왔다고 한다. 더 많은 독수리가 날아온 로물루스는 신들의 선택을 받게 되었다.

그러나 레무스는 독수리가 먼저 나타난 것은 자신이라며 몹시 분노하여, 로물루스가 성벽을 쌓기 위해 땅을 팔 때 공사를 방해하다가 맞아 죽었다. 일설에 의하면 로물루스의 부하인 켈레르는 성벽 건설 책임자

독수리 점을 보는 로물루스와 레무스_ 18세기 채색 판화
로물루스와 레무스는 도시를 세울 장소를 두고 이견이 생기자 독수리 점을 이용하여 승자를 가린다.

로 임명되었는데, 누구든 성벽을 가로넘는 자는 죽음을 면치 못할 것이
라고 선언하였다. 그럼에도 화가 난 레무스는 한창 건설 중인 성벽의 낮
은 곳을 뛰어넘었다.

"이런 성벽으로 어떻게 적의 침략으로부터 시민을 안전하게 보호할
수 있겠느냐."

레무스의 조롱에 화가 난 켈레르는 곡괭이를 내리쳐 일격에 그를 살해
하였다. 이때 파우스툴루스와 그의 형제인 플리스티누스도 살해당했다.

로물루스는 레무스와 양부 및 양숙부를 레모니아산에 묻고 도시를 건
설하는 일에 착수했다. 사람들은 먼저 오늘날 코미티움이라 불리는 곳
주위에 둥글게 도랑을 파고 모든 물건의 첫 열매와 자신들의 고향 흙을

던져 넣었다. 그리고 이곳을 중심으로 도시의 윤곽을 표시하고, 암수 한 쌍의 소에 청동제 쟁기를 매달고 경계선을 따라 땅을 갈았다. 사람들은 뒤따라가며 갈아 놓은 흙이 밖으로 나가지 않게 안쪽으로 모아 성벽의 윤곽을 만들었다. 이 경계선은 신성시 여겨졌으며 포메리움(Pomerium) 이라 불렸다.

이 도시가 창건된 날짜를 일반적으로 4월 21일로 보고 있으며 로마인 은 이날을 도시의 탄생일로 삼고 해마다 신성하게 기리고 있다.

로물루스는 도시를 세운 뒤 전쟁에 적합한 사람을 뽑아 군대를 조직 하고 남은 무리를 시민이라고 불렀다. 시민 가운데 세력이 있거나 부유 한 사람들 중 가장 뛰어난 100명을 뽑아 나랏일을 도울 정무회를 만들 고 그들을 귀족을 뜻하는 파트리키안이라 불렀으며 그 모임을 원로원이 라 명명했다.

파트리키안은 아버지와 같은 사랑과 관심으로 평민들을 돌보도록 했 다. 또한 평민들도 파트리키안을 아버지처럼 따라야 한다고 생각했다. 이렇게 원로와 평민을 구분하고, 또 귀족과 평민을 구별해 전자는 보호 자라는 뜻의 파트론이라 부르고, 후자는 피보호자라는 뜻의 크리엔트 라 불렀다.

로물루스는 이런 방법으로 두 계급이 서로 화합하며 친근하게 지내도 록 만들었다. 그리하여 파트론은 언제나 크리엔트의 법정 변호인과 친구 가 되어 주고, 크리엔트는 파트론을 존경하며 충실하게 섬겼다.

고대 로마의 역사가 파비우스가 남긴 기록에 따르면 로마인은 도시를 건설하고 나서 4개월 뒤에 사비니 여자들을 납치해 왔다고 한다. 새로 이주해 온 사람들에게 아내가 없기 때문이기도 했지만, 그들 대다수가 천하거나 신분이 확실치 않은 사람들이라서 도시가 경멸당하고 정복될

사비니 여인들을 납치하는 로마군_ 세바스티아노 리치의 작품

위험성이 있어, 로물루스는 납치해 온 여자들을 잘 구슬려 사비니와 동맹을 맺고자 했던 것이다.

로마의 우월한 문명을 주변 국가에 과시하기 위해 로물루스는 제단을 땅속에서 발견한 것처럼 소문을 낸 뒤 그것을 기념해 제사를 지내고, 여러 가지 경기와 볼거리도 제공했다. 그러자 많은 사람이 벌 떼처럼 몰려들었다. 그때 로물루스가 자리에서 일어나 외투를 폈다가 다시 거두어들이는 것을 신호로, 그의 부하들이 칼을 뽑아들고 함성을 지르며 사비니의 처녀들을 찾아가 겁탈했다. 그런데 그 중 딱 한 명, 헤르실리아만 유부녀인 줄 모르고 납치했다고 한다. 그녀는 로물루스와 결혼해 2명의 자녀를 두었다고 한다.

사비니인은 인구도 많고 호전적인 민족으로 성벽도 두르지 않고 살았다. 그들은 두려움을 모르는 스파르타의 후손이라 그렇게 사는 것이 당연하다고 생각했다. 그럼에도 불구하고 그들은 딸들이 볼모로 잡히자 어쩔 수 없이 로마에 그녀들을 보내고 앞으로 평화롭게 지내자고 제의했다. 그러나 로물루스는 단지 서로 동맹만 맺자고 제안했다.

사비니 여인을 납치하는 모습을 묘사한 조각상 ▶
_ 조반니 다 볼로냐의 작품
이탈리아 피렌체 시뇨리아 광장에 있는 조각상이다.

사비니 여인들을 납치하는 로마군_ 니콜라 푸생의 작품
로마 건국 후, 남자들에 비해 여자의 수가 너무 적자 로물루스는 사비니족의 여인들을 납치하여 짝
을 맞추려 했다.

이 대답을 듣고 다른 부족들은 망설였지만, 로물루스를 질투하던 케니넨
시아족의 왕 아크론은 그를 응징하지 않으면 나중에는 손도 댈 수 없는
상대가 될 것이라고 생각하고 전쟁을 일으켰다.

로물루스군도 즉각 출전해 양군이 서로 바라볼 수 있을 정도의 거리
에 이르자, 로물루스와 아크론은 일대일로 싸우기로 했다. 이 결투에서
로물루스는 아크론을 죽인 다음 적군을 물리치고 그 도시를 점령했다.
하지만 주민들은 해치지 않았고, 다만 집을 허물고 로마로 이주해 평등
한 시민이 되라고 명했다. 이러한 동화정책이 뒷날 로마를 번영시킨 원

로물루스의 승리_ 장 오귀스트 도미니크 앵그르의 작품
아크론의 승리자 로물루스를 나타낸 그림이다.

인이었다.

전쟁을 승리로 이끈 로물루스는 머리에 월계관을 쓰고 오른쪽 어깨에
는 나무로 만든 트로피를 메고는 승리의 행진을 하였다.

로마의 시민들은 기쁨과 환희로 가득 찬 마음으로 로물루스를 환영했
다. 이것이 그 뒤 개선 행진의 모범이 되었다. 그 뒤에도 피데나이, 크루
스투메리움, 안템나에 사는 부족들이 힘을 합해 공격해 왔지만 모두 패
하고 로마 시민으로 흡수되었다. 그러자 남은 사비니 부족들이 분노해
타티우스를 장군으로 삼고 공격해 왔다. 하지만 로마에는 요새가 있어
공략하기 어려웠다. 그런데 로마의 장군 타르페이우스의 딸 타르페이아
가 적군의 금팔찌가 탐나 그것을 받는 조건으로 밤중에 성문을 열어 주
었다. 타티우스 장군은 타르페이아에게 한 약속을 지키는 척하면서 금팔
찌를 무거운 방패와 함께 그녀에게 던졌다. 그러자 이를 신호 삼아 모든
병사들이 방패를 던졌고 타르페이아는 방패에 깔려 죽었다.

사비니군이 지니고 있는 금팔찌를 탐하는 타르페이아
사비니군의 왼팔에 장식된 금팔찌가 탐난 타르페이아가 로마를 배신하고 성문을 열어주어 로마군에 게 심각한 타격을 입힌다.

　로마군 내부의 분열로 인해 사비니군이 쉽사리 카피톨리누스 언덕을 점령하자, 로물루스는 분개하여 내려와 싸우자고 도발했다. 타티우스는 자신만만하게 그 도발에 응했다. 그리하여 작은 산으로 둘러싸인 골짜 기에서 수십 차례에 걸쳐 간헐적인 싸움이 벌어졌다. 마지막 싸움에서 로물루스가 돌에 맞아 쓰러지자, 로마군은 팔라티움산으로 후퇴하였다. 이때 약간 정신이 돌아온 로물루스는 용기를 내어 맞서 싸우라고 외쳤지 만, 숫자에서 밀린 로마 병사들은 감히 돌아설 용기가 없었다. 로물루스 는 두 손을 높이 들고 제우스 신에게 위험에 빠진 로마를 구해달라고 기 도했다. 로마 병사들은 이 모습을 보고 부끄러워 더 이상 달아나지 않고 전열을 가다듬었다. 그리하여 로마군은 베스타 신전까지 적을 격퇴했다.
　이곳에서 양군이 다시 격돌하려 할 때, 사비니인들의 딸들이 소리를 지르며 여기저기서 달려나와 양군을 향해 애원했다.

"우리에게 무슨 죄가 있어요? 어째서 우리가 이렇게 심한 고통을 받아야 하는 거죠? 우리는 억울하게 납치되었고, 또 부모 형제와 친척들로부터 오랫동안 버림받아 왔어요. 그런데 지금은 너무 늦었어요. 로마군은 증오스러웠지만 이제는 아이들의 아버지랍니다. 제발 우리를 보아서 사위와 손자가 되는 사람들에게 손을 대지 마세요."

사비니의 딸 헤르실리아의 중재로 인해 양군은 휴전할 것을 약속하고 양쪽 대표인 로물루스와 타티우스가 만났다. 여자들은 남편과 자식들을 아버지와 형제에게 소개하고 음식을 대접했다. 결국 휴전 협정이 맺어져, 남편과 같이 살고 싶은 여자는 그대로 살되 실을 잣는 일만 하기로

로물루스와 타티우스를 갈라놓는 헤르실리아_ 구에르치노의 작품

사비니 여인들의 중재_ 자크 루이 다비드의 작품

헤르실리아의 중재_ 찰스 크리스티안 나흘의 작품
사비니 여인인 헤르실리아가 로물루스와 타티우스 사이에서 중재를 하는 장면이다.

했다. 그리고 로마인과 사비니인은 시내에 함께 살되 시의 이름은 로물
루스의 이름을 따서 로마라 하고, 주민은 타티우스의 출생지 이름을 따
서 쿠리테라 부르기로 하는 한편, 로물루스와 타티우스가 공동으로 나
라를 다스리기로 했다.

이로 인해 갑자기 시의 인구가 2배로 늘어나자, 사비니인 가운데서
100명의 원로를 더 뽑고 군대도 더 늘렸다. 그리고 시민을 람넨세스, 타

티엔세스, 루케레스 등 세 부족으로 나누었다.

부족을 가리키는 '트리베'란 단어가 이때의 부족 숫자가 셋이었음을 가르쳐 준다. 사비니인은 로마인의 달력을 채택하고, 로물루스는 아르고스풍의 둥근 방패를 버리고 사비니인들이 쓰는 긴 형태의 방패를 사용하기로 했다.

타티우스가 왕이 된 지 5년째 되는 해에, 그의 친구와 친척 몇 사람이 라우렌툼 사절단을 습격하고 강도질을 하려다가 사절단이 저항을 하자 그들을 죽여버렸다. 로물루스는 이들을 처벌해야 한다고 주장했지만, 타티우스는 그 사실을 감추고 범인을 도주시켰다. 그런데 살해된 사람들의 친족이 원한을 품고 두 왕이 라비니움에서 제사를 지낼 때 타티우스를 죽여버렸다. 로물루스는 타티우스의 시신을 갖고 돌아와 후히 장례지내고, 피를 피로 갚았다며 그를 죽인 자들을 중벌로 다스리지 않았다. 사비니인들도 반항하지 않고 로물루스 왕을 존경하며 즐겁게 살았다. 또 로마시보다 역사가 더 오래된 여러 라틴 지방에서도 사절단을 보내와 우호 조약을 맺었다.

그 후 로물루스는 로마 인근에 있는 피데나이시를 점령하고 합병시킨 뒤, 4월 15일 2,500명의 로마인을 그곳으로 이주시켰다. 이 일이 있고 나서 로마에 질병이 생겨 많은 사람과 가축이 죽고, 피가 소낙비처럼 쏟아져 내렸다. 라우렌툼시에서도 이런 변고가 생기자 사람들은 사절단 살해범과 타티우스 살해범을 처벌하지 않아 신이 노여워하고 있는 것이 분명하다는 결론을 내리고 범인을 잡아 처형하자 재앙이 물러갔다. 그런데 재앙이 물러가기 전에 카메리움인이 습격해 왔다. 로마인이 재앙에 시달리고 있어 막아 내지 못하리라 생각한 것이다. 그러나 로물루스는 곧바로 나가 싸워 600명을 죽이고 그 도시를 빼앗았다. 그곳의 주민 반은 로

로물루스와 타티우스_ 루벤스의 작품
사비니 여인들의 중재로 로물루스와 타티우스는 서로 화해한다.

마로 이주시키고, 남은 주민의 2배나 되는 로마인을 그곳으로 이주시켰다. 로마를 세운 지 16년째 되는 해의 일이었다.

　로마가 이렇게 강성해지자 이웃의 약한 나라들은 복종하고 침범하지 않겠다고 약속했지만, 강한 나라들은 로마가 더 강해지도록 그냥 두어서는 안 되겠다고 생각했다. 맨 먼저 영토도 넓고 도시도 큰 베이이가 로마에 선전포고를 하고 피데나이시를 돌려달라고 요구했다. 그러나 패망할 때는 그냥 지켜만 보고 있다가 이제 와서 돌려달라는 그들의 요구는 부당한 것이었다. 로물루스가 이를 거절하자, 베이이에서는 군대를 둘로 나누어 피데나이와 로마를 동시에 공격했다. 그들은 피데나이에서는 로마군을 격파하고 2천 명을 죽였지만, 로마에서는 로물루스군에 대패해 8천 명을 잃었다. 그 후 피데나이에서 다시 한번 더 싸웠는데, 이때 로물루스가 훌륭한 전략과 용기, 힘과 신속성을 발휘해 큰 공을 세웠다.

　이 전투에서 승리한 로물루스는 패주하는 적군을 쫓지 않고 곧장 셈템파기움으로 진군했다. 그곳 시민들은 저항하지 않고 휴전을 제의하면서 100년간의 동맹을 요구하고, 영토의 일곱 지구와 소금 공장 및 명사 50명을 볼모로 주었다. 이것이 로물루스의 마지막 전쟁이었다. 그 뒤 그는 자만심에 도취돼 독재자로 군림하며 오만한 태도를 취했다. 그는 정사를 누워서 보고, 행차할 때에는 지팡이를 든 사람들로 하여금 군중을 물리치게 하는 한편, 자신의 명령만 떨어지면 누구든지 체포할 수 있도록 포승줄을 갖고 다니게 했다.

　외조부 누미토르가 세상을 떠나자, 로물루스는 알바 롱가를 직접 다스리지 않고 해마다 원로원을 지사로 새로 임명했다. 이렇게 하여 그는 왕일지라도 민중의 자유를 침해해서는 안 된다는 본보기를 보여주며, 로마의 귀족들로 하여금 그 자유를 존중하는 제도를 만들게 했다. 그런데 지사는 정치에 전혀 참여하지 않고 왕의 명령을 더 빨리 듣고 것만 빼면 다른 평민과 똑같아서 로물루스는 단독으로 권력을 휘두를 수 있었다.

▲ 로물루스와 레무스 주화

로물루스의 가장 큰 실정은 전쟁으로 획득한 토지를 군인들에게 나누어 주고, 베이이에서 보낸 볼모를 원로원의 반대에도 불구하고 자기 마음대로 돌려보낸 일이었다. 이것은 원로원을 모욕하는 행위로 받아들여졌다. 그래서 그 후 로물루스가 갑자기 7월 7일 행방불명되자 원로원이 죽인 것이 아닐까하는 소문이 돌기도 했다. 이 일과 관련해 날짜 외에는 알려진 사실이 전혀 없다. 예나 지금이나 이처럼 까닭 모르는 일이 종종 일어난다. 그러므로 로물루스가 어떻게 해서 사라지게 되었는지 알지 못해도 그리 이상할 것은 없다.

어떤 사람들에 따르면 원로들이 불의 신전에서 그를 죽이고 시신을 동강 낸 뒤 제각기 옷 속에 감추어 갖고 갔다고 하고, 다른 사람들에 따르면 교외에 있는 염소못이라는 곳 근처에서 회의를 할 때 행방불명되었다고 한다.

햇빛이 사라지고 밤처럼 어두워지더니 번개가 치고 바람이 불면서 소낙비가 쏟아져 내려 사람들이 도망쳤지만, 귀족들만은 그대로 모여 있었다. 다음 날 사람들이 그 자리로 돌아가자 로물루스는 보이지 않고, 귀족들이 그는 하늘로 올라가 수호신이 되었으니 숭배하라고 말했다. 사람들은 이 말을 믿고 그에게 기도하며 기쁜 마음으로 돌아갔지만, 개중에는 귀족들이 왕을 죽이고 백성들을 농락하고 있다고 화를 내는 사람

로물루스를 올림푸스로 데려가는 아레스_ 장 밥티스트 나티에의 작품

도 있었다고 한다.

그러던 어느 날 로물루스와 동향인 덕망 높은 귀족 율리우스 프로쿨루스가 법정에 나타나 맹세하며 말했다. 그는 어느 날 로물루스가 찬란한 갑옷을 입고 나타나는 바람에 깜짝 놀라 "어째서 저희들이 저희를 의심하게 만들고, 시민들을 슬픔 속에 잠기게 하셨습니까?" 하고 물었다

고 한다. 그러자 로물루스가 "내가 살 만큼 살고 권세와 영광으로 가득 찬 도시를 세웠으니, 하늘로 돌아가는 것이 마땅하다는 것이 신의 뜻이 었소. 나는 퀴리누스라는 신이 되어 로마인을 영원히 보호할 것이오."라 고 대답하고는 총총 사라졌다는 것이다.

그곳에 모여 있던 사람들은 종교적 감흥에 휩싸여 모든 의심을 버리고 로물루스가 퀴리누스 신이 되었다고 믿으며 기도했다.

퀴리누스는 군신 아레스를 의미한다고 보는 사람도 있고, 그의 족속을 뜻하는 퀴리테스에 그 어원이 있다고 생각하는 사람도 있다. 또 옛날에 는 창날이나 창을 퀴리스라고 부르고, 레기안 안에 있는 창을 군신과 같 은 이름으로 부르며, 전쟁에서 큰 공을 세운 사람들에게는 창을 주었으 므로 전쟁의 신이라는 뜻이라고 해석하는 사람도 있다.

그 이름을 붙인 퀴리누스산에는 그를 모신 신전이 있고, 그가 승천한 날은 주변에 사람을 찾아보기 힘든 날이라고 한다. 이날이 되면 사람들 이 모두 염소못으로 제사를 지내러 가기 때문이다.

로물루스가 세상에서 사라진 것은 그의 나이 53세, 왕으로 즉위한 지 38년째 되는 해의 일 이었다고 한다.

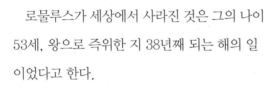

로물루스 ▶
로물루스의 죽음은 현재까지도 밝혀지지 않 고 있다.

아이네이아스를 노래하다

| 베르길리우스가 남긴 라틴 최고의 서사시 |

《아이네이스》는 트로이아의 장군 아이네이아스의 유랑과 로마 건국을 노래한 대서사시로서, 라틴어로 쓰인 작품 중 최고 걸작으로 손꼽힌다. 서사시는 전 12편으로 구성되어 있으며, 라틴어 6각운으로 쓰였다.

서사시는 고대 그리스 로마 문학이 으레 그렇듯 무사 여신에게 작품을 위한 영감과 줄거리를 내려달라고 간청하는 방식으로 시작된다. 라틴문학의 선구적 작품으로 평가되는 2편은 아이네이아스가 트로이아에서 탈출하는 장면을 묘사하였다. 트로이아에 적개심을 갖고 있는 헤라는 트로이아 함락 후 시칠리아로 피신하는 아니네이아스와 트로이아 함대를 파멸시키려고 한다. 바람의 신 아이올로스는 헤라의 명령으로 트로이아 함대가 풍랑에 휩쓸리도록 하지만, 포세이돈의 개입으로 함대는 무사히 카르타고 항으로 피신을 한다.

4편 또한 널리 알려져 있는데, 아이네이아스 일행이 디도 여왕이 다스리는 카르타고에 닿으면서 본격적으로 이야기가 전개되기 시작한다. 아이네이아스는 디도에게 트로이아 함락과 이후의 방랑에 관한 이야기를 털어놓는다. 디도는 아이네이아스와 행복한 나날을 보내다가, 그동안 수절한다는 명목으로 결혼을 거부했던 것을 취소하고 아이네이아스에게 청혼한다. 디도는 아이네이아스를 사랑하기도 했지만, 그런 이유 외에도 자신의 고립무원 상황을 극복하고 자신과 백성들을 지켜줄 강한 전사들과 지도자를 필요로 하기도 했다. 그러나 디도의 이런 바람은 아이네이아스에게 무거운 의미로 받아들여졌다.

아이네이아스는 신들의 예언과는 동떨어진 장소에 정착한 데다가 커다란 위험에 둘러싸인 처지임을 자각한다. 그래서 그는 디도 여왕의 구애를 받아들

팔란티노 언덕_ 알바롱가는 아이네이아스가 세우고 로물루스가 지배하였으며 팔라티노 언덕 위에 로마를 세워 영토를 확장해 나갔다.

이지 않고 카르타고에서 몰래 도망치려 한다. 디도는 아이네이아스가 떠나기 직전에 이를 눈치채고 아이네이아스에게 간절하게 애원해 보지만 신의 뜻을 실현해야 하는 아이네이아스에게는 소용없는 짓이었다. 그녀는 이용당하고 버려졌으며, 그 상태에서 백성들을 바라보고 통치할 수는 없다는 절망감과 수치심과 분노, 그리고 그동안 청혼을 거절당했던 주변 왕들이 침략해 올지도 모른다는 공포를 이기지 못해 자살을 선택한다.

4편에 이어 6편에서는 그 유명한 단테의《신곡》지옥 편에 영향을 주는 이야기가 펼쳐진다. 저승의 묘사가 세밀하고 독특해 흥미를 끄는 부분이 많다. 기독교의 지옥과 비슷한 고통의 장소 타르타로스, 장례를 못 치르면 유령처럼 떠돌게 되는 혼백들, 천국과 비슷한 엘리시움, 때가 되면 환생이 가능한 엘리시움의 유령들. 이때 죽은 아이네이아스의 아버지 안키세스가 자신의 아들이 세우게 될 나라의 미래를 예언하는데, 많은 장군들과 왕들과 현인들을 묘사하다 율리우스 카이사르와 아우구스투스를 크게 찬미하며 끝을 맺는다.

아우구스투스는 베르길리우스의 이러한 상세한 묘사를 통해, 아이네이아스와 자신을 동일시하며, 그가 행해왔던 냉혹한 처단은 마치 아이네이아스가 투르누스를 죽인 것처럼 로마의 숭고한 미래를 위한 결단으로 포장한다. 어떤 측면에서 보면 아우구스투스가 베르길리우스를 활용했다고도 할 수 있고, 그의 덕을 입었다고도 할 수 있다. 베르길리우스가 미완성 원고를 불태우라고 했음에도 이를 간행하도록 한 이유이기도 할 것이다.

《아이네이스》전체를 용비어천가로 여기는 관점도 있으나, 농경시나 전원시 등에서 성실하고 건전한 농경생활이나 전원생활을 예찬하고 신봉하는 베르길리우스의 관점에서 볼 때, 아우구스투스는 오랜 로마의 혼란과 전쟁을 종결하고 로마에 밝은 미래를 가져다줄 지도자였을 것이다. 따라서 베르길리우스는《아이네이스》내에서 많은 예언이나 계시, 헤파이스토스가 아이네이아스에게 마련해 준 방패의 조각 묘사를 통해 그리스 로마 시대와 아우구스투스 시대를 하나로 묶는 효과를 거둔다.

또한 이 작품은 호라티우스가 "그대들은 신들의 하인이므로 지상의 주인이다."라고 말했던 것처럼, 또 아우구스투스가 "마음껏 민족을 다스려라. 항복한 자들은 살려주고 교만한 자들은 쳐부수라."라고 말했던 것처럼 로마인의 기원이 신과 인간의 사명이자 권리인 정복과 문명에 있음을 제시한다.

또한 아이네이아스가 겪게 되는 수많은 아픔과 고난, 트로이아 낙성, 아버지를 업고 아들의 손을 쥐고 가는 필사의 탈출, 그 과정에서 아내의 실종, 오랜 방랑, 또 다른 전쟁과 살육, 특히 모든 자존심을 내버린 채 애원하는 디도와 이별을 감행하는 것 등은 그의 고난을 통해 로마 건국의 어려움을 상징하고자 하는 의도가 들어 있다. 특히 디도와 결합하여 카르타고에 남았더라면, 위태롭기는 해도 왕으로서 새로운 운명을 개척해 볼 수도 있었을 것이다. 그러나 결국 아이네이아스가 이탈리아에서 왕이 되는 것, 로마를 건설하는 것은 위대한 신의 계획을 실현하기 위한 것이었다. 로마인들이 아킬레우스를 무시하고 아이네이아스를 칭송하는 것은, 아이네이아스가 자신들의 시조이기도 하지만 동시에 로마라는 거대한 통치구조와 문명 앞에 우뚝 선 위대한 개인이기도 하기 때문이다.

아이네이아스는 로마의 거대함 앞에 개인이 겪는 고통에 좌절하지 않고 운명에 대한 꺾이지 않은 희망으로 자신의 의무를 다하는 모습을 보여주었기 때문에 트로이아 전쟁의 영웅 아킬레우스와 대비된다고 할 수 있다.

명화로 보는
아이네이스

초판 1쇄 발행 2019년 11월 25일
개정판 1쇄 발행 2024년 1월 15일

편 역 자 강경수
펴 낸 이 박경준
펴 낸 곳 미래타임즈

본문디자인 김보영
표지디자인 공간42
홍　　보 김선영

주　　소 경기도 고양시 일산동구 장진천길 22-71
전　　화 031-975-4353
팩　　스 031-975-4354
이 메 일 thanks@miraetimes.com
출판등록 2001년 7월 2일 (제 2020-000209호)

ISBN 978-89-6578-193-6 (03920)
값 20,500원